文春文庫

さゆり

上

アーサー・ゴールデン
小川高義訳

文藝春秋

妻トルーディ、
二人の子供たちへイズとテスへ

さゆり（上巻）◉目次

さゆり（下巻）目次

さゆり　（上巻）

主な登場人物

さゆり…………本書の語り手　本名・坂本千代
佐津…………さゆりの姉
初桃…………置屋「新田」の先輩芸妓
おカボ…………「新田」の見習い
おかあさん……「新田」の女将
小母《あば》…………「新田」の世話係
豆葉…………さゆりの姉芸妓
岩村堅…………岩村電器創業者　〝会長さん〟
延《のぶ》俊和…………岩村電器社長
蟹の院長…………京都の医者
松永恒義…………男爵　豆葉の旦那

訳者覚書

一九三六年、ある春の宵、十四歳の私は父に連れられて、京都で舞を見に行った。いまでは二つのことしか覚えていない。まず、見物席にいた西洋人は父と私だけであり、つい数週間前にオランダから来たばかりであって、私は異文化の真っ只中に放り込まれた気分を抜けていなかったこと。二つ目は、何カ月か日本語の特訓を受けていたおかげで、まわりから聞こえてくる話し声が、ところどころ意味のあるものとなり、ひどくうれしかったことである。舞台で踊っていた若い日本女性について言えば、色あざやかな着物だったという印象が、ぼんやり残っているだけでしかない。それから五十年ほども後のニューヨークという時間も空間もかけはなれた場所で、あの舞台にいた一人との知遇を得て、数奇な生涯をメモワールとして口述してもらうことになろうとは、当時の私には知る由《よし》もなかった。

歴史家である私は、従来、メモワールを研究の素材と考えてきた。メモワールというものは、その語り手自身についてよりも、語り手のいた世界について、多くのことがわかるようにできている。いわゆる伝記とは違う。伝記作者であれば当然ながら持っている視点を、メモワールの語り手は持ち得ない。もし自伝などというものがあるとしたら、草原を跳ねていく兎《うさぎ》はどのような姿であるかと、その兎に聞くようなものだろう。わかるわけがない。だが逆に、草原のことを聞きたければ、兎ほど適任の語り手もあるまい。兎の観察眼から外れたものは語られないと心得てさえいれば——。

そのような区別をつけて学問を成り立たせてきた私としては、自信をもってそう言える。ところが、私がニッタ・サユリと知り合い、その回想を聞くにおよんで、いささか考え直さざるを得ないとも思うようになった。なるほどサユリは秘密の奥に隠れた世界を生きて、その物語を明らかにしてくれた。兎の眼から見た草原、と言ってもよかろう。めずらしい芸者の生活記録という意味で、これ以上のものはないように思う。しかし同時に、サユリは自身に関する記録をも残すことになった。その生活については、『日本の輝ける宝石』という書物が長々と一章を割《さ》いて論じているし、これまでに雑誌論文として発表された研究も多々あるのだけれど、ほかならぬサユリの語りこそが、抜きん出た情報量、精度、迫真性をもっている。少なくともこの例外的ケースにあっては、メモワールの語り手が、最もよく語り手を知っていたように思われる。

サユリが名を馳《は》せるにいたったのは、運命のいたずらによるところが大きい。似たような境遇の女性は、ほかにもいたのである。かの有名なカトー・ユキ——今世紀初頭、富豪ジョージ・モルガンの心をとらえ、妻となって海を越えた芸者——などは、さらになお数奇な生涯をたどったと言えるかもしれない。だが、ここまで完全に一生を記録にとどめたのはサユリだけである。かなり長いこと私は、彼女が記録に応じたのは、偶然に恵まれた結果だと考えていた。もし日本に暮らしたままであったなら、生活の忙しさにとりまぎれ、メモワールを残すどころではなかっただろう。しかし、一九五六年、彼女の人生はアメリカに移住するという展開を遂げた。それから四十年の後半生をニューヨークの〈ウォルドルフ・タワーズ〉に居を定めて過ごし、その三十二階のスイートルームに優雅な日本風の空間を出現させたのだった。そうなってからも休む暇があったわけではない。引きも切らずに日本からの芸術家、知識人、実業家が——あるいは閣僚さえも、またヤクザの親分も一人や二人は——訪れたのである。私が紹介されて知己《ちき》となったのは、一九八五年のことでしかない。私も日本を研究対象とするのでサユリの名前だけは覚えがあったが、とくに予備知識まではなかった。それが次第に親しさを増し、打ちとけた話を聞けることも再々となって、ある日、私は人生を語ってもらえないものかと切りだしたのである。

「そうどすなあ、ヤーコプさんが書いてくれはんのどしたら、おたの申しまひょか」という答えが返った。

それで共同作業が始まった。サユリは自ら筆を執《と》るよりも口述したい意向を明らかにした。じかに話すことに慣れているので、聞き役もいない部屋では仕事の進めようがないというのである。私も承知して、以後十八カ月にわたる口述が行われ、原稿が出来ていった。言葉のニュアンスをどうやって英語に訳そうかと悩んだ私は、かつてないほどサユリの京都方言——ゲイシャは芸妓《げいこ》と称され、キモノはおべべでもある——を意識するようになった。だが、とにかく作業の第一歩から、すでに私はサユリの世界に引き込まれていたのである。まずたいていは夕刻になってから顔を合わせた。習い性というもので、その時刻からサユリの頭が冴《さ》えるのだった。ふだんは〈ウォルドルフ・タワーズ〉のスイートで話したがったが、ときとしてパーク街にあるサユリが顔なじみの日本料理店で個室を借りることもあった。一度会うごとに二時間か三時間続けるのが、いつものペースだった。毎回テープレコーダーに収録したが、そのほかに秘書役の女性も同席して、きわめて忠実な筆記を行っていた。しかし、サユリはテープレコーダーにでも秘書にでもなく、かならず私に向かって話した。進む方角に迷ったらしいとき、舵《かじ》取《と》り役になるのも私だった。私はこの企画の土台になっているつもりで、私がサユリの信頼を得ていなければ彼女の物語は決して聞かれなかったろうとまで考えたものだが、いまにしてみれば見当違いであったようだ。たしかにサユリは私を記録係に選んだが、じつは適当な人物があらわれるのを待っていただけなのかもしれない。

さて、そうなると問題の核心は、なぜサユリが記録を残す気になったかということである。芸者に正式の守秘義務が課されているわけではないにしても、やはり芸者というものは、いかにも日本的な通念に基づいて存在している。すなわち、昼のオフィスで行われることと襖《ふすま》をしめた夜の部屋で行われることには何らの関わりもなく、それぞれに遮断、隔離されたことになっている。芸者は見聞を他言するものではない。芸者より下級と見なされる娼婦でも事情は変わらないが、世間では誰それとして名のある人物も、ズボンをはくときは、みな片足ずつであるということを知る立場にいるのが芸者なのだ。こうした夜の蝶が、おのれの役割を社会的信義の上から考えていることは誉《ほ》められてよいのかもしれない。ともかく信義に背《そむ》いた芸者は立場が危うくなるのである。サユリの場合には事情が違っていた。もはや日本にいる誰をも憚《はばか》る必要がなかった。すでに故国との縁は切れていた。それだけでも沈黙の束縛を解かれていた理由の一端は窺《うかが》えるが、なぜあえて語る気になったのだろう。その問いを発することに私は踏み切れなかった。もし彼女なりの道義的観点から話を中止されたらどうしよう——。原稿が出来上がってからでも、まだ私はためらっていた。ようやく出版社からの前渡し金を彼女が受け取るにおよんで、もう訊いてもよかろうと思った。なぜサユリは生涯を記録したくなったのか。

「この頃は、ほかにすることもあらしまへんさかいなあ」

たったそれだけの動機だったのかどうか、読者の判断にまかせよう。

サユリが半生の記を残そうとする意志は固かったが、いくつかの条件にこだわったのも確かである。自分が生きているうちは、そして人生に大きく関与した数名の男性が生きているうちは、原稿としたものを公刊されたくないと言った。結局、長生きしたのはサユリだったが、公開する内容によって誰にも迷惑をかけたくない、と最後まで考えていた。登場する人物はできるだけ実名のままにしてある。しかし、私にさえ正体の明かされなかった場合もある。そんなときサユリは、花柳界の習いとして、客を通称で呼んでいた。たとえば「吹雪はん」のような名前——フケ性の頭に由来する——が出たとして、これをサユリの冗談にすぎないと解釈したら、真意をつかみそこなったことになるだろう。

テープレコーダーを使わせてほしいと言ったときの私は、もし秘書役の女性が筆記ミスをしたら困るという用心のつもりだった。しかし、昨年ついにサユリが亡くなってからは、私自身にほかの動機もあったような気がしてならない。私は彼女の声を保存したかったのではなかろうか。類稀《たぐいまれ》なというべき性質の表現力がこもっていた。通常はまろやかな声音《こわね》で話していて、これは宴席に侍《はべ》ることを職業にしたのだから当然とも思われようが、いざとなると七、八人も部屋にいようかと錯覚させるほどに、まざまざと場面を描き出してみせた。いまも私は夕方になると書斎でテープを聞くことがある。そして、いまだにサユリが世を去ったことを信じきれずにいる。

ヤーコプ・ハールホイス
ニューヨーク大学アーノルド・ルーソフ講座教授（日本史）

一

たとえば庭のある静かなお座敷でご一緒して、お茶でもいただきながら、遠い昔の思い出話をしたといたします。「これこれのお人と初めて会《お》うた日の午後は、一生のうちの最高でも最悪でもある午後どした」などと申し上げたら、きっとお茶碗を下に置いて、「おい、おい、どっちなのかね。いいのか悪いのか。両方ということはなかろう」と、おっしゃいますでしょうね。まあ、普通なら、恐れ入りますといって笑うところなのでしょうが、本当に、私が田中一郎という人に会った日は最高でも最悪でもありました。それはもう素敵なお方に見えまして、手についた魚の臭みでさえ香水のようだったものです。あの人を知らずにおりましたら、芸者になったりすることもありませんでしたでしょう。

なにも芸者になるために生まれ育ったわけではありません。京都の生まれですらないのです。漁師の娘なのですよ。鎧戸《よろいど》という日本海に面した小さな町でしてね。でも鎧戸のことは、ほんのひと握りの方々にしか申し上げておりません。子供の頃の家のことも、父や母や姉のことも——もちろん、どうして芸者になったとか、なってみてどうだったとか、そんなことは滅多に言えたものではございません。女三代の芸者だろう、乳離れするかしないかで舞を仕込まれたのだろう、というように、どちら様もお考えになっていたらしいのですが、ずいぶん前にこんなこともありました。お座敷でお酌《しゃく》しておりましたら、そのお客さんが、つい先週、鎧戸へ行ってきたんだとおっしゃいます。何というか、海を越えた渡り鳥が、行った先で、ひょっこり古巣の名前を出されたような具合でしょう。もう泡を食ったもいいところで、うっかり口走ってしまいました。

「ひゃあ、鎧戸て、うちの出所《でしょ》どすわ」

すると、お気の毒に、その方のお顔がくるくると変わったようになりまして、笑おうとするらしいのに、びっくりが先に立って、うまく笑いになりませんのです。

「なに、鎧戸の出！　嘘だろう」

笑うことにかけてなら、とうに私のほうが術を磨いておりました。胸の内では「能笑い」と思ってます。能面と同じで、表情を凍らせて固めたようなもの。これが役に立ちまして、男の方はどうとでもお好きなように考えてくださいます。せいぜい利用させてもらいました。で、この手に如《し》かずと思いましたら案の定、そのお客さんは、ありったけの長い息をついて、いまお酌した盃《さかずき》をぐっと空《あ》けてしまいますと、たいへんな大笑いをなさいました。何だ、そんなことか、という安心の笑いでしたでしょう。

「こいつはいい」と、また大笑いです。「おまえが鎧戸みたいな掃溜《はきだ》めの産だとは、バケツで茶の湯が立ったようなものだな」もう一回お笑いになっておいて、「これだから愉快でいい。どうかすると、おまえの冗談を真《ま》に受けそうになるよ」

バケツの茶と言われてもうれしいわけではありませんが、どこか当たっていたようには思います。何だかんだいって鎧戸の育ちです。お国自慢の種もないところです。わざわざ行ってみる物好きもないでしょう。住んでいる人は、よそへ出そびれているばかり。だったら、どうして私が出てきたかと思われますでしょう。それが話の始まりなのです。

＊　＊　＊

小さな漁師町の鎧戸で、私は自分の家が「ふらついている」と考えておりました。崖っぷちにあって、年中、海から吹きあげる風にさらされるのです。私は子供心に、海がひどい風邪をひいたようだと思いました。ぜーぜーと荒い息をして、ものすごいクシャミが止まらなくなる。つまり、とんでもない水しぶきが降りかかります。このちっぽけな家は海のクシャミをまともに引っかけられているから、いやになってあとずさりするように傾いている、きっとそうにちがいない、と私は考えたものです。父は使いものにならなくなった漁船の廃材でもって軒《のき》につっかい棒をしていましたが、そうでもしなければ家は潰れていたかもしれません。でも、そのおかげで家は松葉杖をついてふらつく老人のように見えました。

ふらついた家の中で、私もまた一方に傾いていました。ほんの赤ん坊の頃から、私は母にそっくりで、父と姉にはろくに似たところがなかったのです。あんたとあたしは同じに出来てるからねえ、と母は言いました。それはそのとおりで、母も私も日本ではまず見かけない変わった目をしていたのです。一般に目の色は黒いものですが、母の瞳は澄んだ灰色で、私もそのようになっていました。幼かった私が、おかあちゃんは誰かに目を突つかれて、あいた穴から墨がこぼれたんじゃないの、と言ったのを母はおもしろがっておりました。占いの説によると、目の色が薄いのは、木火土金水のうち水だけが母に多いからで、ほかの四つは影をひそめているくらいなのだそうです。母が不釣り合いな顔立ちをしているのも、それで説明がつくといいます。母の両親を考えれば、飛びきりの器量よしでもいいはずだ、と鎧戸では言われていましたが、桃と松茸はそれぞれに美味でも、合わせればよいというものではありません。そんなふうに母は生まれついておりました。おちょぼ口を母親から、四角い顎《あご》を父親から受け継いだせいで、可憐《かれん》な絵を丈夫一点張りの額縁に入れたようになっていたのです。きれいな灰色の目にしても濃い睫毛《まつげ》がかぶさっていて、それは男親の顔にあっては立派なものだったでしょうが、母の場合にはたまげて目を丸くしたようにしか見えませんでした。

父と夫婦になったのは、母が水の性分で、父が木の性分だったからだそうです。父を知る人には、すぐわかる話でした。水は所をかえてさらさら流れ、どこへでも隙間を見つけていきます。そこへいくと木はじっくりと根をおろします。ただ漁師である父が木性《きしょう》なのは結構なことで、海に出てもまったく平気なのでした。海の上でこそ本領を発揮したのかもしれません。海を離れるということがありませんでした。風呂に入っても海の匂いが抜けません。漁に出ていないときは、薄暗い板の間に坐って網を繕《つくろ》っていました。もし網に命があって、ちょうど眠っていたのだとしても、あの父の仕事ぶりでは、決して目覚めなかったことでしょう。何につけ動作の遅い人でした。めずらしく張りつめた顔をしそうなときでさえ、ほかの者が走り出て風《ふ》呂桶《ろおけ》の水を抜いて帰ってても、まだ顔の調節をつけかねていたのです。深い皺《しわ》がびっしり刻まれた顔でした。その一本ずつに何かしらの憂《うれ》いがこすりつけてあって、もはや自分の顔ですらなく、枝という枝に鳥の巣をかけられた木のようになっていましたが、これをどうにかしようとするのが厄介で、それがまた疲れた顔に見えるのでした。

六歳か七歳になって、私はそれまで父について知らなかったことを知りました。ある日、「おとうちゃん、どうして年寄りなの」と言いますと、父の眉がずり上がり、目の上にかぶさる傘になりました。ふうっと息を吐いた父は首を振り、「どうだか」と言いました。母のほうを見ると、私に目配せして、あとで教えてやるから、と伝えています。翌日、母は黙って町へ降りる方角へ私を歩かせ、ある小道で曲がると木立の中の墓地へ行って、片隅の三つの墓の前に私を立たせました。私より背の高い三本の墓標が色褪《あ》せています。難しそうな黒い字が上から下へならんでいましたが、学校へあがってから日の浅い私には、どこが切れ目なのかもわかりませんでした。母が指をさして「坂本稔妻なつ」と言いました。坂本稔というのが父です。「明治十九年、享年二十四」それから母は次の墓をさして、「坂本稔長男仁一郎、明治十九年、享年六」さらに次の墓も名前と年齢だけが違って、政夫、三歳となっていました。やっとのことで私にも呑み込めてきました。ずっと前に父は別の結婚をして、一度に妻子を亡くしていたのです。いくらか日を措《お》いて、また墓前に立った私は、悲しみとはひどく重いものだと思いました。そこに立っただけのことで、まるで墓の下へ引きつけられるように、体が倍も重かったのです。

＊　＊　＊

あれだけの水と木が合わさったら、さぞかし釣り合いのとれた子供が出来上がりそうなものなのに、どちらかに片寄ったのが一人ずつ生まれたのですから、両親ともに意外だったことでしょう。というのも私が母親似で目の色までもらっていただけではなく、姉の佐津はよくもまあと思うほど父に似ていたのです。私よりも六つ上でしたから、私のできないことができたのは当然だとしましても、何につけ、たまたま事故にあったような形になるという癖がありました。たとえば、火にかけた鍋から椀《わん》に汁をよそわせると、一応はやってのけるのですが、こぼした先にうまいこと椀があったというように見えました。魚がもとで切り傷をつくったこともあります。といって庖丁で切ったわけではなくて、魚を紙に包んで坂をあがってくる途中、すべり落ちた魚が足にあたって、鰭《ひれ》で切ったのです。

両親は佐津と私のほかにも子供が欲しかったのかもしれません。とくに父は一緒に漁に出る息子を望んでいたようです。でも私が七歳の年に母が病んで、悪くなる一方になりました。たぶん骨の癌になったのでしょうけれども、当時の私には何が何だかわかりませんでした。体のつらさが紛《まぎ》れるのは眠っているときだけだったようで、だんだんと猫のように眠りだしました。つまり、眠るのが普通になったのです。そのうちにほとんど寝て暮らすようになり、あとはもう目が覚めれば苦しげな声を洩らすという状態でした。母の体内に急な動きが生じているのは私にもわかりましたが、水の多い人だからと思えば、あまり心配もしませんでした。短い期間にめっきり痩せたと思うと、すぐにまた元気になることもありました。それが私が九歳になった頃には、骨の突き出たような顔になって、それからは細くなったきりでした。病気のせいで水が漏れだしていることまで私は気がまわらなかったのです。ずっしり濡れている昆布でも干せばぱりぱりになるように、母は大事な成分を減らしていたのでした。

ある日の午後、私がでこぼこの板の間に坐り込んで、朝のうちに見つけたコオロギを相手に歌っていると、表に人の声がしました。

「おい、あけてくれ。三浦だ」

週に一度この漁師町にやってくるお医者さんで、母が病んでからは坂をあがって様子を見に来てくれることになっていました。この日は海が時化《しけ》になりそうだというので父も家にいて、いつもの場所に腰を据え、大きな蜘蛛《くも》のような二つの手を網にからめていたのですが、一瞬遅れたように私に目を向け、指を一本あげました。おまえが出ろということです。

三浦先生は名士でした。この町ではそういうことになっていました。東京で勉強をしたのですし、誰も知らない漢字をいくつも知っているらしいのです。私のような小娘には目もくれず、私が戸をあけても、黙って靴を脱ぎ、中へあがっていかれました。

「やあ、坂本さん」と父に言います。「あんたの暮らしが羨《うらや》ましい。一日中釣りに出るなんてのが豪儀だし、荒れたら休みになるんだからな。——奥さんは、寝てるようだね。これじゃあ往診にもならんな」

「はあ」と父は言いました。

「いや、来週は来られそうにないので、仕方ないから起こしてもらうか」

また緩慢に父は網を手からほどいて、ようやく立ち上がりました。

「千代、お茶を差し上げろ」

それが私の名前でした。芸妓の名前がついたのは、ずっと後のことです。

父と先生が、母の寝ている部屋へ行きました。私は聞き耳を立てましたが、母の呻《うめ》きが聞こえるだけで、どんな話をしているのかわかりませんでした。とにかく茶を淹《い》れて時間をごまかしていますと、ほどなく先生が手を揉《も》み合わすようにして、気むずかしい顔で出てきました。あとから父も来て、卓袱台《ちゃぶだい》を前に坐ります。

「坂本さん、いよいよ言うべきことを言わないといかんようだ。誰か女の人に話をつけてもらいたいんだが、杉さんとこのおかみさんあたりに頼むといい。奥さんの装束《しょうぞく》を縫ってくれるように」

「でも先生、そんな金は」

「たしかに、どこも景気は悪いんだから、言いたいことはわかるが、そのくらい奥さんにしてやってもいいだろう。あの襤褸《ぼろ》のままで逝《い》かせるのもかわいそうだ」

「もう長くないんで？」

「よくて一カ月どうかな。痛みがひどい。楽になれるんだよ」

そのあとの声は私には聞こえませんでした。耳の中に、あわてふためいた鳥の羽音のようなものがしました。心臓の音だったのかもしれませんが、どうでしょう。お寺の本堂に迷い込み、出口がわからなくなって飛びまわる鳥、というのを見たことがあったら、私の気持ちをわかっていただけますでしょう。なんとなく母が病人のままでいてくれるように思っていました。母が死んだらどうだろうと考えたこともないわけではありませんが、それは地震で家が埋まったらと考えるようなもので、いってみれば世も終わりなのです。

「俺のほうが先だと思ったのに」と、父が言っていました。

「あんたは年だが、まだ丈夫だよ。四年や五年はもつだろう。一応、奥さんの薬は置いていくから、何だったら一度に二錠飲ませるといい」

いくらか薬の話をしてから、先生は帰っていかれました。父はさっきのように黙って坐り込み、私に背を向けておりました。シャツを着ていないので、たるんだ皮膚がむき出しになっています。父を見れば見るほど、形状の違うものを寄せ集めてできているように思えました。背骨は一列に瘤《こぶ》をならべたようで、ところどころ染みのある頭は、傷《いた》んだ果物というようなものです。古びた革にくるんだ棒を、二つの盛り上がった肩からぶら下げたのが腕です。もし母が死んだら、この家にこの父と暮らしていくのでしょうか。父と離れたくはありませんでしたが、父がいようといまいと、母のいない家はからっぽでしかないでしょう。

ようやく父が小さく私の名を口にしたので、そばへ行ってかしこまりました。

「大事なことだぞ」

そう言った父の顔がいつもより重そうになっていて、目玉だけがぐりぐりと定まりようもなく動きました。母が死ぬことを言いたいらしいのですが、どうにか言葉になったのは、

「町へ行って、仏壇の線香を買ってこい」

ちっぽけな仏壇が、台所へ行く脇のところで木箱に乗っていました。ふらついた家の中で、貴重なものといえばお仏壇くらいなものです。奥に荒けずりな阿弥陀《あみだ》様があって、その手前に先祖の戒名《かいみょう》を記した黒い位牌《いはい》がならんでおりました。

「え……それで？」

返事をしてくれると思ったのに、早く行け、というように父は手を動かしただけでした。

家から歩きだすと、しばらく崖っぷちの細い道をたどってから、陸側へ曲がって町に出ます。こんな日は足元が危ないのですが、吹きつける海風で気が紛れるぶんだけありがたかったという覚えがあります。荒れた海に、石を割って薄刃にしたような波が立っていました。ああいうのが私の気持ちだと思いました。この世の中は、あったはずのものを一瞬で洗い流してしまい、目も当てられない爪痕を残すだけの嵐でしかないのでしょうか。そんなことを考えたのは初めてで、私は逃《のが》れたい一心から坂の下に町が見えるまで駆けていきました。鎧戸は入り江のとば口にある小さな町です。ふだんは漁師の姿が海に点在するのですが、きょうは戻りの船がわずかに見えるだけでした。いつ見ても、帰ってくる船は、水面を蹴る水すましのようです。いよいよ嵐は本物になって唸《うな》りをあげました。入り江の漁師は雨にけぶっておぼろげになり、すっかり見えなくなりました。嵐が私めがけて海から這《は》いあがってきます。雨粒がウズラの卵のようにたたきつけ、あっという間に私は海に落ちたようなずぶ濡れになりました。

＊　＊　＊

鎧戸に道路らしいものは一本しかなくて、その行き先は日本近海水産という会社の正面になります。商店を兼ねた家が道ばたに軒をならべています。衣料品を商う岡田という家のほうへ道を突っ切ろうとして、あることが起こりました。たまたま転んだところへ汽車が来たというような、重大な結果につながる些《さ》細《さい》なことです。踏み固められた土の道に雨が降って、すべりやすくなっていました。つるっ、と足をとられた私は、前のめりに倒れて頬を打ちました。ぼんやり痺《しび》れたようだったのと、吐き出したいものが口の中にある感触しか覚えがないのですから、打った拍子に意識が薄れたのだろうと思います。人の声がしました。仰向けに転がされたらしいのです。体が浮いて、運ばれました。まわりじゅうで魚の臭いがしたので、どうやら水産会社へ連れていかれるとわかりました。ひっぱたくような音がして、揚がったばかりの魚が木の置台から下へ落とされ、ぬるぬるした台の上に私が寝かされました。もちろん私は雨に濡れています。血もついています。裸足で、泥まみれで、粗末な普段着でもあります。そこまではわかっていても、この時点で運命が変わったことまではわかりませんでした。こんな姿をさらして見上げると、その顔が田中一郎だったのです。

それまでに町で何度も見かけていました。近隣の大きな町に家を構えているのですが、一族で水産会社をやっているために、鎧戸へも毎日来ていました。漁師とは身なりも違って和服姿です。袴《はかま》をはいているのですから、昔のお侍《さむらい》の絵に出てきそうだと思いました。太鼓の皮のようになめらかな締まった肌をして、てかてかに張った頬骨は焼き魚の表面にも似ていました。私の目には颯爽《さっそう》とした男ぶりに見えまして、ほかの子供と道でお手玉遊びをしていても、ひょっこりこの人が会社から出てくると、そっちに目がいって手が止まったものです。

ぬるぬるの台に寝かされた私を、田中さんが見ていました。指先で私の唇を下げたり、顔をあちこち向かせたりします。と、いきなり灰色の目を見られました。私は憧れたように田中さんの顔を見つめていましたので、いまさら見ていない振りもできませんでした。でも、田中さんは無遠慮な娘だという薄笑いを浮かべもせず、また目をそむけることもありません。まるで私がどこを見て何を考えても知ったことではないようです。しばらく目が合っていました。やけに長い時間に思われて、水産会社のむんむん暑い空気の中でも、背筋がぞくりとしたものです。

「見覚えがあるな」と、はじめて口をきかれました。「坂本のおっさんとこの娘だろう」子供ながらに、この人はものをしっかり見てるのだと思いました。父のようにぽかんとした顔をいたしません。松の木にしみ出る松脂《まつやに》も、雲につつまれた薄日も、きちんと見ているのでしょう。見たくないものが見えることもあるかもしれませんが、とにかく、この人には世の中のものが見えるのでした。木も泥も往来の子供も、ちゃんと目にとまっているのです。しかし、私まで見られていたとは思いがけないことでした。

というようなわけで、話しかけられた私の目に、痛いような涙があふれてきたのでしょう。

田中さんは私を起こして坐らせました。もう帰れと言われるのかと思いましたら、「こらこら、血を飲んじゃいかん。胃に石ができるぞ。俺だったら床に吐き捨てる」

「え、娘っ子の血を？」と、ある男が言いました。「魚を揚げるところですよ」

漁師というのは迷信深いものでして、とくに女を漁から遠ざけようとします。たとえば山村さんという人がいて、やはり漁師でしたが、ある朝、自分の娘が船の中で遊んでいたというので、その子を棒きれでひっぱたいてから、酒と灰汁《あく》で船のお浄《きよ》めをしたのですけれども、あんまりこすったので船板の色が抜けて縞《しま》になりました。それでも足りなくて、神主さんを呼んできてお祓《はら》いまでしてもらったのです。漁をするところで娘が遊んでいたという、それだけのことでそこまでしたというのに、いま田中さんは水揚げした魚の腸《わた》をとる仕事場で、私に血を吐けというのでした。

「腸がもったいないと思うなら、やるから持ってけ。いくらでもあるんだ」

「いえ、そんなこと言ってないですよ」

「この子の血なんて、ここで垂れるものの中じゃあ、きれいさっぱりしたもんだ。そら――」

と、今度は私に言います。「いいから吐いてしまえ」

私はどうしたらいいのか困って、ぬるぬるの台に坐ったまま、田中さんの言うことをきかないわけにもいかないと思っていました。すると、横を向いて指一本でチンと手鼻をかむ人がいたので、それを見たら口の中のものを我慢できないようになって、言われたとおり思いきって吐いてしまいました。その場にいた人はいやな顔をして立ち去りましたが、田中さんを手伝っている杉という人だけが残って、三浦先生を呼んでこいと言われていました。

「あの先生も、どこにいることやら」と杉さんが言ったのは、あまり関わりたくないという意味だったでしょう。

先生ならさっきまでうちに来ていた、と私は田中さんに言いました。

「うちはどこだね？」

「崖っぷちのふらつき小屋」

「何だ……ふらつき？」

「傾いてるんです、酔っぱらったみたいに」

田中さんは要領を得ないと思ったのでしょう。「じゃあ、杉君、ふらつくとかいう家のほうで先生をさがしてくれ。そこいらにいるだろう。どうせ患者を突っついて泣かせてるさ」

杉さんがいなくなって、田中さんも仕事があるだろうと思いましたのに、いつまでも私を見ておられました。かーっと顔が熱くなったような気がしましたが、そのうち話しかけられたときは、うまいことを言うものだと思いました。

「なんだか顔にナスを乗っけてるようだな」

抽斗《ひきだし》から手鏡をもってきて私に見せます。おっしゃるとおりで、私の唇は青く腫《は》れあがっていました。

「それにしても聞きたくなるが、どうしてそういうめずらしい目をしてるのだろう。あの親父とは似ても似つかないようだし」

「この目は母ゆずりです。父は、その、くしゃくしゃの皺だらけですから、ほんとの顔がわかりません」

「おまえだって、いずれは皺になるよ」

「いえ、もとから皺はあったんです。頭だって年は顔と同じはずなのに、うしろから見るとつるつるですから」

「おいおい、自分の親をそんなふうに言うもんじゃない。しかし、もっともではあるか」

次に言われたことで私は真っ赤になりまして、唇が青いのも目立たなくなったことでしょう。

「そういう皺だらけでつるつる頭の親父から、こんなきれいな娘が生まれたものかな」

あとになれば、いちいち覚えていられないほど、きれいだと言われてまいりました。もちろん芸者になれば、きれいでなくたってきれいだと言われるのですが、芸者なんてものを聞いたこともない時分に、あの田中さんに言われたときは、そんなような気にもなりました。

三浦先生に唇を見てもらい、言いつかっていた線香も買って家へ帰ろうとしましたが、体中がどきどき騒いでおりまして、きっと蟻塚だってあれほどてんやわんやではなかったでしょう。どこか一方に気持ちが引っ張られているのなら、ずっと話は簡単だったのでしょうが、あのときの私は風に舞う紙切れのようになっていました。母のことがいろいろ思われますのに、唇の痛さだってありますのに、そのくせどこかで心の弾《はず》むことがありまして、それが何なのかはっきりさせようとしていたのでした。田中さんのことです。崖っぷちで足を止め、海を見つめました。嵐が過ぎても、まだ波は鋭い石のようです。空は泥のように茶色くなっていました。誰も見ていないのを確かめてから、私は買ってきた線香を胸に押しあて、ひゅうひゅう鳴る風の中へ田中さんのお名前を、一つ一つの音がきれいに響くように思えて気がすむまで、何度も口にしていました。くだらないと思われるでしょう。そのとおりです。わけのわからない小娘だったのです。

＊　＊　＊

その晩、ご飯がすんで、父が漁師仲間の将棋を見に出かけてしまいますと、私は姉の佐津と黙って台所の片付けをいたしました。思い出そうとはしたのですが、この家のうらさびしい静けさの中では、田中さんへの気持ちもどこかへすり抜けていました。それよりも母の容態を思うと、ぞっとする恐ろしさにとりつかれます。父の昔の家族とならんで、あの墓地に母が埋まるまで、どれだけの時間があるのだろう、などというほうに考えがいってしまいます。そうなったら私はどうなるのか、姉が母代わりになるのかもしれない、と思いながら見ていますと、佐津は汁を煮た鍋を洗っていたのですが、目の前に鍋があって、その鍋に目が合っているというのに、見ていないらしいのです。とうにきれいになったのに、いつまでもこすっています。

とうとう私が口をききました。

「お姉ちゃん、なんか気分悪いわ」

「そと行って、お風呂わかしな」と姉は言い、ばらけた髪を濡れたままの手でなでつけました。

「そうじゃないよ。おかあちゃん、死んじゃうんだよ」

「あら、このお鍋、ひびが入ってる」

「入ってない。前からひびみたいな線がついてた」

「だって水が漏れるのに」

「揺すったからだよ。見てたもの」

何やら思いつめたことがあるらしい。ふと、そんな気がしました。どうしていいか弱りきった顔になっています。姉の気持ちは顔に出るのでした。でも、それ以上は何とも言わず、姉は鍋をおろして戸口へ行き、外に水をあけました。

二

あくる日、せめて気晴らしにと思って、水遊びに行きました。いくらか山手へあがると、松林に池があります。天気さえよければ、たいていは朝から子供たちが来ています。佐津でさえ、ごわごわの水着を着てくることがありました。父が着古した漁師の服を仕立て直したものですから、いいかげんな水着です。前かがみになると胸元が下がります。すると男の子が「おっ、富士山が見える」と囃《はや》したてたものですが、姉は平気で着ていました。

お昼頃になって、うちへ帰って何か食べようと思いました。とうに姉は杉さんの息子と連れだっていなくなりました。田中さんの下で働いている、あの杉さんの息子です。姉は犬が尻尾を振るようなもので、この若者がどこかへ行きかけ、ついてこいというように振り返ると、必ずついていくのです。きょうはもう晩ご飯まで姉の顔を見ることはなかろうと思っていたのですが、うちの近くまで来たら、ちょっと先に姉がいました。道ばたの木にもたれかかっています。見ればわかるようなことだったのでしょうが、私はほんの子供でした。佐津は水着を肩までまくりあげていて、二つそろった富士山を杉さんの息子がなでまわしていたというわけです。

母が床《とこ》についてからというもの、この姉は体つきがぽっちゃりしてきました。髪の毛もそうですが、胸のふくらみも始末に負えないもののようです。こんな困ったものがあればこそ杉さんの息子が寄りつきたがるらしいのですから、私はたまげていました。手で上げたり下げたり、ぐーっと押しては揺り戻しておさまらす、というようなことをしています。隠れて見ていてはいけないものに思えましたが、行く手をふさがれた形なので、どうするわけにもいきません。と、不意に、うしろから男の人の声がしました。

「おや、木の陰にしゃがんで何やってるんだ」

このときの私は九歳で、いままで泳いでいたわけですし、まだ水着で肌を隠すほどの体にもなっていなかったとお考えになれば、まあ、どういうなりをしていたかお察しいただけますでしょう。

道ばたにしゃがんだまま、手で隠せるだけ隠しながら振り返りますと、立っていたのは田中さんでした。それはもう恥ずかしいのなんの。

「ふらついた家とかいうのはあっちだね。それと、あそこにいるのは杉の倅《せがれ》じゃないのか。こりゃ、忙しくて手が離せないというやつだな。娘のほうは誰だろう」

「あの、うちの姉ちゃんじゃないかと。どっか行ってほしいんですけど」

すると田中さんは口の前で手をラッパのようにして、大きな声を出しましたので、杉さんの息子がばたばた逃げていきました。それから田中さんが私に、もういいから帰って何か着なさいと言ったのですから、姉も逃げたのだろうと思います。「姉ちゃんに会ったら、これを渡してくれ」

魚の頭ほどのものが半紙に包んであります。「漢方の薬草だ。三浦先生ならそんなもの役に立たんと言うかもしれないが、なに、かまうものか。姉ちゃんに煎《せん》じてもらいなさい。おかあさんに飲ませれば痛み止めになる。高い薬なんだから、無駄にするんじゃないぞ」

「だったら私がやります。そういうの姉ちゃんは下手《へた》だから」

「おかあさんの話を先生から聞いてな。それで姉ちゃんが頼りにならないんじゃ困ったもんだ。親父さんだってあの年だし、おまえもどうなることやら。誰に面倒見てもらってるんだ？」

「自分でどうにかしてます」

「ある男の話をしてやろうか。もう大人になってるが、おまえくらいの子供の頃、父親に死なれた。次の年に母親も死んで、兄貴はさっさと大阪へ出ていき、その子は放ったらかしにされた。おまえと似たようなものだと思わないか？」

ちがうとは言わせないような目で、田中さんは私を見ました。

「そう、そいつの名前が田中一郎だよ。この俺だ。もっとも、その昔は守橋一郎といった。十二歳で田中の家に拾われたのさ。ある程度の年になってから、家付き娘と一緒になって婿養子だ。いまじゃ会社の切盛りもやってるわけだから、うまくいったんだろうな。おまえだって、いいことがないとは限らない」

白いものの混じった田中さんの髪と、樹皮に刻まれたような額の皺に、私の目がいきました。この世にこれほど知恵のある人もいないのだろうと思えました。私など足元にも及ばないほど博識で上品なのでしょう。どう間違っても私が袖を通すことはないだろう立派な藍色《あいいろ》の着物を着ていました。裸の私は泥の地面にぺったり坐りこんでいます。髪の毛はぐしゃぐしゃで、顔もよごれています。池の臭いが肌にしみついていました。

「でも、拾ってもらえるような子じゃないから」

「そんなことがあるものか。ふらついた家だの、うしろから見ればつるつるだの、言うことが振るっている」

「だって、つるつるだから」

「いやいや、それしかないような気のきいた言い方になってる。ま、とにかくお帰り。おなか空《す》いてるんだろう？　もし姉ちゃんが味噌汁でも呑んでたら、そばで寝そべってごらん。おこぼれが頂戴《ちょうだい》できるかもしれない」

＊　＊　＊

このときから私は田中さんの養女になれるような夢をいだいてしまいました。あの時分の私がどれだけ切ない思いをしていたのか、いまとなっては記憶も定かではありませんが、やはり気休めになりそうなものには何にでも飛びつきたくなっていたのでしょう。悩みがあると、よく私の心には、ある決まった母の姿が浮かんだものです。朝起きて体の芯から痛くて呻いていたよりも、ずっと前の母でした。私が四歳で、お盆の頃です。ご先祖の霊を迎えるというので、お墓参りをしたり迎え火を焚《た》いたりということがありまして、いよいよお盆が明ける前の晩に、神社で盆踊りがありました。入り江を見おろす岩山に建っていて、境内を囲む木から木へと提《ちょう》灯《ちん》が張りめぐらしてあります。しばらく母も私も笛太鼓に合わせて踊っていたのですが、そのうちに私がくたびれたと言いますと、母は境内の端っこのほうで私を膝にかかえるようにしていてくれました。すると、いきなり崖から吹きあがった風に煽《あお》られて、提灯が一つ、ぱっと燃えたのです。吊《つる》していた紐《ひも》も焼けきれて、提灯が落ちかかってまいりました。空中でまた煽られて、火の粉《こ》の尾を引きながら、くるくる飛んでくるのです。もう提灯ではなくて火の玉です。一旦は地面に落ちましたが、風に流されて迫ってきます。母が私の体を離すのがわかりました。そして思いきりよく腕を突き出し、火の玉をたたいたのです。瞬間、まわりじゅう火が舞ったように思いましたが、ちぎれた火はてんでに木立へ飛んで燃えつきました。それで無事にすみました。母でさえ火傷《やけど》にならなかったのです。

＊　＊　＊

一週間ほどいたしまして、私の頭の中で養女になる夢がじっくりふくらんでおりました頃、午後になって家へ帰りますと、田中さんが卓袱台で父と差し向かいになっていました。私が帰ったのにも気づかないようなので、何やらまじめな話らしいと思いました。凍りついたようになって私は耳をすまします。

「だから、いまの話をどう思ってるんだね？」

「どうと言われましても、娘どもをよそへやるというのが、さっぱり……」

「その気持ちはわかるが、先々のためにはずっといいんだ。あんたのためにもな。いいから、あしたの昼すぎ、向こうへ寄こすようにしてくれ」

そう言うと田中さんは腰をあげました。私はちょうど入れ違いになったように取りつくろいました。

「おや、噂をすればだ」と田中さんは言います。「おじさんの家は山向こうの仙鶴《せんづる》にあるんだ。鎧戸より大きな町だよ。千代ちゃんも気に入るだろう。あした、姉ちゃんと一緒においで。うちへ行けば、おじさんの娘もいる。ひと晩泊まったらいい。また送ってきてあげるから。どうだい？」

ありがたいことですと答えました。えらいことになったわけですが、そうと気取《けど》られないように必死でした。もちろん頭の中は破裂したようになっています。考えることがばらばらで、ちっとも一つになりません。たしかに心のどこかでは、母が死んだら田中さんの養女になりたいのだと矢も楯《たて》もたまらなくなっていましたが、さりとて不安もまた強いのでした。ふらついた家を出ようと思いついたこと自体が、けしからん娘だと感じられたのです。田中さんが帰ってから、私は台所の用事にかまけようとしましたが、なんだか佐津と似たようになって、目の前のものさえ目に入らないのでした。どれだけ時間がたったものでしょうか、ふと気がつくと父が鼻をすすったらしく聞こえました。きっと泣いているのだと思って、けしからん娘の頬が熱くなりました。むりやり父のほうへ目をやりますと、もう手を漁網にからめていましたが、母の寝ている奥の間を向いて立っているのでした。日の光を浴びた母に、肌掛けがぴったり貼りついていました。

＊　＊　＊

あくる日、町へ行く支度に、足の垢《あか》落としをしてから風呂に体を沈めました。風呂とはいいながら、もとは捨ててあった蒸気船のボイラーでして、上のほうを取り払い、木で内張りをしたものです。だいぶ長いこと海を見ながら、すっかり大人びた気分になっていました。生まれて初めて鎧戸の外を目にすることになったのです。

佐津と連れだって日本近海水産へ行きますと、ちょうど水揚げをやっているところでした。漁師の中に父もいて、骨ばった手で魚をつかんでは籠に放っています。ちらっとこっちを見ましたが、そのあと袖で顔をぬぐったようです。いつもより重苦しい顔に見えました。一杯になった籠は馬車に運ばれ、その荷台に積まれます。車輪に足をかけてのぞいてみると、だいたい魚は死んだ目でにらんでいるのですが、中には口を動かすのもいて、そうなると小さく叫んだように思えます。つい私は言ってやりたくなりました。

「みんな仙鶴へ行けるんだからね。大丈夫なんだよ」

本当のことを言ったって、魚のためにならないと思ったのです。

そのうちに田中さんが出てきて、一緒に馬車に乗るようにと言いました。私は三人の真ん中に坐ったので、田中さんの着物の生地が手に触れそうになり、それで顔を赤くしていました。その私を佐津がじっと見ていたのですが、どうと思ったわけでもなさそうで、相変わらずぼんやりした顔をしていました。

道中、私は籠の中で揺れる魚を、何度も振り返っていました。鎧戸を出て山越えの道にかかっていたとき、車輪が石に乗りあげ、がたんと馬車が傾いたものですから、積み荷の鱸《すずき》が一匹飛びだして、地面にぶちあたったはずみで息を吹き返したようでした。ばたばた悶《もだ》えているのを見ていられず、私は目に涙をためて向き直りました。見られまいとしたのですが、田中さんの目はごまかせません。落ちた魚を拾って、また山道をたどりながら、どうしたんだと言いました。

「かわいそうだから」

「うちの女房みたいなことを言う。たいていの魚は死んでるんだが、まあ蟹なり何なりの、まだ生きてるやつを料理するとなると、女房は涙ぐんで歌を聞かせるんだよ」

それを田中さんは一節教えてくれました。ほとんどお祈りのようなものでしょうか。きっと奥さんが考えた歌だろうと思いました。本当は蟹に歌うのだそうですが、ちょっとだけ変えまして、鱸よ、鱸、どうか成仏しておくれ、というのでした。

それから、もう一つ、今度は聞いたこともない子守唄を教わりました。一匹だけ浅い籠に入っている鰈《かれい》がいまして、これが片側に寄った二つのボタンのような目玉をぎょろつかせていたのです。——眠れ、よい鰈よ……、みんな眠れば、星は窓から、銀の光を、そそぐ、この夜！

まもなく道は尾根に出て、行く手に仙鶴の町が見おろせました。どんより曇った日で、何もかも灰色の濃淡にしか見えませんでした。鎧戸の外へ出るのは初めてでしたが、さほど上等な景色とも思えません。だらだら起伏する土地に切れこんだ入り江を、藁葺《わらぶ》き屋根の家並みが取り巻いていました。その向こうは鋼《はがね》のような海に白い波が砕けています。陸のほうを見れば、なかなかの風景になったかもしれないところに鉄道の線路が走って傷になっていました。

仙鶴はおおむねきたならしく、へんな臭いのする町でした。海でさえも悪臭を放っています。桟橋《さんばし》の桁《けた》には、鎧戸だったらクラゲでしょうが、ここでは野菜屑《くず》が浮いてまつわりついています。船は傷だらけですし、船板にひび割れがあったりもします。漁船が仲間喧嘩でもしてきたように見えました。

佐津と私は桟橋に坐って、だいぶ待たされてから、田中さんの声がかかって日本近海水産の本社へ呼ばれ、長い通路を歩かされました。魚の臓物がすさまじい臭いを発しています。魚の腹の中へ呑まれても、あれよりは臭わなかったかもしれません。この通路の先に事務所があったのですから意外なことで、九歳の私には洒落《しやれ》たところに思えたものです。じっとりした三和《た》土《たき》に素足で立つと、そこから一段高い畳敷きの間にあがれるようになっています。たいしたものだと思いました。壇になっているぶんだけ、その場が気高く見えたのでしょう。何にせよ、私などの見たこともない立派な部屋だと判じました。まあ、いまにして思えばお笑いぐさですよ。日本海のちっぽけな町の、魚問屋が帳簿付けをやっている程度のところで、あれだけ感心していたのですからねえ。

畳のほうで座蒲団《ざぶとん》に坐っていた老女が、佐津と私を見ると上がり框《かまち》まで出てきて、膝をそろえました。なんだか意地悪婆さんのようでもありまして、また落ち着かないことといったら、ちょっと他所《よそ》ではお目にかかれないほどです。着物の生地をなでつけていると思えば、目尻から何やらこすり取ってみたり、鼻を掻《か》いてみたりしながら、そうやってもぞもぞ動かないといけないのが心苦しいように、ため息ばかりついています。

田中さんが言いました。「この子が千代ちゃんで、大きいほうが佐津さんだ」

私がぺこんとお辞儀しますと、この婆さんもうなずいて見せました。それから、なおさら大きなため息をついて、片手を首にあて、かさぶたのような箇所を突つきだします。目をそむけたくなりましたが、じっと向こうから見られていていてそうもいきません。

「そうかい、あんたが佐津さん」と、私のほうを見たままで言います。

「佐津です」と姉が言いました。

「いつの生まれだい？」

どっちが訊かれているのか佐津は決めかねているようでしたので、私が答えて「丑歳《うし》です」と姉の年を言いました。

すると老女は手を出して私をなでたのですが、じつに変わったやり方で、私の顎に指先をつんつん当てたのです。ただ顔つきがにこやかでしたから、なでたようなものだろうと思いました。

「かわいい子じゃないか。めずらしい目をしてる。それに賢そうだ。おでこを見ればわかる」とまで言ってから、姉のほうへ向き直り、「ええと、丑だったら十五におなりだね。六白金星か。ふうん……こっちお寄り」

佐津が言われたようにすると、その顔を老女は目だけではなく指まで使って調べだしました。そうやって佐津の鼻をあっちからこっちから検分しておいて、今度は耳に取りかかります。何度か耳たぶをつまんでから、ふん、と声を出したのが、もう佐津は終わりということで、次は私の番でした。

「あんたは申《さる》歳だろう。見ればわかるよ。水の性分だ。八白土星。よさそうな子だねえ。おいで」

私も同じように耳をつまんだりされました。たったいま首のかさぶたを掻いていた指だ、と思えてなりません。まもなく老女は立ち上がり、三和土に降りてきました。ねじ曲がったような足に草履《ぞうり》を履《は》くのに手間どりましたが、田中さんのほうを向くと目配せをいたします。これを察したのでしょう、田中さんは戸をしめて出ていきました。

老女は佐津が着てきた野良着の襦袢《じゅばん》をゆるめ、上半身を裸にすると、いくらか乳房を揺すり、脇の下をのぞいてから、くるりと回して背中を見ました。私はただ呆然として、ろくに見ていることもできません。佐津の裸くらい見たことはありますが、この扱いようでは、水着をまくり上げていたときの佐津よりも、なおいかがわしいことをされているように思われました。それでも飽《あ》き足らないかのように、老女は佐津のモンペを足元まで引きずりおろすと、上へ下へと目を這わせてから、また前を向かせました。

「出な」と老女は言います。

佐津としてもめずらしいほど困惑した顔をしていましたが、ともかく脱がされたものを三和土に残して、足を踏み出しますと、老女は佐津の肩を押さえつけるようにして、上がり框へ坐らせました。佐津は丸裸です。私はもちろん、佐津だって、なぜこうして坐らなければいけないのか見当もつかなかったでしょう。でも、考えている暇はありません。ひょいと老女は手を佐津の膝にあてがい、左右に押し広げました。そして、ためらう様子もなしに、佐津の股間へ手を差し入れたのです。それでもう私はまったく見ていられなくなりました。きっと佐津もいやがったのでしょう、老女の叱りつける声がいたしまして、同時にぴしゃりと平手打ちの音も聞こえましたが、これは佐津の脚をたたいたのだと、あとで赤くなった肌を見てわかりました。たちまち用がすんだと見えて、佐津は着物をつけるように言われていました。裸を隠しながら佐津は大きくすすりあげました。泣いていたのかもしれませんが、私は目を向けられませんでした。

さあ、次は私が詰め寄られます。膝までおろされ、あられもない姿になりました。揺り動かせるほどに胸はふくらんでおりませんでしたが、姉のように脇の下を見られ、くるっと回されて、坐らされ、もう足の先まで素っ裸です。何をされることやらと怯《おび》えきっていて、膝を割られようとするときには、佐津と同じく脚をたたかれることになり、それでまた涙をこらえねばならなくなって、喉が焼けるような思いでした。指が一本すべってきて、つねられるのに似た感覚があり、つい悲鳴をあげたものです。もう着ていいと言われたときの私は、川の水を押しとどめる堰《せき》のような心地でした。ここで佐津なり私なりが子供のように泣いたら、田中さんの覚えが悪くなるというのが心配で、我慢していたのです。

「丈夫そうな体してます」戻ってきた田中さんに老女は言いました。「いい具合ですよ。どっちも生《き》のまま。姉娘は木ばっかりだけども、妹は水気がたっぷりですね。それに器量よしだとは思いませんか？　ならべてみると、どうも姉さんが泥臭い」

「それぞれに見るべきものはあるんじゃないのか。まあ、そのへんまで歩きながら話そう。この二人は待たせとけばいい」

田中さんが戸をしめてから、佐津はと見ると、腰かけた格好で天井に目を据えています。あいう顔でしたから、涙が小鼻のあたりにたまっていました。この姉も平気ではいられないのだと思ったら、私までどっと泣けてきて、こうなったのも私のせいだという気にもなり、袖口で姉の顔をぬぐってやりました。

「何なんだろ、いまの婆あは」と姉が言います。

「八卦見《はっけみ》じゃないの。できるだけ調べようと田中さんが思ったんだよ……」

「あんなとこまで見なくたっていいじゃないか」

「だって姉ちゃん、あたしらを引き取ってくれようってくらいだもの」

これを聞いた佐津は、目の中に虫が入ったような瞬《まばた》きをはじめました。「あんた、何言ってんの。そんな馬鹿なことあるわけないだろ」

「……お父ちゃんはあんな年だし、お母ちゃんも病気だから、これからのこと考えてくれたんだよ。ほかに面倒見てくれる人いないもの」

立ち上がった佐津は、それも耳に入らないほどあわてふためいていました。すぐに目を細めたようになりましたから、鎧戸の家を出ることになったりはしないのだと無理にでも思いこみたがっているのがわかりました。いま私が言ったことの意味を、まるで海綿の水を絞り出すように考えているのです。その顔が徐々にまたゆるんできて、佐津はもう一度腰をおろしたと思うと、いまの話をなかったことにするような目で、部屋を見まわしておりました。

＊　＊　＊

町はずれの行き止まりに田中さんの家はありました。まわりが松林でして、鎧戸の崖の家で海の匂いがしたように、ここでは松の木の匂いが漂います。それで海を思い出し、これから匂いの取り替えっこをするわけなのかと思ったら、心の中にぽっかり穴があいて、あとずさりしたくなりました。崖下をのぞいて足をうしろへ引きたくなるようなものです。それにしても鎧戸にはないような大きな家で、神社のような庇《ひさし》がついていました。玄関に入った田中さんは靴を脱ぎっぱなしにします。あとから女中が下駄箱にしまうのでした。佐津や私はしまうような履物もありませんので、そのまま中へ入ろうとしたのですが、何だか背中に軽くあたるものがあって、真下の床板に松ぼっくりが落ちました。振り返ると、私と同い年くらいで髪を短く切りつめた娘が、木の陰に隠れようとしています。そうしておいて、前歯に三角形の隙間ができる笑顔をのぞかせ、また駆け出したのですが、うしろを気にしたのは私が追いかけてくるものという含みでしょう。へんなことを言うと思われるかもしれませんが、ほかの女の子と出会うということが私にはありませんでした。もちろん鎧戸にだって娘はいくらもおりましたけれど、もともと一緒に育ったようなものですから、とりたてて出会うということにはならなかったのです。でも、この邦子が——田中さんの娘は邦子といいましたが、初めから仲良くしてくれそうだったので、こっちの世界へもすんなり入っていけるのではないかと思いました。

邦子は私などよりずっと整った身なりをしていました。草履を履いています。こっちは田舎の貧乏娘ですから裸足で追いかけていきまして、ちょうど追いついたところが松林の中の遊び場でした。枯木の枝を切り落としたのを材料に、家のような体裁にしてあります。邦子は石や松ぼっくりをならべて間仕切りにしていました。その一室で、邦子はひび割れた湯呑み茶碗を使い、茶を振る舞う真似をしました。それから部屋をかえて、順番に赤ん坊の人形をあやしてやりました。太郎という男の子のつもりですが、木綿《もめん》の袋に土をつめただけのものです。太郎は人なつっこいけれどミミズをこわがるのだと邦子は言います。なんという偶然か邦子もミミズが嫌いだそうなので、一匹出てくるたびに、太郎を泣かせないように私がつまみ出すことになりました。

邦子と姉妹のように暮らせると思ったうれしさで、それにくらべれば堂々たる松林の匂いも田中さんという人でさえも、どうでもいいような気がしてきました。こっちの家と鎧戸の暮らしの違いをいうならば、おいしそうな料理の匂いを嗅ぐのと、実際に頰張って食べるくらいの差があります。

日が暮れて、邦子と井戸で手足を洗い、座敷へあがって四角いお膳をかこみました。私には驚きです。ほかほかの夕食から湯気が立っていて、その行き先を見上げれば、高い天井の梁《はり》に電球がいくつも下がっていたのです。それで部屋が明るいことといったら、息を呑むほどでした。見たこともありません。まもなく女中たちの手ですっかり支度が整いました。鱸の塩焼き、漬物、味噌汁、ご飯というものです。ところが、いざ食べはじめたら、電気が消えました。田中さんが笑ったくらいですから、めずらしいことではないのでしょう。女中が三本脚の燭台に火を入れてまわりました。

食べるときは黙々と食べます。ここへ来るまでは、さぞ立派な風采の奥様がいるものと思っていましたのに、実物は佐津が老けたような感じでした。ただ、よくお笑いになります。食事がすむと奥様は佐津を相手に五目ならべをはじめました。田中さんは立ち上がり、女中に羽織をもってこさせて、すぐお出かけになりました。ちょっと間をおいて邦子が私に合図をいたします。ついてこいというらしいので、あとから出ていきました。邦子は藁草履をつっかけ、私にも一足貸してくれました。どこへ行くのかと尋ねますと、

「しぃーっ、静かに。つけるのよ。父さんが出かけるときは、つけることにしてるの。でも内緒だからね」

家から出た道を本通りで折れて、そのまま行けば仙鶴の町です。いくらかの距離をとって田中さんを追いました。ほどなく家並みを縫って歩いております。と、邦子が私の手をとって、横丁へ引っ張りました。ある二軒の間に敷石の路地があって、その突き当たりの窓は障子をしめていましたが、中が明るいのはわかります。邦子は目の高さにあけてある障子の穴に目をつけました。私には見えませんが、話し声笑い声のほかに、三味線に合わせて唄《うた》う声も聞こえます。しばらくして邦子が場所を譲るので、私も穴に目をあてました。座敷の半分は屏風《びょうぶ》の陰になっていますが、田中さんと三、四人の男がいるのは見えました。田中さんの隣には、だいぶ年のいった男がいて、ある話を聞かせています。若い女が乗った梯子《はしご》を押さえてやって、下から裾《すそ》の中をのぞいたとかいうもので、みんなで笑っていましたが、田中さんだけは屏風で隠れたあたりを見据えていました。かなり年配の女が差し出したコップを手に、田中さんはビールをつがせます。海の真ん中の島のようだと私は思いました。ほかの人がおもしろがって、ビールをつぐ女の人も笑っているのに、田中さんは座卓の先を見つめるだけなのです。私は穴から目を戻して、ここは何なのかと邦子に聞きました。

「お茶屋なのよ。芸者をあげるところ。父さんは毎晩のように来てるわ。何でおもしろいのか知らないけど。女の人がお酌して、男の人は笑い話をしてる。唄うときもあるわね。結局、みんなで酔っぱらうの」

また目を穴につけてみると、ちょうど人影が壁を横切って、ある女の人が視野に入りました。

つけている簪《かんざし》は枝垂《しだ》れ柳の緑の花穂で、薄桃色の着物は切貼りしたような白い花の総模様でした。幅広の帯は朱色と黄色です。その頃の私には見たこともない華やかさでした。鎧戸で女物といえば、せいぜい洒落たところでも、ありきたりな藍染めの木綿か麻くらいしかありません。もっとも、その女は着ているものはともかく、ちっとも美しくありませんでした。やけに出っ歯で、唇が歯の先まで届きません。ひょろ長い顔の輪郭は、赤ん坊のころ二枚の板で挟みつけられたかと思うほどです。ずけずけと遠慮のないことを言うものだと思われるかもしれませんが、そういうお世辞にも美人とはいいかねる女なのに、田中さんの目が、雑巾《ぞうきん》を釘に掛けたように、ぴたりと動かなくなっていたのが不思議だったのです。笑いさざめく一座の中で、田中さんは女だけを見ていました。ビールをつぎ足そうと女が膝をつき、田中さんを見上げたときの目は、だいぶ馴染《なじ》みになっている様子がありありとしていたものです。

もう一度邦子がのぞきたがって、そのあと二人で家に帰り、松林のきわにある風呂に入りました。空の半分くらいは松の枝がかぶさっていますが、あとは満天の星です。きょうという日に見たものや、これからどうなるかということを考えながら、ずっと湯につかっていたかったのですが、邦子が眠くなったというので、まもなく女中たちの手で二人とも出されることになりました。

とうに佐津はぐうぐう寝ていました。ならべた蒲団に邦子と私がくっつき合い、腕をからめて横になります。うれしさが体の中にあたたかくふくらんで、私はそうっと声に出してみました。「あたしがこの家に来るなんて知ってた?」一緒に暮らすと言われれば、邦子はびっくりして目が覚めるか、あるいは起き上がるだろうとさえ思ったのに、もう眠りかけているままで、うーんと言うなり、湯気のあがりそうな軽やかな寝息をたてておりました。

三

一日家を空けて帰ると、また母がやつれたように思いましたが、それまでは母の病気を忘れていただけのことかもしれません。田中さんの家で匂ったのは、あたたかい烟《けむり》と松の木でしたのに、わが家へ戻れば、いまだに言葉にもしたくないような病人臭さがありました。佐津は午後から町へ出て働くようになっていましたから、杉さんのおかみさんが来てくれて、母に湯浴《ゆあ》みをさせました。おかみさんの手を借りて母を外へ出すのですが、痩せた肩は胸幅にも負けています。白目までが曇った色をしています。この母を見るにしのびず、丈夫だった頃を思い出して、なんとか我慢しようといたしました。母と二人、ゆで大根のようなほかほかの白い体になって、湯からあがったりしたものです。よく背中を流してあげて、佐津よりも張りのあるなめらかな肌をしていた母が、夏も越せずに死ぬというのですから、とうてい納得できません。

その晩、蒲団に入ってから、どうにか見通しがもてるように、ああだこうだと考えをめぐらしました。要するにどうにかなると思いたかったのです。なにしろ母がいなくては生きていけるものなのかわかりません。たとえ生きられたとして、また田中さんに引き取ってもらったとしても、それはいままでの家族がなくなるということなのでしょうか。とうとう私は、父までまとめて引き取ってもらえるのだと思いこむようになりました。田中さんだって父を一人で放っておいたりはしますまい。というようなことを本気にしなければ寝つけない夜がつづきましたので、その頃の私は寝不足のぼんやりした朝を迎えていたものです。

そんな暑い盛りの日、お茶を一袋買いに行って帰る途中、うしろから地面を蹴る音がいたしました。田中さんの会社にいる杉さんが、坂を駆けあがってきたのです。まさか仙鶴から駆けてきたのでもないでしょうが、はあはあ息をして横腹を押さえ、ものが言えるまでにだいぶ時間がかかりました。まだ朝のうちだというのに赤い顔がてらてら光って、まるで鯛にでもなったようです。やっと口がきけるようになって、

「あんたとお姉ちゃんと二人で……町へ来てくれということだ……できるだけ早く」

そういえば、けさは父が漁に出ないのでおかしいと思っていましたが、ついに来るべき日が来たようです。

「あの、お父ちゃんのことは？　何にも言われてないですか？」

「いいから、急いでくれよ。お姉ちゃん呼んでおいで」

いやな感じだとは思いましたが、ともかく走って帰ると、父は卓袱台に向かって、板目にこびりついた汚れを爪の先で掻きだそうとしていました。佐津は焜炉《こんろ》に炭をくべています。なんだか二人とも、ただならぬ出来事にそなえているような気配でした。

「お父ちゃん、田中さんが姉ちゃんとあたしに用があるんだって」

佐津は前掛けをはずし、釘に引っかけると、外へ出ていきました。父は返事をするでもなく、目をぱちぱちして、いままで佐津がいたあたりを見つめています。それから重たげな視線を床

に落として、うなずきました。奥で寝ていた母が、うっ、という声をあげたようです。

　ほとんど町へ出そうなところで、ようやく私は佐津に追いつきました。ずっとこの日を予想していたというのに、こんな不安な思いをすることになろうとは、まったく意外な成り行きです。佐津は普段とどこが違うのかといったような歩き方で、手が炭で黒くなっているのも一向に気にしません。その手で髪をかき上げるものですから、顔まで黒くなりました。これで田中さんに会うのもどうかと思って、たぶん母がいたらそうしたでしょうが、ぬぐってやるつもりで手を出したら、佐津に払いのけられました。

　日本近海水産の入口前で、おはようございますと挨拶をして、田中さんがうれしそうな顔をすると思ったら、へんに突き放したような態度でした。あれを見ただけでも私の思惑どおりにはいかないのだとわかりそうなものでしたが、今度も荷馬車のところへ連れていかれたので、どうやらまた仙鶴の家へ行って、奥様やお嬢様も同席した上で養女にする話をされるのだろうと一人決めしていました。

　田中さんは、「杉君も前に乗っていくから、おまえと志津はうしろへ回ってくれ」と、姉の名前を間違えて言ったくらいです。ずいぶん失礼な話だと私は思いましたが、姉は気づきもしなかったようで、荷台のほうへ乗り込み、からっぽの魚籠の間に坐って、ぬるぬるした荷台の板にぺったり片手をつきました。しかも、その手で顔のまわりの蝿《はえ》を追ったものですから、頬にてかてかした跡が残りました。私はそれほど無頓着ではいられません。魚の臭いばかりが気になって、あっちの家に着いたら、まず手を洗い、できれば着物の洗濯もしたなら、どれだけさっぱりするだろうと考えておりました。

どちらからもひと言もいわずに、仙鶴を見おろす坂の上まで来ますと、いきなり佐津が声を出しました。

「汽車だ」

なるほど遠くへ目をやると、仙鶴へ向けて汽車が走っています。吐いた煙が風に運ばれる様は、なんとなく蛇《へび》が殻を脱いでいるところのようでした。うまい思いつきをしたつもりで、佐津に話そうとしましたが、聞きたくもないような顔です。田中さんや邦子だったらおもしろがってくれるだろうから、これは着いてからの話にしようと決めました。

そう思って、はっと気づいたのですが、田中さんの家とは全然違う方角へ進んでいるのです。

数分後、馬車が止まりました。町外れの線路脇です。足元に荷袋や木箱を置いた人たちが、かたまって立っています。その端っこに、いつぞやの老女がいたのです。やけに細い体つきの、きちっとした着物の男の人とならんでいました。この人は猫の毛のようなやわらかい髪をして、信玄袋のような手提《てさげ》を持っています。仙鶴には似合わない感じでした。まわりにいるのが大荷物の農夫や漁師で、腰の曲がったお婆さんが山芋の袋を背負っていたりもするのですから、なおさらそう見えます。例の老女に何事か言われて、その人がこっちを見ました。とっさに私は、こわい人らしいと思いました。

田中さんに引き合わされて、別宮《べつく》という名前なのだとわかりました。何とも言わずに、じっと私を見て、佐津には意外そうな面持ちです。

田中さんは、「会社の杉という者を連れてきたんだが、同行させましょうかな？　娘らとは顔見知りだし、一日や二日の欠勤くらいかまわないが」

「いや、いや」と別宮さんは手を振りました。

「まるで思いがけないことになったようです。どこへ行くのか教えてもらおうとしても知らん顔をされますので、仕方なしに一人で考えました。きっとあの老女が田中さんの気に入らないことを言ったにちがいない。だから、この別宮とかいう痩せぎすな人が、もっとちゃんとした八卦見のところへ連れていこうとしているのだろう。用がすんだら田中さんの家へ戻されるのだ……。

そんなことを一生懸命に考えて、なんとか不安をごまかしていましたら、あの老女がにここに顔で寄ってきました。舗装もしていない駅ホームをいくらか歩かせ、ほかの人に聞かれない距離をとると、すっと笑いを消して、

「いいかい。ちょっと、おまえたち」と、あたりの人目をはばかってから、佐津と私の頭を上からこつんとたたきましたので、痛くはなかったものの、びっくりした私は思わず声をあげました。「言っとくけど、このあたしに恥かかすようなことしたら、あとで泣きをみるよ。別宮さんはおっかないからね。ちゃーんと言うこときいてな。乗ってから椅子の下にもぐれと言われたら、ほんとにもぐるんだよ。わかったかい？」

その顔つきを見ていたら、はいと答えないことには、また何かされそうな様子でしたが、もう私は口もきけなくなっておりました。はたして手が伸びてきて、どこが痛いのかわからないくらい、ぎゅーっと首筋をつねられたのです。人に噛みつく虫をいっぱい入れた桶《おけ》にでも放り込まれたようで、自分の泣く声が聞こえましたが、はっと気がつくと田中さんが来ていました。

「何やってるんだ？　この子らに言い足りないことがあるなら、俺のいる前でやってくれ。そ

こまで意地の悪いことをする謂《い》われはなかろう」

「ま、言うことはいくらでもありますがねえ。おや、汽車が来たじゃありませんか」これは嘘ではなく、そう遠くないところで線路のカーブを曲がってきます。

また田中さんのあとについて、さっきの場所に戻ります。もう農夫や老婆が荷物をまとめておりました。ほどなく目の前に列車が止まって、きちっとした着物の別宮さんが佐津と私の間に割って入り、肘《ひじ》をつかまえたようにして乗車させます。田中さんが何か言ったようですが、私はわけがわからなくなっていました。どう聞こえたのか定かではありません。「またな」だったか、「待てよ」だったか、「まあ、出よう」と言ったのでもありましたか。

窓からのぞくと、田中さんは馬車のほうへ歩きだしていて、あの老女はせわしなく手を着物になすりつけていました。

わずかな間をおいて、「千代ちゃん」と姉が言いました。

私は手で顔をおおいました。冗談ではなく客車の床に突っ伏していきたいような心境でした。いまの姉の言い方で、私にも充分伝わるものがあったのです。

「あんた、どこ行くのかわかる？」

たぶん姉は、どちらかの返事がほしかったのでしょう。この汽車がどこへ行くにせよ、とにかく事情のわかる者がいてほしいという気持ちだったのだと思います。もちろん、わかるかと言われても、わかるはずがありません。痩せぎすの男に話しかけましたが、相手にもされません。この別宮さんという人は、いかにもめずらしそうに、さっきから佐津を見ているのでした。そのうちに苦虫を嚙みつぶしたような顔になって、

「まったく二人とも、魚臭うてかなんな」

別宮さんは信玄袋から櫛《くし》を取り出し、思いきり佐津の髪にあてました。それも痛かったにちがいありませんが、窓をすぎていく景色のほうがもっとつらかったことでしょう。まもなく佐津は赤ん坊のように口元をゆがめて泣きだしました。あの顔全体をふるわせて泣くのですから、見ている私がたまりません。佐津にひっぱたかれ怒鳴られたほうが、まだましだったでしょう。こうなったのも元はといえば私のせいです。すると、犬のように歯をむき出した老農婦が近づいて、佐津にニンジンを持たせると、どこへ行くんだと尋ねます。

「京都どす」と別宮さんが言いました。

これを聞いた私は胸苦しいほどの不安に襲われ、佐津と目を合わせることもできませんでした。仙鶴へ行っただけでも、よほど遠くの町のように思えたのです。それが京都というのですから、いつか三浦先生が言っていた香港やらニューヨークやらと変わらない遠国です。子供を挽肉《ひきにく》にして犬に食わせるところであってもおかしくないのでした。

何時間飲まず食わずで乗ったでしょうか。別宮さんが竹の皮の包みを取り出し、中から胡麻をふった握り飯が出てきたのを見たときは、どうにも気になって仕方ありませんでしたが、別宮さんはこっちへは目もくれず、骨ばった指でつまんで、ねじけたような口に押し込んでいるのですから、いよいよ耐えがたい苦しみになりました。とある大きな町で汽車を降りたので、これが京都かと思いましたが、しばらくして駅へ入ってきた別の汽車に乗り換えただけでした。今度こそ京都行きです。だいぶ混んでいて坐れる席はありません。夕闇の迫る京都に着いたときには、すっかり体が痛くなって、一日中水に打たれた滝壺の石のような気分でした。

もうすぐ京都駅というところでも、なかなか町は見えませんでしたが、あっと思った瞬間に、かなたの山麓まで広がる甍《いらか》の波が目に入りました。これだけ大きな町があるとは考えたこともありません。いまだに私は、列車の窓から市街地を見たりすると、あの初めて郷里を出た不思議な日の、心に大穴があいたような恐ろしさを思い出してしまいます。

その時分、というのは昭和四年か五年ごろになりますが、まだ京都には人力車がめずらしくありませんでした。なにしろ駅前にずらっと俥《くるま》がならんでおりましたから、この大きな町ではどこへ行くにも俥に乗るのだろうかと、そんなことがあるはずはないのですけれども、そう思ったものです。まあ、十五台から二十台ばかりでしょうか、梶棒をつけて止まっていました。そこいらに車夫が坐って、煙草をふかすなり弁当を使うなりしています。中には地べたもお構いなしに丸くなって寝ているのもいました。

また二人して別宮さんに肘をとられました。井戸からバケツを二つ運ぶような手つきです。ちょっとでも放したら私が逃げると思ったのかもしれませんが、逃げるどころではありません。どこへ連れて行かれるにしても、こんな海の底みたいに皆目見当のつかない、だだっ広い都会へ放り出されたら、そっちのほうがかないません。

別宮さんを真ん中にして、一台の俥にぎゅう詰めに乗せられました。思った以上に痩せぎすな男であるのが着物をとおしてもわかります。梶棒が上がり、うしろへの反動がかかったと思うと、別宮さんが「祇園《ぎおん》の富永町」と言いました。

車夫は返事もせずに、ぐいっと勢いをつけて走り出します。一つ二つと辻を越えたところで、思いきって口にしてみました。「あの、どこ行くんですか」

ものを言うような顔ではありませんでしたが、ひと呼吸おいてから別宮さんは、「あんたの新しい家や」と答えました。

涙がこみあげてきました。別宮さんをはさんだ佐津がしくしく泣いていて、私もしゃくりあげそうになったところで、いきなり別宮さんが佐津をひっぱたき、佐津は悲鳴のような喘《あえ》ぎを洩らしました。私は唇を嚙んで、泣きたさを一気に押し殺しましたので、頰を落ちる涙さえ落ちずに止まったかもしれません。

まもなく鎧戸の町がすっぽりおさまりそうな大通りへ出ました。人や自転車、自動車、トラックが行き交って、向こう側が見えないほどです。初めて自動車というものを見ました。写真では見ていましたが、このときは、何と言いましょうか、もともと怯えきっているときに見ましたから、人間の役に立つというよりは、悪さをはたらくようにできている残忍な器物のようでした。五感のことごとくを攻めたてられて、トラックがごうごうと横をかすめていけば、タイヤのゴムの灼《や》ける臭いまでわかります。ききーっという恐ろしい響きに、何かと思えば、通りの真ん中に敷かれた線路を市電が走っているのでした。

あたりに闇が濃くなって、こわさも募《つの》ってまいります。それにしても、夜景となった町を初めて目にした驚きは大変なもので、あれほどびっくりしたことはありませんでした。電気を見たのさえ、田中さんの家の食事どきくらいなものです。それがここでは建物の窓という窓が一階も二階も明るくて、道ばたの人が濡れたように黄色い光を浴びています。大通りの先の先でさえも光が点々とついています。すると、角を曲がった別の通りで、行く手の橋を渡ったところに南座《みなみざ》が見えました。初めて見る瓦《かわら》屋根の壮観に、お城なのかと思ったものです。

そうこうするうちに、俥は木造の家が軒をならべる小路へ折れました。びっしり建て込んでいるので、表から見ると一軒につながったようでもあり、それがまた土地不案内の悲しさを感じさせます。着物姿の女たちが、やけに忙しそうに駆けて歩いておりました。洒落た身なりだと思いましたが、あとでわかってみれば、だいたい女中だったようです。

ある家の戸口で止まり、降りるようにと言われました。別宮さんは私を先に立たせ、あとからそして、きょうという日のつらさに追い打ちをかけずにはおかないように、一番ひどいことが起こりました。佐津が自分も降りようとすると、振り向いた別宮さんがひょろ長い腕を伸ばして押し戻したのです。

「降りんでええ。おまえは行くとこが違うのや」

私と佐津が顔を見合わせました。姉妹の気持ちがぴったり重なったのは、このときが初めてだったかもしれません。それも束の間のことで、次の瞬間には、こみあげる涙で私の目はほとんど見えなくなっていました。うしろ向きのまま別宮さんの手で引きずられたようです。騒がしく入り乱れる女の声が聞こえました。路地へ飛びだしてやろうかと思ったとき、私の背後に何かを見た佐津が、ぽかんと口をあけました。

すでに私は細長い通路のようなところにおりました。古井戸があったり、いくらか植込みがあったりします。ここまで私を引っ張り込んだ別宮さんが、今度はしっかり立たせようとしましたが、ここより奥の玄関先で、つややかな草履に足をすべらそうとしていたのが、私などには思いもよらない華やかな着物に身を包んだ、粋《すい》をきわめた美人なのでした。田中さんが幅をきかせていた仙鶴で、若い反《そ》っ歯《ぱ》の芸者の衣装にさえ感心していた私ですが、このとき見たのは、水色の地に川波を模して象牙《ぞうげ》色の線をうねらせた着物で、水の流れに鱒《ます》がおどって銀色に輝き、やわらかい緑の木の葉が川面《かわも》にふれて金色の輪ができるという図柄でした。これが絹物であることくらいは私にもわかります。薄めの緑と黄色だけで濃淡をつけた刺繡《ししゅう》の帯も、やはり絹です。でも目に立つのは着物だけではありません。その顔は、雲の壁が日差しを受けたときのように、たっぷりと濃い白粉《おしろい》で塗りあげられていたのです。つややかな漆黒《しっこく》の日本髪には琥珀《こはく》の細工物をあしらって、銀の細片をつけた簪は頭が動くたびにきらきら光っていました。

こうして初桃という人の姿を見たわけです。ちょうど祇園でも全盛を謳《うた》われた時期だったのですが、このときの私にはわかるはずがありません。ごく小柄な女性でした。髪を結い上げていても、ようやく別宮さんの肩まで届くかどうかという背丈ですが、なにしろびっくりするような艶姿《あですがた》でしたので、つい私は礼儀を忘れ――といって、もともと礼儀が身についていたのではないにしても――じいっと初桃の顔を見てしまいました。その顔は笑みを浮かべていましたが、やさしそうではありません。口から出た言葉は、

「ちょいと、その屑みたいなもん、ほかしといとくれやす。いまから、いて参じるのやさかい」

屑が落ちていたわけではありません。私のことです。別宮さんは、そうかて通れまっしゃろ、というような返事をしていました。

「その子にひっついたかて、あんたはんはかまへんのやろけど」と初桃は言います。「うちは道ばたに汚いもんがあったら、あっちゃべら通る性分なんやし」

不意に、初桃のうしろから、年かさの女があらわれました。ひょろ長くて節《ふし》くれだって竹竿

のようです。

「これやさかい、ほんまに難儀なお人やなあ」と初桃に言いながらも、別宮さんに合図して私を一旦連れ出させました。そうしておいて、ぎくしゃくと通路へ降ります。腰が片方へずれたようになっているので、ひどく歩きづらそうなのですが、作りつけの戸棚から、火打石らしきものと、漁師が庖丁を研《と》ぐ砥石《といし》のような四角い石を出してきて、初桃の背中へまわると、切り火を打ちました。私には何が何だかわかりませんでしたが、まあ、芸者といいますのは漁師よりもさらに迷信深いものでして、そういう縁起かつぎなことをしないと、お座敷へ出ようとはいたしません。

それから初桃が出かけました。小さく小さく足を運んでいきますので、着物の裾がわずかに揺れるだけで、すべるような歩き方になります。あれが芸妓なのだとは私には思いつきませんでした。仙鶴で見ていた田舎芸者とは、あまりに月とスッポンでしたので、きっと舞台に立つ人のようなものだろうと考えたのです。するする去っていくのを見送ってから、別宮さんは私を中へ戻して引き渡し、また姉とならんで俥に乗りました。梶棒が上がりましたが、もう私は泣きくずれていましたから、うしろ姿を見てはおりません。

その私に年かさの女も哀れを催したのでしょうか、しばらくその場に放っておかれて、しくしく泣いていました。奥から出てきて何か言いかけた女中が、しっと黙らされたようでさえあります。そのうちに女は私を立たせ、鼠色の常着《つねぎ》のたもとから取り出したハンカチで涙をぬぐってくれました。

「ほらほら、そないにこわがらんかてよろし。誰も取って食うとは言うてへん」と、しゃべる言葉は別宮さんや初桃と同じ調子で、まったく不慣れな私にはわかりにくいものでしたが、きょう一日に聞いた中では、何よりやさしい言葉でしたので、とりあえずこの人の言うようにしておこうと思いました。小母《あば》と呼ぶようにとのことです。それから、私の顔をまじまじと見て、喉にからんだような声で、

「あんた、どうえ、またえらい目ぇしてはんのやな。別嬪《べっぴん》さんやないか。おかあさんが喜ばはるわ」

とっさに私は、この人がおかあさんというのなら、とにかく大変な年なのだろうと思いました。小母《あば》にしたところで、後頭部できつく束《たば》ねた髪に、ところどころ黒い筋が残っている程度の白髪なのです。

小母《あば》に連れられ、通路の奥のほうへ進みます。いわゆる通り庭でして、細長い土間になっています。これに沿うような間取りの部屋があり、ずっと行けば奥庭です。通路の片側には、鎧戸の家と似たような土間が二つならんで、これが女中の領分であることはあとで知りました。もう一方の側は、床下に猫がもぐれるくらいの礎石をおいた瀟洒《しょうしゃ》な住まいです。吹き抜けから暗い夜空も見えましたので、一軒の家というよりは、模型の村にでもいるような気がしました。どん詰まりの奥庭に、いくつか小屋が見えたのですから、なおさらです。そのときは知りませんでしたが、京の町屋としては、ごく当たり前の家なのです。小屋がならんだように見えたのも、じつは厠《かわや》と蔵でした。蔵は二層式で、外に梯子がかかっています。こういう家が、仙鶴で見た田中さんの家よりも狭い敷地におさまって、住んでいるのは八人だけでした。と言いますか、私が来たので九人になったわけです。

この変わった配置がわかってきますと、今度は母屋《おもや》にあたるところの格調に目がいきます。鎧戸だったら木造の家は茶色というより灰色で、潮風に削られて縞目がついていたりするのですが、ここでは床といい梁といい、電灯の光をきれいに照り返します。玄関から襖があって、まっすぐ二階へあがるらしい階段もあります。襖が一枚あいていたのでお仏壇が見えました。こういう部屋は身内だけが使います。それと初桃も——あとになって身内というのは的外れだと知りましたが——やはり使っておりました。奥庭へ行こうとする場合でも、奉公人とは違いまして、いちいち土間へは降りずに、磨きあげたような板張りの廊下を伝っていくことができたのです。便所でさえも家人と奉公人では上下の区別がありました。

そういうことは、一日二日あればわかってきますが、いきなり呑み込めるものではないので、私はしばらく通り庭に突っ立って、どういう家なのだろうと思いながら、心細くてたまらなくなっておりました。小母《あば》は台所のほうへ行ったきり、しわがれ声で誰かに何やら言っていました。ようやく、その誰かが出てきたのを見ると、私と同い年くらいの娘で、水桶を運ぼうとしているのですが、重さに負けて、半分ほども土間にはねかしてしまいました。ほっそりした体つきの上に、ぽっちゃりした丸顔が乗っているので、西瓜《すいか》を棒にさしたようにも見えます。懸命に桶を運ぼうとして口から舌を出したところは、カボチャのへたから蔓《つる》が出ているのにそっくりです。これが癖であることはすぐにわかりました。味噌汁をまぜたり、ご飯をよそったり、身支度できゅっと結び目をつくるのにさえも、つい舌を出すのでした。いかにもふっくらした丸顔で、しかもカボチャの蔓のようにちょろっと舌を出すのですから、幾日もたたないうちに私は「おカボ」という綽名《あだな》をつけていました。それを誰もが言うようになり、何年かあと、お座敷へ出るようになってからも、そう呼ばれていました。

私のそばへ来て桶を置くと、おカボは舌を引っ込め、耳のうしろの髪をかきあげて、私をじろじろ見ます。何か言うのかと思ったら、ただ見ているだけで、ひょっとしたら嚙みついてくるつもりなのかという雰囲気さえありました。たしかに空《す》きっ腹をかかえている気配はあります。やっと私に顔を近づけるように小さな声で、

「あんた、どっから来たん」

これまた、さっきから耳にしているような口調ですので、この子を相手に鎧戸という地名を持ち出しても仕方あるまいと思い、いま着いたばかりとだけ答えました。

「うちみたいな年の子ぉやなんて、もう来いひん思うてたわ。けど、その目ぇどないしたん」

ちょうどそのとき、小母《あば》が出てきて、おカボを黙らせて追い払い、桶と雑巾を持ち上げると、私を奥庭へ連れ出しました。きれいに苔《こけ》むした庭で、踏石づたいに蔵まで行けるのですが、一方に厠がありますので、ひどく臭っていました。着ているものを脱ぐように言われて、あの仙鶴の老女のようにされるのかと心配していたら、肩から水を浴びせられ、雑巾で体を拭かれただけでした。それから着替えをあてがわれました。ありきたりな紺絣《こんがすり》とはいえ、いままでに袖を通したことのあるものにくらべれば、たしかに垢抜けていたようです。賄方《まかないかた》らしい婆さんと、年のいった女中たちが、通り庭まで物見高く出てきましたが、小母《あば》は、あとでゆっくり見られるやないか、と言って引っ込ませました。

「ほな、ええか」二人になると、小母《あば》が言いました。「まだ、あんたの名前聞こうとも思うてしまへん。こないだ来た子なあ、おかあさんにも気に入ってもらえへな

んださかい、ひと月でしまいやった。うちもこの年やさかい、居着くかどうかわからん子の名前まで、いちいち覚えてられへん」

「置いてもらえなかったら？」

「そやから置いてもらえるようにしたらええんや」

「あのう、ここは……どういうところなんです？」

「屋形《やかた》やないか。芸妓の住まいや。あんたかて、せえだい気張ったら、芸妓になれるんやで。そのかわり、うちの言うとおりせえへんと、一週間もおられへんようになるのや。もうそろそろ、おかあさんと大きいおかあさんが、あんたを見に降りてきやはる。気に入らはったらええにゃけど。ま、あんたは、おつむを低うに下げといなはれ。まともに顔あげたらあかん。大きいおかあさんのほうは、だぁれも気に入ったためしがあれへんさかい、何言われても心配することおへん。何ぞ尋《たん》ねられたら、うちにまかせて、あんたは返事せんかてええくらいなもんや。肝心なのはおかあさんやで。悪い人やあらへんけど、目ぇつけはるとこは一つしかないさかい」

その一つが何なのか教えてもらう暇もないうちに、玄関のほうから床のきしむ音がして、まもなく二人の女が漂うように廊下へ出てきました。うっかり見るわけにもいきませんが、ちらっと目の端から見えたかぎりでは、きれいな絹の包みを二つ、小川に浮かべたようでした。と思うと、もうこっちへ来ていて、着物の膝をなでつけながら坐りました。

「お梅どん」と、小母《あば》が声を張りました。さっき顔を出した賄いの人に言ったのです。

「大きいおかあさんにお茶《ぶう》どっせ」

「いらんわ」と、怒った声がしました。

「まあ、まあ」という声は、なおさら嗄《か》れていましたが、おかあさんなのでしょう。「ほんまに飲まんかてかめしまへんがな。機嫌ようしてもろてたらええだけのこっちゃ」

「こないな老いぼれになって機嫌ええわけがありまっかいな」と、老婆がぶつくさ言います。もっと言いかけたように息を吸ったところで、小母《あば》が口を出しました。

「おかあさん、今度来た子どす」と私を小突きましたので、お辞儀をしろという合図だろうと思い、膝をついて、縁の下のかび臭さがふわっと鼻にくるくらい頭を下げました。もう一度おかあさんの声がします。

「ちょっと、こっちおいない。よう見せてんか」

近寄っていって、まだ何か言われるものと思っていたら、おかあさんは帯にはさんでいた煙管《きせる》を自分の脇に置くと、袂《たもと》から口紐のついた絹の袋を取り出し、この莨《たばこ》入れから刻みをたっぷり一つまみ出しました。これを脂《やに》の色が染みついた小指の先で火皿につめ込み、吸口をくわえておいて、金属製の小箱からマッチを一本とって火をつけます。

このとき初めて、おかあさんは煙管を吸いつけながら、私をじいっと見つめました。その横で、おばあさんがため息をつきます。おかあさんと目を合わせられたわけではありませんが、煙を吐き出している顔が見えたかぎりでは、地面の裂け目から蒸気が出るような、と思った覚えがあります。その顔がめずらしかったものですから、つい私は目だけが勝手にきょろきょろ動きだしました。見れば見るほど、目を吸い寄せられてしまいます。着物は黄色の地に枝垂れ柳で、その枝がきれいな緑と朱色の葉をつけていました。蜘蛛の糸でできたような絽《ろ》の着物です。帯がまた目を見張るようなもので、やはり薄手とはいえ着物よりはずっしりした朽葉色《くちばいろ》と茶色の生地に、金糸を織り出してあるのでした。見ているうちに、こうして土間に立っていることも、姉がどうなったのか——そういえば父も母もどうなったのか——ということも、これから私がどうなるのかということも、つい忘れそうになってしまいました。目の前の人が着ている着物の何もかもが、それだけで私にわれを失わせたのです。ですから、その次に、けしからん衝撃を覚えることにもなりました。この水際だった着物の衿《えり》から上に鎮座していたのが、いかにも似つかわしくない顔でしたから、まあ言ってみれば、猫の胴体をなでてやっていて、ひょいと見たらブルドッグの首がつながっていたというようなものでしょう。小母《あば》よりもずっと年若なのは意外でしたが、それにしても見られたご面相ではありません。この人が、じつは小母《あば》の妹なのでした。でも置屋《おきや》では、おかあさん、小母《あば》、と呼び慣わしていたのです。また佐津と私のような意味での姉妹ではありません。家族として生まれたのではなく、おばあさんの養女になったというわけです。

何やかやと頭の中を駆けめぐって、ぼうっと立っておりましたら、結局、小母《あば》にするなと言われたことをしでかすはめになりました。おかあさんとまともに目を合わせてしまったのです。そうなってしまうと、おかあさんは煙管を口から離し、それで顎がはずれたように口があいて、私は何が何でも下を向かなければいけないのだとわかっていながら、こんなに度外れて不細工な目をした人がいるものかとたまげてしまい、ただ突っ立って見ているだけでした。すっきり白いはずの白目には、おどろおどろしい黄味がかかっています。まるで小便をしたばかりの金隠し、とでも申しましょうか。そこへ腫れぼったい瞼《まぶた》がかぶさり、雨雲のようにどんより水気を含んでいます。とりかこむ皮膚がたるんでいました。

その目から下へ視線を下げると、さっきから口があいたままになっています。ごちゃごちゃと色が混ざった顔でした。瞼は生肉のように赤く、歯茎と舌が黒ずんでいて、しかもまた、下の歯の根っこが一つ一つ歯茎に埋まるところは血だまりのように見えます。年来の食生活がいけなかったせいであるのは、あとで知ったことです。このときは見ているほどに、葉を落としだした木のような人だと思えてなりませんでした。ともかく、そういう見かけに、ひとたまりもなく仰天いたしましたから、たぶん一歩あとずさりしたか、はっと息を洩らしたか、心のうちを知られるようなことをしたのでしょう。たちまち、あの嗄れた声が飛んできました。

「何をじろじろ見てんのえ」

「あの、すみません。着物に見とれてました。こういうの見たこともないので」

もし正しい答えがあるとすれば、これだったようです。おかあさんが笑ったらしい声を出しました。咳をしたようにも聞こえます。

「へえ、そうか」と、また笑いか咳かわからない声がしました。「何ぼかわかるか？」

「いいえ」

「あんたの値ぇより高いえ。間違いあれへん」

ここで女中がお茶を持ってきましたので、それが注がれている時間に私はおばあさんのほうを盗み見しました。おかあさんは太り肉《じし》で、手の指も首も太短くできていますが、おばあさんという人は、しなびきったような年寄りです。せいぜい私の父くらいの年でしょうに、ひねくれた根性を一生かかって煮つめて、煮こごりになったという感じです。白くなった髪は絹糸を束ねたようでしたが、地肌が見えるくらい透けていたということで、その地肌にしても、赤茶けた染みが散っていて、ひねた年寄りだと思わせるものでした。しかめっ面だったとは言いきれませんが、何もしなくても、への字に結んだ口になっていたようです。

ものを言おうとして大きく吸い込んだ息を、また吐き出してしまうと、ぶつくさ愚痴のように、「いらん言うたやないか」と言っておいて、ため息まじりに首を振ってから、私に「何歳《なんぼ》になんのや？」

「申歳の生まれどす」と、小母《あば》が答えました。

「いまの気ぃ利かん女中かて申や」

「ほな、九つやな」おかあさんも言って、「この子、どない思う？」と、小母《あば》に尋ねました。

小母《あば》は私の前へまわって、顔を上向きにさせると、「水の多い相どすなあ」

「きれいな目ぇしてるわ。見とおみやす」

「鈍《どん》くさい顔やで。もう申歳はいらんわ」

「へえ、おっしゃるとおりで、そうかもしれまへんのどすけど」と、小母《あば》が言いました。「打てば響くようなのともちがいますやろか。耳の形がこんなやし」

「そないに水っぽい子やったら」おかあさんが言います。「火事になる前に嗅ぎつけてくれるやろなあ。ええ話やおへんか。蔵が焼けて着物がごっそり灰になる心配せんかてようなりますえ」

あとで知ったことですが、おばあさんが火の心配をするのは、からからに喉の渇いた老人の前にあるビールが、飲まれないかと心配するよりも、なお切羽詰まったものがありました。

「ともかく、まあ、可愛《かい》らし子やおへんか」おかあさんが重ねて言います。

「別嬪なら祇園にたんといてるわ。うっとこに欲しいのは別嬪やのうて賢い子ぉや。あの初桃も、何ぼ器量でひとさんに負けへんいうたかて、あのとおり阿呆やわな」

それだけ言うと、おばあさんは小母《あば》の手を借りて立ち上がり、廊下を歩きだそうとしました。もっとも、片方へ腰の突き出た小母《あば》の足取りを見ていると、どっちが手を借りなければいけないのかわかりません。まもなく襖を開け閉めする音がして、小母《あば》が戻りました。

「虱《しらみ》はおらんやろな？」おかあさんが私に言います。

「いません」

「すぼっこな子ぉや。もうちょっと口のききよう覚えなあかんえ。ちょっと、小母《あば》、念のためや、髪の毛そろえてやってんか」

小母《あば》は女中部屋のほうへ声をかけ、鋏《はさみ》を持ってくるように言いました。

「ええか」と、おかあさんが私に、「ここは京都どす。そやし行儀ようせえへんと、たたかれて痛い目にあうのどっせ。その役目は大きいおかあさんがしてはる。あんたの身にしみるようにいうこっちゃ。そやし、いまから言うとくけど、せえだい気張ってつとめて、断りなしに屋形を出たらあかん。何でも言われたとおりにしいや。ひとに手間かけさすようなことせんとおき。ふた月か三月もしたら稽古ごと始めるのやさかいな。女中にしよ思うて来させたわけやあらへん。そんなもんにしかなれへんのやったら、お払い箱どっさかいな」

おかあさんは煙管を吸いつけ、じっと私に目を合わせていますので、動けといわれるまで身動きもできませんでした。こんな恐ろしい町の、どこかほかの家の、ほかの女の前に姉も立たされているのだろうかと、つい考えておりました。突然、母の姿が心に浮かびました。蒲団に片肘ついて、病んだ体を起き上がらせ、娘らはどこへ行ったとさがしているのではないか……。ここで泣き顔を見せたくはありませんでしたが、止めようを考えるより先に涙がたまってきて、ガラス越しに見るようになった目の中で、おかあさんの黄色の着物が薄ぼんやりとなっていき、ちらちら光ったとも思ったら、ぷはっと吐き出された煙で、すっかり見えなくなりました。

四

この不可解な家に連れてこられた当座は、育った家から離されるくらいなら、手足をもがれたほうがまだましという気持ちだったように思います。もう元の暮らしには戻れそうになく、わけのわからない惨《みじ》めさを嚙みしめるだけで、いつになったらまた佐津に会えるのだろうと、それればかり考えておりました。父もおらず、母もおらず、着なれた着物までなくしたのです。ところが、一週間か二週間たって、何はともあれ、まだ生きていたのですから、それこそが驚いたことでした。あるときなど、洗ったご飯茶碗の水気をぬぐっていましたら、ふとした瞬間に、自分がどこにいるのだったか忘れたようになって、仕事の手が止まり、その手だけをしばらく見ておりました。こうして洗いものの始末をしているのが、はたして私であるのかどうか見当がつかなかったのです。

しっかり働いて行儀よくしていたら、そのうちお稽古も始まるのだと、おかあさんは言いました。おカボに聞いた話では、お稽古というのは祇園の一角にある学校のようなところへ行き、お囃子《はやし》、舞、茶道などを教わることのようです。そこへ行かせてもらえるようになったら、きっと佐津も来ているのではないかと思いました。ですから、着いて一週間ほどの私は、この際、牛が引かれるようにおとなしくして、なるべく早く行かせてもらおうと決めました。

家での仕事は、そう複雑ではありません。朝、蒲団をたたんで、座敷や土間の掃除をして、というようなものです。台所の女中に疥癬《かいせん》ができていたので薬屋へ軟膏《なんこう》を買いにやらされたり、小母《あば》の好物だというので四条通まで煎餅を買いに行かされたりすることもありました。ありがたいことに便所掃除のようなきつい仕事は年配の女中が係になっていたのですが、いくら身を粉《こ》にして働いたつもりになっても、次から次へと何かしらの用事があって、よく思われたいと願うほどには働いたことにならないのでした。さらに困ったのが、おばあさんの存在です。

おばあさんの世話は私の役目とはいえませんでした。少なくとも、小母《あば》に言われた仕事のうちではありません。ところが、もし呼びつけられたとしたら、この置屋では誰よりも先輩格なのですから、放っておくわけにもいかないのでした。ある日、二階のおかあさんへお茶を持っていこうとすると、大きな声が聞こえました。

「あの子、どこえ。寄こしとくなはれ」

仕方なしにお盆を置いて、おばあさんの部屋へ飛んでいきますと、お昼を食べているところでした。

かしこまってお辞儀をした私に、「こない暑うなってんのに、気の利かんこっちゃな。あらかじめ見に来て窓あけとかんかいな」

「すみません。暑いと思わなかったので」

「あては暑うおすにゃ」

下の唇に、いくらか食べかけのご飯粒がくっついています。暑いというよりは意地きたない感じに見えましたが、黙って窓をあけに立ちました。そうしたら、すっと蝿が一匹入ってきて、お膳のまわりをぶんぶん飛びました。

「どないなってんにゃ」箸《はし》を持った手で蝿を追いながら、おばあさんは言います。「窓あけて蝿まで入れんのは、おうちくらいなもんやで」

これに詫《わ》びておいて、蝿たたきを取ってくると言いますと、

「はたいたら食べるもんの中に落ちまっしゃろ。もう、ええから、そこで見張って、追うといなはれ」

そんなわけで、おばあさんが食べ終わるまで立ち番となり、まだ十四歳のころ、お月見の宴で十四世市村羽左衛門に手を握られたという昔話を聞かされることにもなりました。ようやく放免されたときには、運んでいくはずのお茶は、そのまま出すわけにいかないほど冷めており、今度はおかあさんと台所の女中さんに叱られました。

じつをいえば、おばあさんの本音は一人にされたくないということだったのです。用足しに行くときでさえも、小母《あば》を手水場《ちょうずば》の外に立たせ、しゃがんだ格好が崩れないように支えてもっていました。小母《あば》のほうは大変で、むっとする臭いから顔をそむけようとしますから、首の骨が折れそうになっていました。私はそこまでひどい目にはあいませんでしたが、おばあさんが銀の耳かきで耳掃除をしながら、ついでに私を呼んで肩を揉ませるということは度々《たびたび》ありました。肩を揉むくらいとはいえ、これが思いのほか難儀なことでして、おばあさんが衿をゆるめ肩から落とすのを初めて見たときには、あやうく吐き気をもよおすところでした。肩から首筋にかけて、へんに盛り上がった肌が黄ばんでいて、鶏肉の皮を見るようだったのです。あと

で知りましたが、芸妓で出ていた時代の、唐《とう》の土という白粉がいけなかったのでしょう。鉛《なまり》の成分が入っておりますので、それだけでも毒になりますから、性格までひねくれたのかもしれません。また以前には、よく京都の北にある温泉へ出かけたらしいのですが、それ自体は結構だとしても、なかなか落としきれない白粉が、お湯の中の成分とくっついて色素になり、肌を悪くしたのであったようです。そういう被害はおばあさんだけのことではなくて、太平洋戦争の時分になってからでも、祇園町を歩いておりますと、たるんで黄色い首筋の老女たちを見かけたものでした。

＊　＊　＊

ある日、私が置屋で暮らすようになって三週間ほどでしたが、初桃の部屋を片付けに二階へあがる時刻が、いつもよりだいぶ遅くなりました。忙しく飛び歩いている人でしたから、まず顔を合わすこともなくすんでいたのですけれども、こわい相手であるのにはちがいありません。一対一で出会ったらたまらないと思って、初桃が舞の稽古に出かけたのを見計らってから、掃除にかかるようにしていたのです。それが、この日にかぎっては間が悪く、おばあさんに言いつけられた用事だけで朝から昼近くまで手がふさがっていたのでした。

初桃は置屋で一番広い部屋を使っていました。その一間だけで鎧戸の家より広かったでしょう。どうして飛び抜けて広いのだろうと思っておりましたら、ある女中に教えられまして、いまでは置屋の抱え芸妓は初桃だけになっていますが、以前は三人か四人いて、その部屋に寝起きしていたのだそうです。ただ、一人になったとはいいながら、初桃だけで四人分ほども世話が焼けるのでした。この日も二階へあがってみますと、いつものように雑誌が散らかっていて、鏡台のそばには畳の上に刷毛《はけ》が置きっぱなしで、しかもまた座卓の下にはリンゴの芯と洋酒の空瓶《からびん》が転がっているという始末。窓があいていましたから、昨夜の着物をかけた衣紋《えもん》掛けが倒れていたのは風のせいかもしれません。さもなくば、酔った寝しなにひっくり返して、そのまま起こそうともしなかったのでしょう。いつもですと、小母《あば》が職分として着物を出してきているはずなのですが、どういうわけか、きょうはまだのようでした。とにかく衣紋掛けを立てようとしておりますと、すっと襖があいたので振り返れば、初桃が立っていたのです。

「おや、あんたか。何や物音がしたさかい小鼠《こねずみ》か思うたわ。部屋ん中、いろてたんか。鏡台の瓶をあっちゃこっちゃ動かしたんも、あんたか？　そんなこと、何でせなあかんにゃ」

「へえ、姐《ねえ》さん、すんまへん。お掃除のつもりで」

「そやかて、あんたがさわると臭いが移るさかい、お座敷で困るわ。おい、初桃、漁師町の田舎娘でもあらへんやろ――と、そないにお客さん言わはるのえ。わかるとは思うけど、念のためや、なんでうちがお化粧道具にさわられとうないか、もういっぺん言うとおみ」

そんなことを言いたいわけはないのですが、かろうじて我慢して答えました。「臭いが移るからどす」

「そうや、わかってるやんか。で、お客さん、何て言わはるのえ？」

「おい、初桃、漁師町の田舎娘でもあらへんやろ――」

「ふーん、何やこう、言い方に気に入らんとこはあるけど、まあ、ええやろ。どないして漁師娘はくさいにゃろなあ。あんたのへちゃな姉ちゃん、いつやったか訪《たん》ねてきやったけど、やっぱりえらい臭いやったわ」

それまで畳に目を落としておりましたが、いまの言葉に私は初桃の顔をしっかりと見て、本当なのだろうかと考えました。

「びっくりしたか。ここへ来たて言わへんかったかいなあ。どこそこの家にいるからいうて言《こと》づて頼みやったけど、たぶん会いに来てほしいにゃろなあ。二人で逃げようというのとちゃうか」

「姐さん――」

「まあ、教えてほしいのやったら、それなりに見返りがあったかてええわなあ。何にしょうか思いついたら言うたげるわ。さ、もう出ていってえな」

この人に逆らうわけにはいかないのですが、ひょっとして耳を貸してもらえるのではないかと思って、出ていきかけた足を止めました。

「あの、姐さんに嫌われてるのはわかってます。けど、もし教えてもらえるのやったら、もう決してご迷惑かけしまへん」

これを聞いてご満悦らしい初桃が、喜色を輝かせて寄ってきました。あれだけ人の目を見張らせるような女の顔は、ついに見たことがないといって嘘ではありません。往来を行く男たちが立ち止まり、口から煙草を離して、初桃に見とれたものでした。近づいてくるので、何やら内緒話のようなことを言われるのかと思ったら、にこやかに立ちはだかった一瞬ののちに、手をうしろへ引いて、その平手打ちが飛んできました。

「出ていけ言うたやんか」

どうしていいのか、もう頭がまわりません。でも、なんとか転げ出たのだろうと思います。次に気がついたときには、廊下にへたり込み、手で顔をおさえておりました。すると、おかあさんの部屋の襖があきました。

「ちょっと、初桃さん」と言うなり、私を助け起こします。「あんた、千代に何しはったん」

「そやかて、逃げるの何のて言うてましたえ。おかあさんもお忙しやろし、うちが代わりにしばいたらええ思うただけどす」

おかあさんは女中を呼んで、生姜《しょうが》の切ったのを何枚か持ってくるように言いつけると、私を部屋へ入れ、座卓の前に坐らせておいて、電話中だった用件をすませました。祇園の外へつながる電話は、おかあさんの部屋の壁に、たった一台掛かっていただけです。誰も使ってはいけないことになっていました。棚の上へ寝かせてあった受話器を取り直しましたが、太短い指でぎゅうっと握りしめたようでしたので、汁が出て畳に落ちるのではないかと思ったくらいです。

「ごめんやっしゃ」と、あの嗄れ声で受話器に言います。「また初桃が小さいもんをしばいとりまして」

おかしな具合で理屈にもなりませんが、私が置屋へ来た当座は、おかあさんに親しみを覚えておりました。いうなれば釣られた魚が口から針をはずしてくれる漁師に感ずるようなものでしょうか。毎日の掃除で部屋へ入るときの数分くらいしか顔を合わせなかったせいもあろうかと思います。いつ行っても部屋にいて、たいていは本棚から出した帳簿を広げ、片手の指が象牙の算盤《そろばん》玉をはじいていました。帳簿付けだけはきっちり抜け目のない人だったかもしれませんが、そのほかのこととなると初桃に輪をかけてだらしがなく、こつん、と音をたてて煙管を置けば、その灰やら刻みの葉やらが飛び散って、そのまま放っておかれるのでした。たとえ敷布を取り替えるだけでも蒲団にさわられたくないというので、洗いもしない夜具の臭いが部屋にしみついていました。また煙草のせいで窓の障子が薄汚くなっておりましたから、それだけでも陰気な感じがいたします。

おかあさんが長話をしているうちに、女中が生姜を切ってきました。これを初桃にぶたれたところへ押しあてるわけです。そういう襖のあけたてがあったもので、おかあさんの飼っている小犬が目を覚ましました。名前をタクといい、狆《ちん》くしゃな顔をした意地の悪いやつでして、吠える、ぐうぐう寝る、なでようとした人に嚙みつく、という三つだけを楽しみに生きているようなのです。女中が出ていってから、この犬が私のうしろへ来て寝そべりました。お得意のいたずらを仕掛けようというわけで、わざわざ踏まれそうな位置にいて、すぐさま嚙《の》みつく魂《こん》胆《たん》なのでしょう。おかあさんとタクに前後をふさがれ、戸にはさまれた鼠のように退っ引《ぴ》きならない気がしてきたところで、やっと電話を切ったおかあさんが坐りました。あの黄ばんだ目で私を見据えて、おもむろに口をききます。

「あんなあへえ、さっき初桃さんがウソ言うてましたやろ。あれはあれでええかもしれへん。けど、あんたもそれでええいうことにはなりまへんのや。ほな、言うとおみ……何で姐さんにぶたれたんや」

「あの、出ていけと言われて、それで……すみません」

これを京ことばで言い直させられましたが、それだけでも苦労いたします。どうにか勘弁し

てもらえるくらいに言えますと、

「あんたは、まだ屋形ちゅうもんを知らん。うちらみな考えることは一つしかあらへん。初桃さんを売れっ妓にしとくことどっせ。大きいおかあさんかてそや。いけずばっかりしやはるようやけど、ほんまは初桃さんを手伝《てっと》うようにて、それぱっかり考えたはりまんにゃ」

何の話をしているのか私にはさっぱりわかりませんでした。まあ、打ち明けて申し上げれば、あのおばあさんが人の役に立つということなど、どう騙《だま》されても信じられるものではありません。

「ええか、あないな年のお人が初桃さんのためを思うてはるのやったら、あんたらが何ぼ気張らなあかへんか、よう考えとおみ」

「へえ、おかあさん、これから気張らせてもらいます」

「もう初桃さんを怒らせせんといてや。ほかの子ぉかて、あんじょうやってますのや。あんたにできひんことあらへんえ」

「へえ、おかあさん……ええと、一つだけ聞いてもよろしおすやろか。うちの姉の行き先を知ってはる人おへんのか、ずっと気になって、あの、手紙でも出したい思うてまして」

おかあさんは風変わりな口の形をしていまして、顔のわりに大きすぎ、だらんと垂れたように締まりの悪い口でした。その中で、このとき初めて見せられたのですけれども、まるで歯のご開帳というように、上下を嚙み合わせていたのです。この人の笑った顔でした。あの咳のような笑い声がしましたので、ようやく笑っているのだとわかったのですが。

「なんであてがそんなこと言わんならんのや」

そう言うと、また何度か咳のような笑いを発してから、もう行けという手つきをしました。

出ていけば、小母《あば》が私に用を言いつけようと、二階の廊下で待ちかまえていました。バケツを持たされ、梯子づたいに上がらされます。引窓を抜けて屋根の上へ出られるようになっているのでした。つっかい棒をした天水桶があります。たまった雨水を落とす勢いで、おかあさんの部屋のそばの小さな二階便所を流すようになっていました。あの当時は下水の配管など台所にだってありません。お天気つづきで便所の臭いがひどくなってきていましたから、私がバケツの水を天水桶に入れ、小母《あば》が二度三度と流そうというわけでした。

すでに日は高く、屋根瓦がフライパンのように灼けています。バケツの水をあけながら、海辺で暮らしていたころの冷たい池の水が思い出されてなりませんでした。つい三週間前には、あの池で泳いだはずなのに、こうして置屋の屋根にいると、はるか昔のような気がします。せっかく上がったのだから瓦の隙間の草取りをするようにと、小母《あば》が下から声をかけます。遠くへ目をやると、京の町に霞《かすみ》のような熱気がかかり、その外をかこむ山並みは牢屋の塀のようでした。どこかの屋根の下で、姉もまた私のように用事を言いつけられているのでしょう。うっかり天水桶にぶつかって、これは姉のようなことをしたと思ったら、もう水が揺れて路地へこぼれていきました。

＊　＊　＊

置屋へ来てから一カ月になったころ、おかあさんがそろそろお稽古を始めようと言いました。

あすの朝、おカボについていって、お師匠さん方にも引き合わせてもらうということのようです。そのあとで初桃に検番とかいう聞いたこともないところへ連れていかれ、夕方近くになったら初桃のお化粧と着付けを見学するのでもあります。いよいよ仕込みが始まる日には、そうやって先輩の支度ぶりを見せてもらうのが置屋のしきたりなのでした。

おカボは、あす私を連れていくのだと聞くと、ひどくそわそわした様子を見せました。

「ほな、起きたらすぐ支度しいや。遅れたらえらいこっちゃ。どぶにはまって溺れ死にしとなるわ」

たしかにおカボは毎朝ろくに目もあかない時刻から、あたふたと出かけていっているようでした。涙をこらえて出かけることも少なくありません。下駄を鳴らして台所の窓をすぎていくときに、泣き声すらあげていたように思います。お稽古なるものには、あまり馴染めていないのでした。私よりも半年ばかり早くから置屋にいるのですが、お稽古に通いだしたのは私が来て一週間ほどの時期だったようです。たいていは昼ごろに帰ってくると、お台所の土間へ直行して、せつない顔を隠したがります。

さて、翌朝、いつもよりなお早く目が覚めて、紺絣をまといますと、いよいよ仕込みさんらしくなりました。といって子供っぽい井桁《いげた》模様の単衣《ひとえ》にすぎませんので、湯治場の客が浴衣を引っかけたような、たいして粋なものではありませんが、それまでの私が身につけた中では晴着もいいところです。

心配顔のおカボが通り庭で待っていました。私も下駄を突っかけようとすると、おばあさんの呼ぶ声がしました。

「あかん」おカボが息を殺して言います。蠟《ろう》が溶けたような顔つきになっていました。「また遅刻するがな。ええから聞かんふりで行こ」

そうしたい気持ちはありましたが、もう襖をあけたおばあさんが玄関の向こうから私をにらんでいます。結局、十分か十五分ですむ用事だったのですが、それだけでもおカボは目に涙をためていました。外へ出たとたんに早足になり、追いつくのも大変です。

「えげつない婆さんやわ。あんた、肩揉まされたら、あとで皿に塩盛って、手ぇ突っ込んどきや」

「何で」

「うちのお母ちゃん、よう言うてたけど、縁起《げんくそ》悪いもんは、さわったとこから移るんやて。うち、ほんまや思うわ。だって、お母ちゃん、朝の道歩いとって鬼みたいなんとぶつかりそうになったさかいに死んでしもた。あんたかて、手のお浄めせえへんかったら、あないに古漬けみたいなしわくちゃ婆さんになるで」

おカボと私は同い年で、こういう境遇に置かれた者同士だったのですから、もっと話をする時間があってもよかったと思うのですけれども、それぞれが用事に追われていたもので、食事さえ別々なのが普通でした。私にくらべれば古株ということで先に食べるのです。半年だけ長くいるとは知っていましたが、ほかには聞いておりませんでしたので、この際だと思って、

「京都の生まれ？　しゃべるの聞いてるとそんな感じやわ」

「うちは札幌。けど、五歳のときお母ちゃんが死んで、京都のおっちゃんの家へ預けるいうことにお父ちゃんが決めはってん。去年おっちゃんとこ破産してしもたさかい、うちもこうなっ

たんや」

「札幌へ逃げて帰ったらええのに」

「去年はお父ちゃんにも悪い神さんがついて死んでしもた。もう逃げるとこもあらへんにゃ。どっこも行かれへん」

「ほな、うちが姉ちゃん見つけたら、いっしょに来たら。三人で逃げよ」

あれだけおカボがお稽古で苦しんでいたのですから、そう言われて大喜びするかと思ったのに、もう口をつぐんでしまいました。そのころには四条通へ出ていましたので、黙って反対側へ渡ります。別宮さんに京都駅から連れてこられて、すごい人出だと思った道でした。こんなに朝が早いと、さすがに市電が一両だけ遠くからも見えて、自転車がちらほら通るくらいです。突っ切ってから、とある小路を行きます。置屋を出てから初めておカボが足を止めました。

「おっちゃん、ええ人やったんよ。最後に一つだけ言わはったことがあんねん。女の子には賢いのんとそうでないのんがあるんやて。おまえはええ子やけど、賢うはないほうやさかい、一人で世渡りでけるとは思われへん。これから行かすのは、どうしたらええか教えてくれはるとこや。人さんの言うことききいとったら、かわいがってもらえるやろ――。そない言うてはった。そやから千代ちゃん、あんた行きたいにゃったらどこへでも行きよし。けど、うちは一生ここで暮らそう思うてる。気張らなあかんのやったら、せえだい気張って、追い出されんようにするだけや。初桃さん姐さんみたいになれるかしれへんのに、自分からわやにするくらいやったら、崖から飛び降りたほうが何ぼかましや」

そこまで言ったおカボが、ふと話をやめました。私のうしろの地面を見ているのです。「いやー、どないしょう、千代ちゃん、あんなん見たら、お腹すかへんか」

私が振り返ってみると、ちょうどある置屋の入口で、縁起棚にお供《そな》えの饅頭《まんじゅう》が見えました。あれのことを言っているのかとも思いましたが、おカボの目の先をたどると地面に行きあたります。置きならべた踏石ぞいに歯朶《しだ》や苔のようなものが生えていて、その奥にも戸があるのですが、ほかに目につくものもないような、と思っていたら、偶然あるものを見つけました。置屋の前の道ばたに、イカの串焼きが一本、わずかに食べ残しの身を残して落ちていたのです。夜になると屋台で売りに来るもので、たれの匂いが私には拷問のようでした。なにしろ私たちの身分でいただける食事は、ご飯にお漬物が当たり前で、三度に一度は味噌汁がつき、月に二度は干物の切れっぱしもあるというくらいでした。それでも、地面に落ちているイカの食べかけでは、ちょっと食欲をそそられるとは申せません。二匹の蝿が、ぶらっと公園の散歩にでも出たように、イカの上をぐるぐる歩いておりました。

おカボは、食べるものさえ食べれば、すぐにでも太りそうな娘に見えました。お腹をすかせては、がらがらと大戸をあけるような音で、腹の虫を鳴かせていたものです。それにしても、まさか本当に食べることもあるまいと思っていたら、きょろきょろ左右を見て、小路に人がいないのを確かめるではありませんか。

「いややわ、何するのん。そないに食べたいんやったら、あのお饅にでもしよし。そんなん、蝿に先越されてるわ」

「うちのほうが蝿より大きいもん。お饅なんか取ったらバチが当たるわ。お供えもんやさかい」

そう言うと、かがんで串を拾いました。

なるほど私だって育ちが育ちですから、動くものをつかまえて食べてみようという子供はいくらも知っています。四つか五つのとき、コオロギを食べたこともあります。ただ、それにしても、ほかの子のいたずらでそうなったというだけでした。ところがおカボときたらイカの串を拾いあげ、それが砂まみれで、しかも蠅が逃げようともしないのです。ふうっと息を吹きかけ、追い払おうとしても、あたふたするだけでなんとかへばりついています。

「あかん、やめときよし。地面の敷石なめるのといっしょや」

「石が何ぼのもんや」と言ったおカボは――この目で見たからこそ、やっと信じられるようなものですが――膝をついて舌を出し、ごていねいに地面をぺろりと舐《な》めてみせたのです。もう私は口あんぐりというところで、立ち上がったおカボ自身も、やったことを信じられないような顔つきでしたが、舌を手のひらへこすりつけ、ぺっぺっと唾《つば》を吐いてから、イカをくわえて串から抜きました。

さぞかし硬いイカだったのでしょう。ゆるやかな坂道をお稽古場のほうへ歩いて、木の門にたどり着くまで、くちゃくちゃ嚙んでおりました。さて、門から中へ入りますと庭がありまして、えらくご立派なところへ来たものだと思いましたから、胃袋がねじれて結び目ができたような気がしました。常緑の植込みや、くねくねした枝ぶりの松の木が、ぐるりと池をかこみます。鯉をたくさん泳がせた、凝った造りの池でした。池の形がくびれたところへ平たい石を渡した橋があり、着物姿の老女が二人、きれいな色の傘で朝日をさえぎるように立っていました。建物については、目の前にあるのが何なのかわかりませんでしたが、いまにして思えば、敷地内のほんの一角だけが女紅場《にょこうば》として、いわば学校になっていたわけです。その向こうにあったのは、じつは歌舞練場なのでして、毎年春になりますと、ここで祇園の芸舞妓が「都をどり」をご覧に入れます。

おカボは細長い木造の建物へ入ろうと急ぎ足になりました。女中部屋かとも思いましたが、これがお稽古の場所なのでした。足を踏み入れたとたんに、番茶の香りが、ぷんと鼻をつきました。いまだに、あの匂いがいたしますと、またお稽古に通うような心地がして、胃が縮みそうになります。脱いだ下駄を手近なところへ置こうとすると、おカボに止められました。下駄箱の使いようにも暗黙の決まりがあるのです。まだまだおカボも新参の部類でしたから、梯子のように何段か足をかけて、上のほうへ載せなければいけないのでした。きょうが初日の私などは、さらに下っ端ですから、おカボよりも一つ上へ置きます。

「ほかの下駄踏まんよう気ぃつけや」たいした人数分もないようでしたが、一応、おカボが言いました。「うっかり踏むのん見られたら、耳の皮すりむけるくらい叱られるさかい」

女紅場の中は、なんだか空き家のように古ぼけた感じがしました。廊下のずっと先のほうに七、八人の娘が立っておりまして、それを見た私は佐津もいるのではないかと思って、びくっといたしましたが、こっちへ振り返ったところでがっかりさせられます。みな一様に、割れしのぶという舞妓の髪型を結っていて、おカボや私などがいつまでたっても追いつけないほど祇園を知っているらしく見えたものです。

いくらか廊下を行って広い教室へ入りました。古風な日本間です。大きな掲示板がかかっておりまして、釘のような引っかけるところが何本も出ていますので、そこへ木の名札を掛けます。黒々とした太筆の字が書いてありました。私はまだ読み書きも満足ではなくて、鎧戸にいた時分は昼ごろまで学校へ行き、京都に来てからは昼すぎの一時間ばかり小母《あば》に字を教わっていましたが、木札の名前はほとんど読めませんでした。おカボもそっちへ行って、畳の上にある浅い箱から自分の名札を見つけると、空いている最初の釘に掛けます。これがまあ、いうなれば出席表なのでした。

それから、ほかのお教室もまわって、おカボの受ける科目に名札を掛けておきました。この朝は、三味線、舞、茶道、長唄という四つです。どこでも最後の生徒になるのはまずいと気を揉んだおカボは、朝食をとりに一旦帰ろうとしながら、帯をぎゅうと握る手になっていましたが、ちょうど下駄をはこうとして、同い年くらいの娘が庭の向こうから髪を振り乱して駆けてくるのを見ると、やや落ち着いたようでした。

＊　＊　＊

お汁を一杯だけで、大急ぎで女紅場へ戻ります。おカボが教室の隅のほうで膝をつき三味線の用意をしますから、その時間を考えなければなりません。ご覧になったことはないかもしれませんが、見た目には変わった楽器だと思われるのではないでしょうか。日本のギターだとおっしゃる方もおられますけれど、だいぶ小ぶりなものでして、すうっと長い棹《さお》の上端に音合わせのネジがついています。胴体も大きくはなく、猫の皮を太鼓のように張ってあります。分解して箱なり袋なりに入れることができますので、持ち歩くときはそのようにいたします。さて、おカボは三味線を組み立てて、舌を出しながら音締《ねじ》めをしようとしたのですが、まあ、耳の勘が鈍かったものですから、波間の小舟さながらに音が上がったり下がったりするばかりで、ちっとも決まるところへ決まりません。そのうちに三味線を手にした娘が増えてきて、チョコレートの詰め合わせのように、きれいな列ができました。佐津が来たりはしないかと私は入口ばかり見ていましたが、そんなことにはなりません。

まもなくお師匠さんが来られました。きんきん声の小柄なお婆さんで、水見《みずみ》という苗字だったものですから、じかにお会いすれば水見先生なのですが、陰にまわればミズミをもじってネズミ先生と呼んでいました。

鼠《ネズミ》の先生は座蒲団に坐り、にこりともなさいません。生徒が一斉に頭を下げて朝の挨拶をいたしましても、むっつり黙って仏頂面を返すだけです。ようやく名札のほうを見て、最初の名前を呼びました。

この娘は自信たっぷりの様子で、すべるように出ていくと、お辞儀をして、三味線を弾き始めました。ものの一分か二分で、もうやめるようにと指示があり、さんざんな酷評が下されました。ぱちっと扇を閉じて振ったのが、引き下がらせる合図です。最初の娘はお礼を言い、頭を下げて、元の位置に戻りました。それで次の名前が呼ばれます。

このようなことが一時間あまりも続きまして、いよいよおカボの番になりました。浮き足立っているのがわかります。なるほど、いざ弾き始めると、何一つ思いどおりにはいかないようで、まず先生は中止を命じて、みずから音締めのやり直しをいたします。もう一度、おカボが音を鳴らしだすと、教室の誰もが顔を見合わせました。いったい何の曲を弾こうというのか見当もつかなかったのです。鼠先生は、ぱんと見台をたたいて、皆しっかり前を向くようにと言ってから、扇で拍子をとりおカボにわからせようとします。それでもだめなものですから、やむなく撥《ばち》の持ち方から教えました。しっかり持たせようとするのですが、おカボの指の骨が全部どうにかなるのではないかと思うような厳しさです。そこまでやっても見込みなしということで、ついに匙《さじ》を投げたわけでしょう、先生は畳に撥を放り出しました。それを拾ったおカボが、涙をためて、すごすごと引き下がります。

そんなことがあったあとで、私にもおカボが最後になりたくなかったわけがわかりました。さっき駆けてきた乱れ髪の娘が、前へ出てお辞儀をしたのです。

「いまさら挨拶なんぞしたかて時間の無駄どっせ」鼠先生がきつい声で言い放ちました。「あんたが朝寝坊さえしいひんかったら、お稽古に間に合うたかもしれまへんな」

その娘は詫びを言って弾き始めましたが、先生は聞く耳も持たずに、「そんな寝坊助に、どないして教えられますかいな。ほかの者といっしょに、ちゃんと札を掛けに来たらよろしのやろ？　はよ戻んなはれ。かもうてられしまへん」

それで授業は終わりでした。おカボは私を伴って前へ進み、鼠先生に頭を下げます。

「お師匠さん、この千代をよろしゅうおたの申します。不束《ふつつか》もんどすけど、長い目で見て仕込んでやっておくれやす」

これは私の悪口を言ったわけではありません。昔はよく、へりくだって丁寧《ていねい》な口をきいたものです。実の母親であっても同じように言ったでしょう。

鼠先生はしばらく黙ったままでいて、私をじっくりと見てから、「賢そうやな。見たらわかりまっせ。ねえさんの稽古を手伝うてあげられるようにもなるやろ」

もちろん、おカボのことを言ったのです。

「毎朝、できるだけ早う来て、名札を掛けといなはれ。お稽古のときは静かに。無駄口は許しまへん。しっかり前を見てなあきまへんえ。そうしたら、あんじょう教えたげます」

それだけ言うと、もうよろしいとのことでした。

お稽古の合間に廊下へ出ると、私は佐津がいないかと目を皿のようにしていました。結局、見つからないので、もう会うこともないのだろうかと不安になり、それが表にも出たと見えて、ある科目の始まりに、先生が教室内を静まらせ、私に言いました。

「ちょっと、あんたや。何ぞ困ることでもありまんのか」

「あ、いえ、すんまへん。ちょっと唇嚙んでしもうたんどす」と私は言い、もっともらしく見せるために——まわりの生徒たちの目が気になったので——ほんとうに強く嚙んだら、血の味がいたしました。

ほかの科目では、おカボも三味線ほどの体たらくではありませんでしたので、見ているほうも救われました。たとえば舞のお稽古ですと、全員そろって動きますので、一人だけ目立つということがありません。それにおカボも下の下というわけではなく、ぎこちないながらに、どことなく味のある動きをしていたように思います。そのあとの長唄は、音感の鈍いおカボには不利でしたが、ここでも斉唱でしたから、そうっと歌いながら口だけ盛大に動かしておいて、失敗をごまかすこともできました。

一つの科目が終わるたびに先生に引き合わされたのですが、ある先生から、「おんなじ屋形

にいてますのか」と言われましたので、

「へえ、新田どす」と答えました。これは苗字でもあります。おばあさん、おかあさん、それに小母《あば》も、みな新田なのでした。

「そやったら初桃はんのとこかいなあ」

「へえ、いまは屋形に一人だけの芸妓さんどす」

「そうか、それでよう辛抱しやはったら、うちかて何ぼでも教えたげまっせ」

そう言うと、先生は出来のいい冗談を飛ばしたように笑って、私たちを帰らせました。

五

その日、午後から初桃に連れられて、祇園の検番へまいりました。どこか大層なところへ行くのかと思っていましたら、何のことはない、さっきの女紅場の二階で薄暗い畳の部屋をいくつか使っているだけです。机やら帳簿やらが所狭しとありまして、紙巻き煙草がぷんぷんと臭います。たなびく煙の中で顔を上げた人が、その顔を動かして奥の間へ行けと合図します。すると、うずたかく書類を積んだ机を向いて、見たこともないように大きな人が坐っていました。あとで知ったことですが、元は相撲取りだったそうで、もしも外へ出ていって、どんと建物に体重をかけたら、ここいらの机が一斉にひっくり返るのではないかと思うほどでした。それでも何々親方といわれるまではいきませんで、いまだに現役のころの四股名《しこな》を通称にしていました。淡路海というのです。ふざけ半分に縮めて淡路にしてしまう芸妓もいたようです。

ここへ足を踏み入れたとたんに、初桃が色香を振りまきました。これを私は初めて目の当たりにいたします。「淡路さん」と声をかけたのですが、その言い方たるや、途中で息が切れてもおかしくないくらいに、「淡あぁ路ぃさあああぁんん」と引き伸ばしたのです。すねて文句を言ったようでもありました。その声に淡路海はペンを置き、大きな左右のほっぺたが、にっと耳のほうへ移動しました。これが笑顔なのです。

「むむう、初桃さんか。あんまり美人になられると、どうしていいかわからんようになりますのう」

がさついた息洩れのような声でした。相撲のぶつかり合いで喉頭を痛めるということが多いのです。

河馬《かば》のような巨体ですけれども、あれで縞の着物に袴という着こなしが、なかなか粋なものでした。淡路海の仕事は、祇園での金の流れが、流れるべきところを流れるように目を光らせることです。そこから小さな水路を引いて、当人の懐《ふところ》にも流れ込むようになっていましたが、くすねているわけではありません。そういう仕組みで成り立っているのです。いずれにせよ要職といえる位置にいるのですから、どんな芸妓にしても淡路海のご機嫌をそこねないほうが得なわけで、ああいう粋な着物も、着たり脱いだり半々だという風評が立つことにもなるのでした。

初桃は、しばらく話し込んでいてから、きょうは私の手続きに来たのだと言いました。それで、いままで私のほうを見ようともしなかった淡路海が、あの大きな首をひねって、こちらを向きます。と、一瞬ののちに席を立った淡路海が、窓の障子をあけて部屋を明るくしました。

「ほう、わしの目の錯覚かと思った。こんな別嬪を連れてきたなら、初めからそうと言ってくれればいいものを。この子の目は……鏡のような色だ」

「鏡？」と初桃が言います。「淡路さん、鏡に色はおへんえ」

「あるともさ。きらっと光る灰色が。あんたは鏡を見ても自分の姿しか見えないだろうが、わしが見れば、きれいな色がわかる」

「そんなもんどすか？　うちにはきれいとも思われしまへん。いつどしたか川からあがった土《ど》左衛門《ざえもん》を見たことがあんのどすけど、あのときの舌の色と似たような色の目ぇどすわ」

「そりゃあきっと、あんたが別嬪だから、自分以外のきれいなものがわからないんだ」と言って、淡路海は帳面をあけ、ペンを手にします。「とにかく書いてしまっていいんだね。ええと……千代というのか。苗字と生まれ在所は？」

それを聞いたとたんに、おたおたして淡路海を見上げる佐津が、私の心に浮かびました。佐津だってここへ来ているにちがいない。私が登録するのだったら、やはり佐津もそうだったはずだ……。

「坂本どす。生まれは鎧戸いいまして、姉の佐津のときに聞いてはらしまへんやろか」

初桃がかんかんに怒るだろうと思いましたのに、そばで聞いていて愉快そうな顔なのが意外でした。

「あんたより姉さんなら、もう来ていてもよさそうなもんだが」と、淡路海は言います。「そんな名前に心当たりはないね。祇園ではないのじゃあないか」

これで初桃が笑顔なのも腑《ふ》に落ちました。いまの答えは計算ずみだったのでしょう。姉と言葉をかわしたと言われて、あるいは眉唾《まゆつば》ではないかと思っていたとしても、こうなっては疑う余地がなくなりました。ほかの花街も京都にはあることを、おぼろげには知っていました。そのどこかに佐津はいるのだろう、なんとしても会おう、と考えたものです。

＊　＊　＊

置屋へ帰ると、小母《あば》が待っていて、私を銭湯へ連れていきます。それまでは女中たちと行っておりまして、手拭いと小さくなった石鹼《せっけん》をあてがわれ、タイルの洗い場にしゃがんで洗うのを見習っていました。小母《あば》はずっと親切で、膝をついて私の背中を流してもくれます。びっくりしたのは、およそ羞恥心などなさそうに、長く垂れた乳房を、瓶でも振り回すように、ぶるんぶるん揺らすことでした。はずみで私の肩にべしゃりと当たったのも一度や二度ではありません。

それから置屋へ戻され、着替えをいたしました。生まれて初めて絹というものを身につけたのです。くっきりした青地で、裾まわりに緑の葉を散らし、袖から胸にかけて明るい黄色の花を咲かせています。この身支度で小母《あば》に導かれ、初桃の部屋へ上がりました。ただし、まちがっても初桃の邪魔にならないように、気に障ることを一切しないようにと、あらかじめきつく申し渡されます。そのときは不思議に思いましたが、小母《あば》の心配もじつにもっともなことだったのです。まあ、芸者といいましても、起き抜けの顔では、あたりまえの女と変わりません。脂っ気が浮いているかもしれないし、息が臭うかもしれません。寝ぼけ眼《まなこ》をこすりながらでも髪に乱れはないでしょうが、そのほかは芸者らしいところなど、これっぽっちもありません。鏡の前に坐って入念に化粧をいたしまして、やっと芸者になるのです。それに見かけがどうこういうよりは、心の働きが芸者らしくなるのでもあります。

部屋の中では、小さな鏡に映る初桃の顔が見えるように、鏡台のやや斜めうしろに坐らされました。座蒲団を敷いた初桃は、はおった浴衣を肩脱ぎにして、刷毛を何本も手にしておりました。刷毛にも形があって、扇のように平たいのも、箸の先にちょこっと和毛《にこげ》をつけたようなのもあります。ようやく振り返ると、それを私に見せました。

「ほら、うちの刷毛や。それから、こんなん覚えあらへんか?」と言って鏡台の抽斗から取ったのがガラス容器の白粉でした。宙に振りかざして私に見せます。「弄《いろ》たらあかん言うたことあったやろ」

「そんなんしてしまへん」

初桃は蓋つきの瓶を鼻先でくんくん嗅いで、「そやな、そうみたいや」と言うと、白粉を置いて、今度は色のついた棒のようなものを三本、手のひらに載せて見せます。

「これが頬紅になるのえ。ちょっと見とおみ」

一本だけ持たせてもらいますと、赤ん坊の指くらいなものですが、石のように硬くすべすべしているので、さわっただけでは肌に色が残りません。根元のほうにだけ巻いた薄い銀紙が、指先の力を受けて減りかかっています。

初桃は三本の棒をしまって、次に出したのは、先っぽの焼けこげた小枝のようなものでした。

「桐の木をよう乾かしたもんや。これで眉を引くのえ。こっちは鬢付油《びんつけあぶら》」と、包み紙から出した使いかけの固まりを二つ、私の目の前へ見せます。

「何でこないして見せた思う?」

「お化粧の仕方をわからせるためどす」

「何言うといやす。いっこも魔法なんかあらへんて教えるためどっせ。そやから、かわいそうなこっちゃけど、お化粧だけでお千代さんがきれいになることもないわけや」

初桃は鏡に向き直り、静かな鼻歌まじりに黄味がかったクリームの瓶をあけました。その原料が鶯《うぐいす》のふんなのだと申し上げたら、本気にしていただけますでしょうか。でも嘘ではありません。あのころの芸者は、よく顔につけたものです。美肌に特効があるということになっておりました。ずいぶんと値の張るものでしたから、初桃も目のまわり、口のまわりに、ちょんちょんとつけただけですが――。で、それから鬢付油をいくらか折りとって、指先の温もりで溶かしまして、顔一面にすりつけます。首筋や胸元にも広げます。手についた油をていねいに拭いますと、平たい刷毛を水皿につけ、それで白粉を練って溶かします。この刷毛でもって、顔から首筋へと塗っていくのですが、目だけは残しておきます。口と鼻のまわりにも塗りません。子供が紙に穴をあけ、お面にして遊んでいるところをご覧になったことがあるとすれば、ちょうど似たようなものでしょうが、このあと小さめの刷毛でもって穴のところを埋めるのです。ここまで来ると、お化けのように真っ白ですから、まるで上新粉に顔を突っ込んだようになっています。お化けといえば、なるほど白鬼のような人でしたけれど、それでも私はくやしさ情けなさで胸が苦しいほどでした。あと一時間かそこいらもすれば、この顔に男が目をみはるのです。それに引きかえ、私のほうは置屋を出ることもなく、おさんどんで汗をかいているのでしょう。

さて、初桃は紅の棒を手にして、濡らした筆先で溶かしながら、頬に赤味をさしていきます。この一カ月だけでも、私は化粧のできあがった初桃を何度も見ておりました。図々しいと思われない程度に、できるだけ盗み見るようにしていたのです。どうやら着物の色によって、頬紅の具合を変えているようでした。それだけならめずらしくもないことですが、初桃が人よりずっと赤を濃くしていたと知ったのは、何年もたってからでした。どういうつもりだったのか、血色のいい感じにでもしようとしたのか、そのへんはよくわかりません。ただ、初桃も馬鹿ではありませんので、顔立ちを一層引き立てるコツは自分なりに心得ていたのでしょう。

これが終わっても、まだ眉と唇ができていません。へんてこりんな白仮面の顔ですが、一時中断して、小母《あば》に襟足を塗ってもらいます。ご存じないようでしたら、首のことを言わせていただきましょう。だいたい日本の男というものは、西洋人なら女の脚にいだくのであろう感覚を、うなじや喉元に対して持つのです。だからこそ芸者は大きく衿を抜きまして、背骨の上のほうが見えるくらいに肌を出しています。パリの女がスカートを短くするようなものではないでしょうか。小母《あば》は初桃の襟足に、三本足といわれる模様をつけました。いうなれば、とがった白い板垣の隙間から、うなじの素肌をのぞいたというような趣向になりますので、これはもうすごい図柄であるわけです。どういう色気を男に感じさせるものなのか、ほんとうにわかったのは、かなりの年月がたってからでしたが、たとえば小手をかざした女の、その指の間から、隠した顔が見えているという風情《ふぜい》にも通じましょう。ですから芸者は髪の生え際だけ、わずかな幅で素肌を残すものでして、そうしますと白く塗りあげた顔が、いわば能面か何かのように、これは作り物であるという印象を強めます。殿方が芸者をはべらせて、白い面のような顔をご覧になれば、その下にあるはずの素肌に、ますます思いをいたすというわけで。

初桃は刷毛の水洗いをしながら、鏡に映る私をちらちらと見ていました。そのうちに口を開

いて言ったことは、

「あんたの気持ちが手にとるようや。あないにきれいにはなれへん思うてるのやろ。ほんま、その通りやわなあ」

「ほなら言うときまひょか」小母《あば》が口を出しました。「この千代ちゃんが、えろう可愛《かい》らしい言うてくれはるお人もいてはんのどっせ」

「そら、腐れ魚の臭いがええいうお人かていてはりますやろ」と言うと初桃は、襦袢に着替えるから席をはずすようにと命じました。

小母《あば》と私が出ていきますと、階段を上がっていた別宮さんが、姿見とならんだように待機していました。佐津と私を受け取りに来た日の様子と、ちっとも変わりません。もっとも、舞妓の下地をさがしてくるのが男衆《おとこし》の本業というわけではないのだと、置屋へ来て間もないうちにわかりました。着付けをするのです。毎日、置屋へ通ってきては、初桃に盛装をさせます。

今夜の衣装が、もう鏡のそばの衣紋掛けにかかっていました。小母《あば》が立ったままでこれをなでつけていると、そのうちに出てきた初桃は、きれいな錆色《さびいろ》の地に濃い黄色の葉を模様にした長襦袢をまとっておりました。それからの手順は、この日の私には、まるで要領を得ないものでした。着付けというのは複雑でありまして、見慣れていないと何をやっているのかわかりません。ただ、うまく説明申し上げれば、なるほど理にかなったものであるとお考えいただけるのではないでしょうか。

まずご承知おき願いたいのは、普通の奥様と芸者では、だいぶ着付けが違うということです。奥様でしたら、いろいろと当て布のようなものをいたします。腰まわりだけを出っ張らさないためでして、そのおかげで筒っぽといいましょうか、お寺の本堂の丸柱のような寸胴《ずんどう》ができあがります。これが芸者ですと、年中着なれておりますから、布を当てたりせずとも、べつに気になることはありません。とにかく手始めには、奥様でも芸者でも、お化粧のときに着ていたものを脱いで、裸の腰に絹を一枚からめます。いわゆる腰巻ですね。それから袖の短い肌襦袢というものを下着にして、腰紐をいたしまして、当てるものを当てるのですが、これは適当に丸味のある小さい枕に紐をくっつけた形で、しっかり留まるようになっています。ただ初桃の場合には、昔からいわれる柳腰という体つきでしたし、着物を着ることにかけては年季が入っていますから、何も当てる必要はありませんでした。

さて、これまでのところは、すっかり着付けができてしまえば隠れるものばかりです。その次が長襦袢なのですが、こうなるともう下着ともいえません。たとえば舞をご覧に入れるときですとか、道を歩いているときなどでも、左手で褄《つま》をとりまして裾をあげることがございます。そうしますと膝から下あたりで長襦袢をちらつかせるという案配ですので、模様にしても生地にしても着物に合わせておかなければなりません。それに長襦袢の衿は、男の方のワイシャツみたいなもので、もとから見せるようにできております。その日その日で初桃の長襦袢に絹の半衿を縫いつけるのも、小母《あば》の仕事と決まっていました。次の日には、これを取って洗濯にまわします。舞妓のうちは赤い衿をつけますが、初桃はれっきとした芸妓でありましたので、衿は白です。

出てきた初桃は、ここまで支度していたわけですが、見た目には長襦袢に伊達締《だてじ》めを巻いたという格好で、きっちりと足袋《たび》を穿《は》いていました。いよいよ別宮さんの出番です。どうして女にかかれば、みごとなまでに着物が女の体に巻きつくのでした。この人の手の着付けに男の手を借りるのかをご説明しなくてはいけませんでしょう。着物というのは誰が着ようと丈は決まっておりまして、よほどに背の高い女でもなければ、伊達締めの下でお端折《はしより》をいたします。別宮さんが折り返しをして紐をかけますと、ぴたっと隙のない仕上がりになりまして、どこかおかしいとしても、くいくいっと引っ張るだけで全体が整います。この人の手にかかれば、みごとなまでに着物が女の体に巻きつくのでした。

仕事の山場は帯を締めるところです。口でいうほど簡単ではないのでして、初桃がするような帯でしたら、長さが男の背丈の倍くらい、幅は女の肩幅ほどもあります。腰に巻くとはいいながら、鳩尾《みぞおち》の上から臍《へそ》の下まで帯がかかります。着物をご存じない方は、糸でも結ぶように背中でちょいちょいと結べるのだとお考えのようですが、とんでもございません。やれ帯揚だの帯締めだのという小道具がないとずり落ちてまいりまして、結んだ形をつけるためには帯枕も使います。さすがの別宮さんも帯を締めるには数分を要しましたが、できあがってしまえば、あの厚くて重い帯地に、寸分の狂いもありませんでした。

この日の私には、そばで見ていても、何のことやら雲をつかむようでしたけれども、別宮さんがてんてこ舞いで折ったり結んだりしているのに、初桃は両手を突き出して、じっと鏡をのぞいているだけのように思われました。見ている私は、羨ましさで自分が惨めになります。初桃の着物は茶色と金色の濃淡を織り出して、腰から下では、たっぷりした茶色の毛並みも秋らしい鹿が鼻先をすり合わせ、野山の落葉という趣《おもむき》で金色や鋳色が鹿のうしろに広がります。帯は濃紫に銀糸をあしらったもの。あとになって思えば、あれだけの衣装なら、巡査や小商人の一年の稼ぎにも匹敵する値段だったでしょう。しかし、たとえそうであっても、鏡へ振り返った初桃の立ち姿は、いくら金を積んだところで、金の力では出しようのない女の美しさに照り輝いておりました。

このあとはもう化粧の仕上げと髪飾りだけです。小母《あば》と私が初桃にくっついて部屋の中へ戻りますと、初桃は鏡台の前に坐って漆《うるし》塗《ぬ》りの小箱を出しました。紅《べに》が入っていまして、これを筆で唇にさします。当時のやり方ですと上唇には紅をさしませんでした。それで下唇だけがふっくらして見えます。白塗りの顔といいますのは、おもしろい錯覚を生むものでして、芸者が唇にべっとり紅をつけていますと、何かこう大きなお刺身を二切れ重ねたようになってしまいます。ですから、たいていの芸者はすみれの花とでもいうような、おちょぼ口にしたがります。そういう口に生まれついたのならともかく――ま、滅多にないことですね――ほとんどの場合は、実際よりも丸形に近づけて塗ることになります。でも、いま申しましたように、あの時分は下唇にだけ紅をさしたものですから、初桃もそのようにしておりました。

さて、初桃はさっき私に見せた桐の枝に、マッチをかざしました。いくらか焼けこがしておいて、ついた火を吹き消し、指をあてて冷ましてから、鏡台へ向き直り、炭になった枝の先で眉を引きました。やわらかな薄墨色が、きれいに残ります。それから簞笥《たんす》へ立って、髪飾りを見つくろいました。鼈甲《べっこう》の細工ですとか、真珠を何粒もつけためずらしい玉簪のようでした。そんなものを髪にさすと、大きく衿を抜いた背に軽く香水を振って、また使うかもしれない用心に、香水入れにしている印籠を帯にはさんでおきます。また扇子も帯にさして、右の袂にハンカチを落としました。そうしておいて私を見おろします。最前のようなうっすらした笑みを浮かべて、小母《あば》でさえ吐息を洩らすほどの、凄艶《せいえん》な初桃が立っておりました。

六

ほかの者にどう思われていようと、置屋での初桃は女帝というべきものでした。なにしろ初桃の稼ぎで、この家の暮らしが成り立っているのです。そして、夜遅くにお帰り遊ばす女帝陛下は、もし宮殿が真っ暗で、家来どもが先に寝ていたとなると、いたくご機嫌斜めなのでした。つまり、酔って帰って、足袋の小《こ》鉤《はぜ》をはずすのも億劫《おっくう》だとしたら、誰かがはずさなければなりません。たとえ腹が減っていようと、自分から台所へ立っていって、好物の梅干し茶漬けをこしらえるということもいたしません。まあ、どこの置屋でも似たようなものでして、ご帰館まで寝ずにいて出迎えるのは、仕込みの中で一番下の者と相場が決まっておりました。お稽古に通うようになった時点で、私がそれになったのです。真夜中にはだいぶ間のある刻限に、おカボも二人の女中も、玄関の板の間に敷いた蒲団でぐっすり眠っていました。わずか三尺ばかり離れて、私だけがかしこまって坐り、必死で眠気をこらえながら、どうかすると午前二時ごろまで待っているのです。玄関のすぐ奥がおばあさんの部屋で、この人は明かりをつけたまま眠り、襖もぴったりとはしめませんでしたから、細長く伸びた光が、敷いてあるだけの私の蒲団にかかります。それを見ていると、佐津と私が連れ出された日から遠くもない、母の寝ている奥の間をのぞいたときのことを思い出しました。父が障子に漁網をかけて、わざわざ部屋を暗くしていたのですが、陰気くさく思った私が窓をあけてしまうと、さっと射し込んだ日の光が母の蒲団にかかり、血の気もなく骨張った母の手を浮き上がらせたのでした。おばあさんの部屋から私の蒲団へ流れる黄色い光を見ていたら、いまでも母の命はあるのだろうかと思えてなりません。私とはそっくりの親子でしたから、何かあれば虫の知らせでもありそうなものでしたが、どうなったことやら見当もつかないでいたのです。

ある晩、秋口のことですが、つい柱にもたれてうとうとしておりましたら、表《かど》の戸があいたように思いました。居眠りを見つかったら怒られるので、懸命にしっかりした顔をつくっていましたら、中戸があいて入ってきたのは、初桃ではなくて男の人影だったのでびっくりいたしました。半纏《はんてん》に股引《ももひき》なのですが、職人とも農夫とも見えません。髪を油でうしろへなでつけてあるのが、いかにもモダンでありまして、きっちり手入れしたらしい髭《ひげ》は、どことなくインテリ風でもありました。かがんで私の顔を手ではさみ、まともに見つめます。

「お、別嬪やないか」と声をひそめて言いました。「何ちゅう名前や」

やっぱり職人なのかと思いましたが、それにしても夜中に来るのがわかりません。返事をするのも恐ろしかったのですけれど、何とか名前を言いますと、男は指先をちょいと舌でなめてから、私の頬へあてました。どうやら睫毛が一本ついていたということのようです。

「まだ洋子いてるか」と男は言いました。これは若い女の人でして、毎日、午後遅くから夜更けまでお台所に陣取っています。この当時、置屋やお茶屋には祇園だけの電話が通じておりまして、電話番の洋子はひっきりなしの応対で、初桃のお花を受け付けていました。宴会やお座敷によっては半年から一年先の話も飛び込みます。普通には、その晩の予定が午前中にはすっかり埋まるというくらいでしたが、たとえ日が暮れてからでも、都合がついたら呼んでくれとおっしゃるお客さんのために、お茶屋からの電話が入ります。でも今夜は電話の鳴り方がおとなしかったほうで、おそらく洋子もうたた寝になっていたことでしょう。男は私の返事を待たず、手で制しておいて、勝手知ったる通り庭をお台所へと向かいました。

次に私が耳にしたのは、ほんとうに寝てしまっていたらしい洋子が詫びを言う声でした。それから交換台としばらくやり取りがあって、何軒ものお茶屋とつないでもらったあと、ようやく初桃の居所だけはつきとめたらしく、尾上芝翫が来ているという伝言を頼んでいました。そんな役者がいるはずもなく、じつは暗号だと知ったのはあとのことです。

これで洋子は仕事を切り上げて帰りました。男を一人放っておいて平気らしいのですから、私も黙っていようと思いました。それで救われたのです。二十分ほどで初桃があらわれ、玄関で立ち止まると私に言いました。

「いままで、あんたにも手加減してたけどなあ、もし男はんが来たはるとか、うちが中途でいっぺん帰ったとか、うっかり言うとおみ、ただでは済まさへんえ」

と、私に覆いかぶさるようにして言います。何かを取ろうと袂に入れた手が、わずかな仄明《ほのあ》かりの中でも、肘まで赤らんでいると見えました。それからお台所へ入って戸をしめます。押し隠すような話し声が少しだけけして、置屋はひっそりと静まりました。ときどき鼻にかかったような喉にかかったようなやわらかい声が洩れましたが、ごく低いもので、ほんとうに聞こえたのかどうかもわかりません。何が行われていたのか私も心得ていたとは申しませんが、水着の胸をまくった姉を思い出していたのは確かです。いとわしさと知りたさがないまぜになってわけがわからず、たとえ動いてもよいことになっていたとしても、たぶん釘付けのままだったでしょう。

＊　＊　＊

週に一度かそこら、どうやら近所の蕎麦屋《そば》の職人だったらしいのですが、初桃は情人《いろ》と示し合わせて、置屋のお台所に閉じこもりました。ほかのところでも適当に逢瀬《おうせ》を重ねることはあったようです。洋子を介して意を通じていたので、それが私の耳に届いたりもしました。置屋でも下の者には知れているのに、おかあさん、おばあさん、小母《あば》へのご注進がおよぶことは一切なかったというところで、初桃の権勢のほどがうかがえましょう。情人をつくって、しかも置屋へ引っ張り込んでいるのですから、ばれたら大変なことでした。あんな男と時間をつぶしても花代になるわけではなく、それを稼げるはずのお座敷へは出ていないのです。また、旦那になってやろうという金持ちの客がいたとしても、蕎麦屋と深くなっている芸妓だと知ったら、興ざめな思いをするでしょう。

ある夜、水を飲みたくなって井戸へ行き、戻りかけたら、格子戸のあく音がして、たたきつけるように閉まりました。

「ほら、初桃さん」と低い響きの声がします。「みんな起きてしまうやないの」

初桃が好いた男を引っ張り込むのは、危ない橋を渡るのがおもしろいせいでもあったでしょうが、それにしても危ないものだと私は不思議に思っておりました。ただ、こうまで大っぴらだったことはありません。あわてて膝をそろえた私の前に、まもなく初桃があらわれました。畳紙《たとう》の包みを二つかかえています。あとから芸者がもう一人、玄関へ入りました。ずいぶん上背があって、気をつけないと鴨居《かもい》に頭をぶつけそうになります。あらためて背筋を伸ばし、私を見おろしたところでは、異様に大きな唇が、馬づらの終点へぶら下がるようにくっついていました。お世辞にも器量よしとは申せません。

「この子、うちとこの鈍くさい仕込みやねん」と初桃が言いました。「何やら名前もあったようやけど、鈍チビでええのんとちゃうやろか」

「ほな、鈍チビ」と、お連れの芸者が言います。「あんた、この姐さん方に何ぞ飲むもん持ってきよし」さっきの低い声は、初桃の情人ではなく、この女だったのです。

初桃は酒といえば甘口の好みでした。ただ冬場ならいざしらず、もう買い置きもなさそうでしたから、代わりにビールを二杯ついで運びました。初桃とお仲間はもう通り庭へ降りて下駄を突っかけていました。どちらも酔いがまわっているらしく、お連れのほうの大足に置屋の庭下駄では間に合わないといって、歩くたびに二人して笑いだしている有様です。縁側が廊下になっていたのは申し上げたと思いますが、そこへ初桃は包みを置いて、その一つに手をかけようとしたところへ、私がビールを持って出たのでした。

「ビールの気分やあらへん」と言うなり、初桃は前かがみでビールを二杯とも床下へぶちまけます。

「うちは気分やわ」と、お連れの芸者は言ったのですが、すでに時遅しで、「なんで残しといてくれへなんだん」

「ちょっと静かにしいな、小りんちゃん。もう飲まんかてええわ。ほら、これや。これ見たら、うれして死にそうになるやろ」ここで初桃は包みの紐をほどいて、さっと廊下に広げたのが、見事というほかはない着物でした。ぼかした緑の濃淡に、赤い葉をつけた蔦《つた》が伸びるという柄です。いくら絢爛《けんらん》とはいえ絽の着物ですから、秋になってから出してくるものではありませんが、小りんと呼ばれた芸者は、見とれたあまりに、ひくっと息を吸って、自分の涎《よだれ》で喉が詰まりそうになりました。それでまた二人で大笑いをいたします。そろそろ私は引き時だろうと思いましたら、初桃が、

「行ったらあかん」と私を止めておいて、今度はお連れのほうへ、「おもしろいこと教えたげるえ。これ誰の着物《べべ》や思う？」

小りんは、さかんに咳払いをしていましたが、どうにか口がきけるようになると、「ああ、うちのやったらええのに」

「残念やったな。これはなあ、うちらがこの世で誰よりも面憎う思うてる芸妓のや」

「え……あんた、そら、鬼神も顔負けの働きや。どないして里香さんの着物なんぞ取ってきたん」

「里香やなんて言うてへん。あの優等生やがな」

「誰のこっちゃ」

「ほら、うちが一番いう顔して、お高うとまっててんのがいてるやろ」

しばらく間ができて、それから小りんが言いました。「ほな、豆葉さんかいな！　そういえ

ばそうや、なんで気ぃつかへんかったんやろ。いったい、どないして取ってきたん」

「こないだ舞台稽古があったやろ、それから歌舞練場に忘れもんしたん気ぃついたさかい、取りに戻ったら、何やしらん、あーあーいう声が下から聞こえてきてん。こんなん見逃す手ぇない思て、そおろと階段おりて電気つけたら、誰や思う、ご飯粒二つひっつけたみたいになって転がってんにゃ」

「へえ、わからんもんやなあ。豆葉さんが？」

「阿呆いわんとき。あのええかっこしいがそんなことするかいな。豆葉んとこの下っ端が、歌舞練場の若い衆とくっついてたんやがな。なんしか、いやとは言えへん弱みをつかんだんやさかい、これこれの着物とってこいと、あとで言うたってなあ、何の話かわかったら泣きだしやったわ」

「ほなら、こっちのは何やねん」小りんは、廊下にあって紐もといていない包みを指さします。

「その子に身銭切って買わせたもんやさかい、うちのんや」

「身銭て、あんた、着物買うような銭もってる子がおるかいな」

「さあ、身銭いうてたけど、ほんまはどう都合したもんやら、知りとうもないわ。どっちにしたかて、この鈍チビが蔵ん中へしまうことになるんや」

「そんな、姐さん、うちは蔵の中なんて入られしまへん」と、すぐに私は言ったのですが、

「あんた、姉ちゃんの居所知りたいんやったら、今夜はうちに二度も同じこと言わさんとき。あんじょう考えたげてんのや。そのあとで尋《たん》ねたいことがあったら、一つやったら教えてもええんやで」

これを信じたとは申しませんが、初桃には私をどうとでも突き落とせる力があったのですから、否《いな》やはないのでした。

初桃は畳紙につつんだ着物を私の腕に押しつけ、奥庭の蔵へと連れていきます。蔵の戸をあけ、ぱちんと遠慮のない音をたてて電気をつけますと、中の様子が見えまして、敷布や枕の棚ですとか、錠のかかる簞笥、たたんで重ねた蒲団などがありました。初桃は私の腕をつかんで、外壁にかかった梯子へ向かわせます。

「着物は上や」

と言われて、上がっていき、戸を引きあけました。下の階とは収納の仕方が違いまして、朱塗りの衣装箱が、壁を埋めつくすように、びっしり置かれていました。天井まで届きそうな箱の列を左右に見て、人が通れるくらいの隙間があります。前後の行き止まりには格子窓があいて、これは網をかけただけですので、換気の役を果たしておりました。ここでも照明は味気ないものですが、下より明るいぶんだけ、衣装箱の前面に彫り込まれた黒文字が読めました。「型小紋、絽」、「黒紋付、袷《あわせ》」などと書いてあります。正直なところ、知らない漢字もずいぶんあったのですけれど、なんとか初桃の名を記した箱を最上段に見つけ、やっとのことで下ろしまして、やはり畳紙に包まれた着物と一緒に、新しい着物を入れてから、箱を元通りにいたしました。つい珍しいもの見たさで、手早くもうひと箱あけてみますと、これは箱いっぱいに十五枚は入っています。さらに何箱か、蓋を持ち上げてみても、同じようなものでした。こうまで衣装が満杯の蔵なのであれば、おばあさんが火の用心でびくびくしているのも腑に落ちます。おそらくは鎧戸と仙鶴の全財産をあわせたよりも倍くらいの金高になったでしょう。しかも、あとで知ったところでは、一番値の張るものは、よそへ預けてあったのです。舞妓の着るような衣装でして、もう初桃では着られませんので、また使うときが来るまでは、貸金庫のようなところへしまってあるのでした。

私が奥庭へ降りたときには、一旦部屋へ上がった初桃が、墨と硯《すずり》と筆を持ってきていました。心覚えでも書き留めて、着物をたたみ直すときにはさんでおくつもりなのでしょうか。すでに井戸の水を硯にたらして、廊下へ坐り、墨をすっています。充分に濃くなったところで、ひたした筆の先をととのえ、たっぷり墨を含ませて、なお滴《しずく》を落とさないようにしました。それを私の手に握らせ、きれいな着物の上へ持っていかせて、

「千代ちゃん、お習字しょうな」

この着物は豆葉という芸妓さんのものだそうで、その人の名を私はまだ聞いたことがありませんでしたが、まさに工芸というにふさわしい逸品でした。裾から腰にかけて、ずっしりした光沢の糸を細紐のように縒《よ》りあわせて蔦の模様が這っていき、それが刺繍だとわかっていながら、あまりの本物らしさに、もし手を出してつかんだら、草を土から抜くように取れるのではないかと思えたほどです。蔦に生《お》う葉は秋らしい枯れた気配を帯びて、黄色く色づいているようでもありました。

「そんな、やめとくれやす」私は泣かんばかりでした。

「あかんたれやなあ」と、お連れの芸者が言います。「もういっぺん初桃さんに言わしたら、会える姉ちゃんにも会えんようなるんやろ」

「ええがな、小りんちゃん。千代かてわかってるのやて。ほら、何でもかまへんさかい、早よ

書きよし」

まず一筆が着物の上に落ちたとき、大はしゃぎの小りんが、きゃあっと声をあげたので、女中が一人目を覚まし、頭に手拭いを巻いて、だらしなく寝巻を引きずった格好で、通り庭へ顔を出しました。初桃は突っかかるように足を踏み出し、まるで猫の喧嘩でしたけれども、それで女中は寝床へ逃げ帰ったのです。緑の粉をまぶしたような絹の地に、私はこわごわと筆をあてましたが、そんな二度や三度の墨の跡では、小りんはおもしろくなかったようで、それで初桃がどこへどう書いたらいいのかと指図をします。といっても、いいかげんなものでして、初桃が思いつきの意匠をこらしていただけでした。そうしておいて初桃は着物をたたみ直し、包んで、紐をかけてから、小りんと玄関へ戻って草履を履きました。表の格子戸をあけると、私にもついてくるようにと言います。

「そうかて、姐さん、断りものう外出たら、うち、おかあさんにきつう叱られます――」

「うちに断ったことになるやろ」と、初桃は私にものを言わせません。「この着物、返さんなんにゃろ。あんた、うちを待たすつもりやないやろな」

仕方なしに、私も下駄を履いて小路を歩きだし、白川沿いの通りへ向かいました。あの時分ですと、まだまだ祇園の道はどこもきれいな石畳になっていまして、そんな月夜の道を行きます。暗い川面に枝垂れ桜の枝が落ちかかっていました。とある木の橋を渡ると、祇園とはいえ、いままでに来たこともない界隈《かいわい》でした。川岸が石積みになっており、だいぶ苔がついていますが、その上を遠くまでながめれば、お茶屋や置屋の裏手が、ひとつながりの壁のようです。窓の簾《すだれ》が黄色い光を薄切りにしているのを見たら、けさ台所の女中が切っていたお香々《こうこ》を思い出しました。さんざめくお座敷の笑い声が聞こえてくるようです。どこかのお茶屋で、よほどに座興が乗っているのでしょう、どっと笑いが沸くたびに、ますます賑やかになっていきますが、それも落ち着くときが来て、ほかのお座敷で爪弾《つまび》く三味の音しか聞こえなくなりました。なるほど祇園というところは、ある人々にとっては愉快な遊び場であるらしいと、ふと思ったりもいたしまして、ことによったら佐津もまた、検番の淡路海には祇園にいないと言われましたが、ここいらのお座敷にいるようなことはないのだろうかという気がしてなりませんでした。

ほどなく、初桃と小りんが、ある板戸の前で止まりました。

「ここの二階あがって、出てくる女中に着物渡して来よし」と初桃が言います。「もし、あの優等生が出たら、じかに渡したかてかまへん。よけいなこと言わんと、ただ渡すだけにしいや。うちら、下から見てるさかいに」

そう言うと、初桃は包んだ着物を私に持たせ、小りんが戸をあけました。よく磨いた木の階段が暗い中へあがっていきます。私はびくびく震えていて、半分もあがらないうちに足が止まってしまいました。すると、下から小りんの大きな内緒話が伝わってきます。

「はよ、行きよし。渡してくるだけのこっちゃ。取って食われるわけやない。そのかわり渡してきいひんかったら、うちらに食われるかもしれへんえ。なあ、初桃さん」

初桃は、ほうっと一つ息をついただけで、何とも答えませんでした。小りんは私を見ようとして暗がりに目をこらしていますが、小りんとならぶと、その肩をやっと出るくらいの背丈しかない初桃は、ただ爪を嚙んで、心はどこかへ飛んでいるようでした。こわくてたまらない私にも、あらためて初桃の美しさが尋常ではないと思われます。なるほど蜘蛛のように無慈悲になれる女だったかもしれませんが、ああやって爪を噛んで立っているだけで、たいていの芸者が写真のポーズをとったよりも、なお艶《あで》やかなのでした。小りんとの差は歴然たるもので、道ばたの石ころと宝玉を比べたようです。小りんのほうは簪をつけた島田をもてあましているとさえ見えますし、着物だって動くたびに体の邪魔をしているようです。そこへいくと初桃は、着ているものが素肌も同然になじんでいるのでした。

階段をあがりきってから、私は暗闇で膝を折り、声をかけました。

「すんまへん、ごめんください」

待っていても返事はありません。「声が小さい」と、小りんに言われました。「誰も待ってへんにゃさかい」

それで、もう一度、「すんまへん！」

「へえ、ただいま」と、くぐもった声がして襖があき、向こうで膝をついたのは、せいぜい佐津と似たような年格好の娘でした。痩せて、おどおどして、小鳥のようです。畳紙の包みを渡しますと、あわてふためいて、ひったくるように受け取りました。

「あさ美さん、どなたはんえ？」という声が奥から聞こえました。敷いたばかりの蒲団のそばに、由緒ありげな雪洞《ぼんぼり》がともっていて私からも見えます。豆葉という人の蒲団なのでしょう。さっぱりした敷布に、上等な絹の上掛け、それに初桃が使っているような高枕、というところで察しがつきます。枕といいましても、木の台に鞍《くら》のようなものをつけて首をのせるのでして、そうでもしなければ髪が寝乱れてしまいます。

あさ美と呼ばれた娘は返事もせずに、音をたてまいとしながら包みをあけて、わずかな光を受けようと、あちこちへ傾けていましたが、無惨な墨の跡を目にしたとたんに、あっと息を呑んで、口を押さえました。みるみるうちに涙があふれて頬にこぼれますと、また奥からの声がして、

「ちょっと、誰え」

「いえ、何でもあらしまへん」と、大きく答えを返し、いそいで袖で涙をぬぐうところは、見ていても気の毒でなりません。この娘が襖に手をかけてしめようとしたところで、ちらっと芸妓の顔が見えました。初桃が優等生と言っていたのも無理はないようで、まるで人形のような、非の打ちどころのない瓜実顔《うりざね》は、たとえ化粧を落としていても陶磁器を思わせる肌理《きめ》のこまかいものでした。立ってきて階段口をのぞきそうな気配でしたが、それ以上私には見えないうちに、さっと襖がしめられておりました。

* * *

あくる朝、お稽古をすませて置屋へ帰りますと、客間にしている一階の座敷で、おかあさん、おばあさん、小母《あば》という三人が額を集めていましたので、きっと着物の件だろうと思っていましたら、やはり初桃が外から入ってきたとたんに、おかあさんが女中からの知らせを受け、玄関まで出ていって、二階へあがりかけた初桃を呼び止めました。

「さっき、豆葉さんがお供つれて訪ねて来やはったえ」

「あ、おかあさん、きっとそうやろ思うてましたえ。あの着物どっしゃろ。悪いことどしたな

あ。ほんまに千代ときたら、止める間ものう墨つけてしもて、うちの着物とまちごうたんとちがいますやろか。ここへ来た初《かかり》から、ずうっと、うちのこと好かんたらしゅう思うてるらしいのんどすけど、何でどっしゃろなあ。うちへの嫌がらせいうたかて、せっかくきれいな着物、わやにすることあらしまへんやないか……」

こう言っているうちに、小母《あば》も足を引きひき玄関へ来ていました。「待ってました！」と声をかけます。文字通りの意味はともかく、はて何のつもりだろうと思いましたが、名題《なだい》の役者に大向こうから声をかけたようなものですから、しゃれた言い方で突っかかったのではあったでしょう。

「いややわあ、小母《あば》、着物がわやになったん、うちにも関わりがあるて言わはるのどすか。何でうちがそんなことせんなりまへんの」

「そうかて、おうちが豆葉さん嫌《きろ》てんのは、知らん者のおへんことどっしゃろ。羽振りでかなわん相手は、みなお嫌いなんどしたなあ」

「そやったら、小母《あば》は好きで好きでかなんいうことになりますにゃろか。尾羽打ち枯らしてはるのやし」

「ええかげんにしなはれ」おかあさんが言いました。「あんなあ、初桃さん、あんたの出まかせ本気にするような素惚《すぼけ》がどこにいてるか、あんたかてわかってまっしゃろ。この家で勝手な真似は許さしまへん。何ぼあんたかてそうどっせ。あの豆葉さんいうのは、たいした芸妓さんや。もう二度とへんなことせんといとくれやっしゃ。まあ、着物のことは、誰かが弁償《まど》わなあかんやろ。ゆうべ何がどうなったんか、あてが見たわけやあらへんけど、筆持ったんが誰かいうたら、それは議論の余地なしや。書いてっとこ女中が見てんにゃさかい、あの子の勘定《かんじょう》にせんならん」と言うと、また煙管をくわえます。

それで客間からおばあさんが出てきて、竹竿を持ってくるよう女中に言いつけました。

「けど、それでのうても千代は前借りがあんのやし」と、小母《あば》は言います。「初桃さんの分まで出させせんかてええのんとちゃいますやろか」

「その話なら、もう終わりましたがな」おばあさんが言いました。「千代が罰としてしばかれて着物代を弁償《まど》うちゅうだけのこっちゃ。ほれ、竿はどないしてん」

「ほな、うちに任しとくれやす。また無理しはったら、関節炎わるうなりまっせ。さ、千代、きなはれ」

小母《あば》は女中が竹竿を持ってくるまで待ってから、私を奥庭へ連れ出しました。怒った顔で鼻をふくらませ、ぎゅっと眉を寄せています。置屋へ来てからというもの、私はたたかれるようなことだけはすまいと心がけていました。かーっと体が熱くなって、足元の踏石がぼやけて見えます。ところが、たたくより先に、小母《あば》は竿を蔵に立てかけて、ひょこひょこ私に近づくなり、耳打ちするように言いました。

「いったい何をしたんえ。初桃さん、あんたを目の敵《かたき》にしてはるやないか。何ぞわけがあるに決まってる。うちに言うとおみ」

「ほんまどす、うちが来てから、ずっとあんなふうで、うちの何があかんのやら、さっぱりわからしまへんのどす」

「初桃は阿呆やて、大きいおかあさんは言わはるけどな、そんなことあらへんえ。阿呆どころやない。その気になって、あんたの将来ぶちこわそう思うたら、きっとそうしはるさかい、何や知らんけど、あれを怒らすようなことしたんやったら、いますぐやめときよしや」

「小母《あば》、うち何にもしてしまへん、ほんまどす」

「初桃さんは信用したらあかんえ。おためごかしにも気ぃつけや。もう、あんた、これでもって、いつ返せるかわからへん借金しょわされてしもたやないかいな」

「その借金いうのんが、ようわからしまへんのやけど……」

「初桃さんが、あの着物にちょっかい出したおかげで、あんたに付けがまわったいうこっちゃ。考えたこともあらへなんだような金額になるやろ。そやから金縛りいうてるのや」

「どないして……払うのどっしゃろ」

「店出しさしてもろて稼げるようになったら、だんだんと返せるわなあ。ほかの掛かりと一緒や。三度の食事やらお稽古のお礼やらあるやないか。体こわしたりしたら医者代もかかる。みんなあとで払うにゃで。おかあさんが年中坐り込んで、帳簿に書いてはるのんは何でや思う。あんたを田舎から連れてくるのかて費用がかかってまんにゃ」

もちろん私だって、祇園で暮らすようになってから、佐津と私が親元を離されたについては、なにがしか金銭のやり取りがあったという見当はついていました。ふと耳にした田中さんと父との話や、私たちを裸にむいた老女が「いい具合」と言っていたことを、よく思い出したりもしました。あれで田中さんは仲介料でもとったのか、いったい私たちはいくらだったのかと思って、おぞましさを覚えたものですが、私が返すことになっているというほうには考えがまわっていませんでした。

「あんたが芸妓さんになって、長いこと気張って、やっと返せるかもしれへんわなあ。うちみたいな出来そこないで終わってしもたら、ずっと借りのあるまんまや。そないな一生になってもええとは思うてへんやろ」

　このときの私は、どんな一生だってかまうものかという心境でした。

「この祇園で、自分をわやにしよ思うたら、そら、どうとでもなんのや。ためしに逃げとおみ。逃げて、つかまって、おかあさんからは算盤に合わん子やと思われる。いつおらんようになるかわからん者に、もうお金なんか出さはるかいな。そうなったらお稽古もでけへん。お稽古もせんと芸妓さんになれまっかいな。わざとお師匠さん方の気に障ることやって、教えてもらえへんようにする手もあるわなあ。うちみたいに不細工な女になるいう手もある。うちが親元から買うてこられたんは、大きいおかあさんの代やったけど、そう悪い器量でもあらへなんだのやで。そやかて、あとが悪おしたわ。ええ女にならんちゅうて、大きいおかあさんに嫌われどおしや。いっぺん、うちのしたことが気に入らんいうて、きつう打《ぶ》たれて、腰の骨がどうかなって、もう芸妓になれんようになってしもた。そやさかい、大きいおかあさんに手ぇ出さすくらいなら、うちが打ったほうがええんや」

　小母《あば》は私を廊下まで行かせると、腹這いで寝そべるようにと言いました。たたかれるのであろうがなかろうが、もうどうでもよくなっています。いま以上にひどくなることはないでしょう。竹で打たれる体をくねらすたびに、出せるだけの声を出して泣きわめいてやりながら、初桃の美しい笑顔が見おろしているのだろうと思いました。たたくのが終わると、私は泣いたままで放っておかれました。廊下のきしむ気配に体を起こしてみれば、初桃が来て立っています。

たげるえ」

「なあ、千代、あんたがうちの邪魔さえせえへんかったら、ああ、ありがたい、ええ子やと思

「初桃さん姐さん、姉のいるとこを教えてくれはるいうお約束どした」

「せやったなあ」初桃が顔をくっつけるように近づきましたので、まだまだ足りない、ほかに言いつけることを思いついたら、それから教えてやる、とでも言うのだろうと思ったのですが、そうではありませんでした。

「あんたの姉ちゃんやったら、祇園の南にいてるわ。宮川町の龍代《たつよ》いう女郎屋になあ」

言うだけ言うと、初桃は私を小さく足蹴《あしげ》にいたしましたので、邪魔をしてはいけないのだと思って私は廊下から土間へおりました。

七

それまで耳にしたことのない言葉でしたので、次の日の夕方、小母《あば》が玄関の間で針箱を落としてしまい、片付けを手伝わされたのを折に、

「あの、女郎屋て何どすやろ」と言ってみました。

小母《あば》は返事もせずに、糸をくるくる巻いています。

「小母《あば》？」

「もし因果応報ちゅうもんがあんのやったら、初桃さんあたりの末路になるとこや」

それ以上は言いたくないらしいので、仕方なくそのままにしておきました。

ちゃんとした答えはもらえなかったものの、どうやら佐津が私よりなおひどい目にあっているらしいという察しはついてきます。そこで、今度何かのついでがあったら、その龍代とかいうところへ忍んでいきたいものだが、どうしたらいいだろうと考えだしたのですけれど、残念ながら、豆葉の着物の件で五十日の禁足という処罰にもなっていたのでした。おカボがついているかぎり女紅場へは行けるというだけで、どこへもお使いに出してもらえません。たしかに、その気になれば、いつだって飛びだしていけたのかもしれませんが、そこまで無鉄砲ではあり

ませんでした。うまく龍代が見つかるかどうかもわからないのです。その上、私がいなくなったとわかれば、別宮さんか誰かが探索を言いつかることでしょう。しばらく前にも、隣の置屋から逃げ出した娘がおりました。すぐ翌朝には連れ戻され、お仕置きで泣かされる声が、数日は聞くに堪えなかったもので、私は何度も指を耳栓のようにしたものです。

結局、禁足がとけるまではどうしようもないのだとあきらめまして、しばらくは初桃とおばあさんの非道ぶりにどうにか仕返ししてやろうと、それだけに知恵を絞りました。初桃には、奥庭を石づたいに掃除するたびに石から鳩のふんをかき取っておいて、顔のクリームに混ぜてやります。どうせ鶯のふんを練り込んであるのですから、鳩のを混ぜたくらいでは毒にもならないでしょうが、私の気晴らしにはなりました。おばあさんには、便所の雑巾を寝間着の内側になすりつけてやりました。一応着てはいましたが、怪訝そうに鼻の先でくんくん嗅いでいますので、私としては痛快でありました。ところが賄いの女中が、頼まれもしないのに、さらに私を懲《こ》らしめる役を買って出たとみえて、月に二度の干物が量を減らされたのです。この嫌がらせにはやり返す手立てもなくて困ったのですが、ある日、この女が小槌《こづち》を振りあげ、通り庭で鼠を追いかけていました。鼠を宿敵とする怨念《おんねん》は、猫をも上回るものがあったようなのです。そこで私は母屋の床下から箒《ほうき》で鼠くそを集め、台所にばらまいておきました。そればかりか箸の先で米袋に穴をあけたこともありまして、あの女中ときたら、戸棚という戸棚から一旦ものを出して、鼠が出没した形跡を調べることになりました。

＊　＊　＊

ある晩、いつものように初桃を待って寝ずにおりますと、電話が鳴って、ひと呼吸おいて出てきた洋子が二階へあがり、降りてきたときには、分解して持ち運び用の塗箱におさめた初桃の三味線をかかえていました。

「これをお茶屋の水木さんへ届けたってえな。何でも初桃さんが賭けに負けたいうて、三味線ひいて唄わんなんにゃて。どういうつもりやらようわからんけど、お茶屋さんにある三味線はいややいうてはるねん。きっと時間稼ぎしてはるんやないか思うわ。三味線なんて、ずうっと前から持ったこともあらへんのやさかい」

私が足止めをくらっていることを洋子は知らないらしいのです。それも無理はないことでした。大事な用件の電話でもあったら困るというので、洋子はお台所に詰めきりでなければいけませんでしたし、置屋の暮らしそのものには部外者だったのです。私は三味線を受け取り、洋子は帰り支度で羽織を引っかけていました。水木というお茶屋までの道順を教わってから、下駄に足をすべらせましたが、うしろから止める者はなかろうかと不安でどきどきします。女中たちもおカボも、あの三人のご老女も、みな寝静まっておりまして、あとに残る洋子もほんの数分でいなくなるでしょう。ついに姉をさがせる機会到来なのだと思いました。

頭の上では雷がごろごろ鳴って、空気には雨の匂いもいたしましたから、急ぎ足で町を抜けていきますと、連れ立って歩いている男や芸者と行き違い、へんな目で見られることもありました。あの時分の祇園には、まだ三味線運びを生業《なりわい》にする人がおりました。箱屋ですね。女の人もいましたが、たいていは年配だったものでして、子供ということはありません。通りすがりの人が見たら、盗んだ三味線を持って逃げていると思ってもおかしくはなかったのです。

水木に着いたころには雨が落ちてきていましたが、門構えの風格に押されて足が前に進まなくなりました。暖簾《のれん》の向こうの壁が紅殻色《べんがらいろ》を帯びていて、これを重厚な桟がきりっと締めています。磨き上げた敷石の道を目でたどると、大きな鉢があって、紅葉の楓《かえで》がいい枝ぶりを見せていました。ようやく意を決して暖簾をくぐります。鉢のところから横手に、粗《あら》めに仕上げた御影石《みかげいし》で大きく石畳が広がり、玄関へ続くのでした。表から見てご立派だと思ったものは、お茶屋の玄関ですらなくて、玄関先への道でしかなかったわけですから、あらためて肝を潰したという覚えがあります。まことに粋をきわめたというべき美しさでしたが、それもそのはず、私が知らなかっただけのことで、日本でも指折りの格式あるお茶屋さんに来ていたのでした。いいえ、お茶を飲みにいく店ではございません。男の方が芸者をあげてお遊びになるところがお茶屋なのです。

いよいよ石畳に踏み込んだところで、中から戸があけられて、若い仲居らしき人が一段あがった床に膝をついた格好から私を見おろします。下駄の音を聞いて出てきたのでしょう。紺地に鼠色の柄を入れて、すっきりした着物姿でした。一年前の私でしたら、こんな豪勢な店の若女将《おかみ》をやっている人だろうと思ったかもしれませんが、すでに祇園に暮らす身ですので、いくら鎧戸にはないようないい着物だといっても、芸妓や女将にしては簡素であるとわかりました。髪の結い方からしてちがいます。もちろん私よりはずっと垢抜けておりまして、まともに相手をしてはくれません。

「裏へまわりよし」

「あの、初桃さん姐さんに言いつかりまして――」

「裏へまわってんか」と、まあ、私がものを言う暇もなく、ぴしゃりと戸がしまっておりました。

だいぶ雨脚が強まっていましたので、ほとんど小走りになって脇の路地をたどります。裏口へまわりますと、また戸があいて、さっきの仲居が坐っていました。私がかかえていた三味線を、ただ黙って受け取ります。

「ねえさん、ちょっとお尋《たん》ねしとおすのやけど」と、私は言ってみました。「宮川町いうたらどのへんどっしゃろ」

「なんでまたそないなとこへ？」

「へえ、さがしもんどす」

うさんくさそうな目で見られましたが、鴨川を下るほうへ南座の先まで行ったら、すぐに宮川町の界隈だと教わりました。

しばらくは軒先で雨宿りさせてもらうことにして、何となしに見まわしていたら、板塀の隙間から建物の一角がのぞけました。目をくっつけていくと、きれいな庭があって、その向こうにガラス窓が見えます。しゃれたお座敷に紅殻色の光があふれ、酒の盃、ビールのコップが乱雑にならんだ卓をかこんで、客と芸者が一座になっているのでした。初桃の姿もあります。しょぼついた目の老人が何かの話をしている最中のようでした。初桃は楽しそうな顔ですが、老人の話をおもしろがっているとは思われず、私には背中を向けている芸者のほうへ、ちらちら目を走らせていました。つい私は、邦子という田中さんの娘と仙鶴の店をのぞいたことを思い出し、いつだったか父の初婚の妻子の墓前で感じたような、地面に引きつけられるほどの重さを、また感じておりました。ある一つの思いが頭の中でふくらんで、放っておくわけにいかなくなります。考えないでいようとしても、吹く風が自分では止まることができないように、どうしても心の中に広がるのでした。それで塀からさがって敷石にへたり込み、裏口の戸に背を向けて泣きだしたのです。考えるのは田中さんのことでした。あの人が私を父母から引き離し、下女として売り、もっとひどいものとして姉を売ったのです。それなのに、世の中を心得て親身になってくれる人だとばかり思っていたのですから、おろかな小娘でありました。もう鎧戸へは帰るまい。このとき、そう思いました。もし帰るとしたら、どれだけ憎いかと田中さんに言ってやるためでしかないでしょう。

　ようやく立ち上がって、濡れた袖で涙をぬぐったときには、もう霧雨ほどにおさまっていました。路地の石畳に提灯の火が映えて、点々と金色に光ります。引き返して富永町を抜け、南座をめざしました。別宮さんに連れられ、佐津といっしょに京都駅から来た日には、その瓦屋根の威容に、お城のようだと思ったものでした。鴨川を下って南座の先、と水木の仲居には言われましたが、川沿いでは先へ行けなくなっていましたので、南座をまわって別の道を進みます。しばらく行きましたら、もうそのあたりには街灯もなく、人影もまばらになっていました。このときの私には知る由もありませんが、火が消えたようだったのは大不況のせいでして、ほかの時代であったなら、宮川町の賑わいは祇園さえも凌《しの》ぐものがあったかもしれません。この夜は、じつに悲しい町だと思いました。まあ、悲しいといえば、いつの時代にもそうだったのでしょう。表から見る木造の家並みは祇園と似ていますが、木々はなく、きれいな白川の流れも、奥深い入口も見受けられません。ついている明かりは、あけてある戸口の裸電球くらいなもので、そこへ丸椅子を持ち出して老婆が坐り、芸者かとも思える女が二、三人、道ばたに立っています。着物や髪飾りは芸者のようなものでしたけれど、帯だけは背ではなくて腹のほうで結んでいるのでした。へんな結び方で、見たこともないと思っていましたが、じつはこれが娼妓《しょうぎ》の目印になるのです。夜っぴて帯をといたり結んだりしなくてはいけないとしたら、背中で結ぶのは手間がかかってたまりません。

そんな中で、ある女に教えられ、四軒しかない袋小路の一軒が龍代なのだとわかりました。それぞれ門口に鑑札をつけています。龍代の看板を見つけたときの気持ちは、とうてい口では申せません。体中に針がささったようで、いまにも千切れて吹き飛びそうだったとだけ言わせていただきましょう。龍代の玄関でも老婆が腰を掛けていて、向かいの店で同じように坐っている女と、これはだいぶ年下のようでしたが、何やらの話をしていました。といっても、しゃべっているのはもっぱら老婆のほうです。鼠色の着物をだらしなく着て、足には草履を突っかけたという格好で、戸口にもたれかかっているのでした。草履といいましても、鎧戸にさえありそうな草鞋《わらじ》ですから、初桃が着物に合わせて履いている色鮮やかな草履とは雲泥の差があります。しかも素足のままでして、絹足袋をぴったり穿いているというようなわけがありません。ところが、この爪も不ぞろいな素足を、自慢げに見せびらかすように、いやでも人の目につくように、前へ突き出しているのでした。

「あと三週間だけや。ほな往《い》んでしもて、もう帰ってきいひん」と、老婆が言っています。「ここの女将は帰ると思てはるらしけど、あては帰らへん。嫁が世話してくれるいうもんやさかいな。賢うはないけど働きもんの嫁や。あんた、会わんかったかいな？」

「さあ、覚えてへんわ」と、年若のほうが路地をはさんで言います。「あ、そこの女の子、何ぞ話したいみたいやで」

　これで、やっと老婆が私のほうを見ました。口をきくわけでもありませんが、うなずいてみせますので聞いているらしいことはわかります。

「あのう、すんまへん、ここに佐津いうもんがいてしまへんどっしゃろか」

「そんなんおらんわ」

　こう言われては二の句もつげなくなりましたが、私がどうあれ、ちょうど男の人が来かかったものですから、とたんに老婆は色めき立って、道をあけるようにしながら、膝に手をあててお辞儀をくり返し、「おこしやす」と声をかけました。男が中へ入ってしまうと、また腰を掛けて、足を前へ突き出します。

「何や、まだおったんか。佐津なんておらへんいうたやろ」

「あ、いてるやんかいな」と年若のほうが路地向かいから言いました。「あんたとこの雪代な、もともとは佐津やったで」

「そやったかな」と老婆が応じます。「そいでも、この子にきかれて、へえ、いてます、なんぞと言えたもんやあらへん。つまらん面倒はかなんわ。得にもならん」

　何のことだろうと思っていましたら、向かいの女が独りごとのように、一銭も持ってるように見えへん、と言いました。それはその通りでして、一銭といえば安物の茶碗さえ買えませんでしたが、そんな端金《はしたがね》すら私は京都へ来てから持ったことがなかったのです。使い走りさせられるときも、代金はすべて置屋のつけなのでした。

「もしお金がいるんどしたら、あとで佐津に払わせます」

「あんたみたいな子と話するのに、わざわざ雪代が金使うたりするかいな」

「妹どす」

すると老婆が私を招き寄せますので、近づいていったら、腕をとってくるりと回されました。「ほれ、見とおみ」と、向かいの女に言います。「どこぞ似とるか？　雪代がこないな別嬪やったら、ここも千客万来、大繁盛やがな。ほんまに、この、嘘ばっかりこきよって」と言うなり、老婆は私を路地へ突き出しました。

こわくなかったとは申しませんが、こわいと思うよりは、あとへ引きたくない気持ちが克《か》っておりました。どうせここまで来たのです。この老婆に何のかの言われたくらいでは帰れません。体をひねって向きを変え、ひとつお辞儀をして、「嘘や思わはったんなら、この通り堪忍《かんにん》どす。けど嘘やあらしまへん。うちの姉が雪代どす。千代が来たいうてくれはったら、あとで姉からちゃんとお礼させます」

お礼という言葉が効いたのでしょう。ようやく老婆は向かいの女のほうへ、「あんた、ちょっと行ってきてんか。そっちは今夜暇そうやし、あては肩こって首がまわらへん。この子の見張りでここにいてるさかい」

年下の女が路地向かいから立ってきて、龍代の二階へあがります。階段を踏む音が聞こえま

した。そのうちに降りてきますと、

「いまお客さんついたはるわ。一段落したら来させてや言うてきた」

老婆は私を戸口からどけて、人目につかないよう物陰にしゃがんでいろと言いました。どれだけの時間がたったのかわかりませんが、置屋を留守にしていることを気づかれたりしないかと心配がつのります。おかあさんに知れたら怒られるのは確かだとしても、出てきたこと自体には言い訳が立つでしょう。しかし、いつまでも道草をくっているとしたら、どうあっても申し開きはできません。そうこうするうちに、つま楊枝《ようじ》を使いながら男が出てきました。立ち上がった老婆が、おおきにと頭を下げて見送ります。すると、京都へ来てから、こんなにも懐かしいものはないという声が、中から聞こえました。

「お呼びどすか？」

佐津でした。

私は飛び上がって、姉が立っている戸口へ駆け寄りました。その顔色がさえなくて、どす黒く沈んだようにすら見えたのは、まとっている着物がけばけばしい黄色と赤だったせいだけなのでしょうか。唇には置屋のおかあさんが使っているような、てかてかの紅が塗られていました。まだ帯を結びかけているところでしたが、ここへ来るまでに見た女たちと同様、体の前で結んでいます。とにかく姉の姿を目にしたもので、ほっとしたのとどきどきしたので矢も楯もたまらず、姉の腕の中へ飛び込みました。姉のほうでも思わず叫びをあげて、手を口にあてました。

「女将さんになあ、あてが叱られるにゃで」と、老婆が言います。

「ちょっと待っとくれやす」と、佐津は老婆に言うなり奥へ取って返して、ほどなく出てまいりますと、硬貨をいくつか老婆の手の中に落としましたので、一階の空き部屋へ私を連れていっていいことになりました。

「そうかて、えへんいうて咳したら、女将さん来やはったいうこっちゃで。急《せ》いとくれやっしゃ」

佐津のあとについて、薄暗い龍代の玄関へ入りました。黄色というよりは茶色に近い明かりが灯っていて、空気に汗の臭いがしみついています。階段の下に敷居からはずれたままの戸がありまして、これを佐津が引きあけ、どうにかしめました。狭苦しい畳の部屋に二人で立っています。障子をつけた窓が一つだけあります。外からの光で、ぼんやりと佐津がいるのはわかりますが、目鼻まではわかりません。

「ううっ、千代――」と言うと、姉は顔に手をやって引っ掻くようでした。いえ、よく見えないので、顔を掻いているのかと思ったのですが、どうやら泣いているのでした。それがわかってしまうと、もう私だって涙のこらえようがありません。

「ねえちゃん、堪忍して。元はといえば、うちのせいやった」

暗い中でどうなったものか、ともかく二人で足がもつれたようにくっついて、抱き合っておりました。この姉がなんとまあ痩せたものだろうと、それしか考えられなくなっています。佐津が私の髪をなでる手つきで母を思い出し、それでまた涙がこみあげて、水にもぐったような顔になりました。

「静かに、千代」と、耳元で姉が言います。これだけ顔を寄せられると、しゃべる口からぷんと漂うにおいがあります。「あんたを店へ入れたのが女将さんに知れたら、お仕置きでたたかれる。いままで何してたん」

「そや、ねえちゃん、ごめん。屋形へ来たんやろ」

「ずいぶん前やった」

「ねえちゃんが会うた女は人間やない。化け物や。いつまでも知らん顔して、言うてくれへんかった」

「なあ、千代、もう逃げるしかのうなったわ。こんなとこに、これ以上おられへん」

「連れてって！」

「駅の時刻表があんのや。二階の畳の下に隠したある。銭かて、いままで隙をみてくすねといた。岸野のばあさんに握らすくらいあるわ。女が逃げれば、あの人がぶたれるのやさかい、まず金を出さな話がつかん」

「岸野の……ばあさん？」

「表におったやろ。ひき手婆さんや。近々やめるらしいけど、代わりにどんなんが来るのやら。もう待ってられへん！　ここは恐ろしい店やで。あんたも、こんなとこに落ちたらあかん。さ、そろそろ帰らな。いつ女将さんが来るかわからへん」

「けど、ねえちゃん、いつ逃げる？」

「その隅っこで、じっと静かにしててや。いま二階にあがってくるさかい」

言われたとおりに待っていますと、表に人声がして、あの老婆が客を迎えているようでした。頭の上の階段を、みしみしと男の足音があがります。ほとんど入れ違いに急ぎ足で降りる気配があって、戸があきました。はっと肝を冷やしましたが、いかにも顔色の悪い佐津でした。

「火曜日。ええか、火曜日の夜遅うにな。五日後や。ほな、お客さん来てるし、もう行かんならん」

「でも、どこ行ったらええの。何時に」

「どないしょ……午前の一時。場所は……」

だったら南座あたりはどうかと言ってみましたが、それでは人目につきやすいと佐津が言うので、ちょうど鴨川の対岸ということにしました。

「ほな、もう行くで」

「あ、けど、もし屋形を出られへんようなったとか、うまく落ち合えへんかったとか……？」

「とにかく、来ればええんや！　一度きりしかできひん。ようやっと我慢してきたんや。ほら、女将さんが来んうちに、早よ行きいな。ここで見つかったら水の泡やんか」

もっと姉に言いたいことはいくらもあったのですが、姉は私を廊下へ連れ出し、ぎしぎしと戸をしめました。階段下から姉を見ていたいと思いましたのに、すかさず寄ってきた老婆に腕をつかまれ、表の暗い路地へつまみ出されておりました。

＊　　＊　　＊

宮川町から駆け戻ると、出たときのままに置屋は寝静まっていましたので、ほっと安堵いたしました。こっそり忍び込んで、仄暗い玄関の間にかしこまり、額から首筋の汗に袖をあてながら、息を整えていました。見とがめられずにすんだという安心感で、体が静まってきたころに、ふとお台所のほうを見れば、腕を一本通せるくらいに、わずかな隙間があいていたものですから、ぞくりと寒気が走りました。あいているはずがないのです。暑い陽気でもなければ、きっちりしまっていて当たり前でした。じいっと見ていると、どうも中でかさこそ音がしています。鼠であってほしいと思いました。もし鼠でないのなら、また初桃が男を引っ張り込んでいるわけです。宮川町へ行かなければよかったという思いが生じます。なにしろ強く念じましたから、もし時間の逆戻りなどということがあるならば、あのとき念力で戻せたのではないでしょうか。立ち上がり、不安で眩暈《めまい》を起こしそうになりながら、そうっと這うように通り庭へ降りました。喉が渇いて、干上がった砂地のようです。戸口へたどり着き、隙間に目をあてて中をのぞきます。よく見えません。空気が湿っていましたから、洋子が火鉢に炭をついでおいたらしく、消えかかった燃え残りの火で、小さく白っぽくうごめくものが、ぼんやりと見えました。あやうく声をあげそうになりました。やはり鼠だと思ったのです。何かに囓《かじ》りつきながら、ひくひく頭を動かしているようでした。しかも、鼠の口からくちゅくちゅと音がするのですから、気色が悪いといったらありません。どうやら何かの上へ、何だかわかりませんが、乗りあがっているようにも見えます。私のほうへ向けて、二本の反物《たんもの》ではなかろうかと思えるものが伸びていましたので、さては歯をあてながら進んでいって、それだけ反物が広がったのだろうという見当でした。きっと洋子が放ったらかした残り物にありついているのでしょう。こっちへ鼠が出てきたらいやだと思って、戸をしめようとしましたら、ああっ、と女の呻き声がいたしました。と、突然、鼠が口を動かしていたよりも向こうから人間の顔が持ち上がり、初桃が私をにらみつけていたのです。思わず私は飛びすさりました。二本の反物は初桃の脚だったのです。鼠だって鼠ではなくて、色男の白い手が着物の袖から出ていたのでした。

「何や、いったい」と、男の声がします。「誰かおるんか」

「何もあらしまへん」初桃がささやきました。

「いてるのやろ」

「いやへんて言うてますのに。物音がしたみたいやったけど、何もおへんえ」

初桃が私を見たのは疑うべくもありませんでした。でも、男には知らせないままでいたいようです。私は急いで玄関へ戻りましたが、まるで市電に轢《ひ》かれそうになったあとのように、ふらふらいたしました。ひとしきり、お台所からは、あえぎ声やら衣ずれやらが洩れてきます。ようやく静まって、あの二人が通り庭へ出てまいりますと、男のほうが私をぴたりと見て、

「何や、いてるやないか。さっき来たときはおらんかったのに」

「そんなん放っときよし。よう勤めもせんと抜け出した悪い子や。あとで覚えときよし」

「そやから、こっそり見られたいうこっちゃがな。なんで嘘ついた」

「幸市さんたら、今夜はどないしやはったん」

「おまえ、ねっからあわてへんいうことは、とうに気ぃついとったんやろ」

この男は、つかつかと玄関まで来て、一旦立ち止まり、こわい顔をしてみせてから、出ていこうとしました。私は目も上げられずにおりましたが、真っ赤になるのが自分でもわかります。初桃が私のそばを駆け抜けて、男の履物をそろえようとしました。いままで聞いたこともないような物言いを、この男にはしているようです。甘えて鼻を鳴らすような声でした。

「なあ、お気を静めとくれやす。どないしやはったん。今夜は幸市さんらしゅうおへんえ。あした、また来ておくれやす……」

「あしたいうのんは無理や」

「もう、いややわあ、また待ちぼうけどすか。来い言わはったら、どこなりと行きますし、川の底かてかましまへんのどすえ」

「来いて言えるようなとこあるかいな。ただでさえ女房の目が光っとるんや」

「ほな、ここでよろしやおへんか。いまのお台所で――」

「ああ、そやな、こそこそ隠れて、のぞき見されてよろしちゅうこっちゃ。ほな、行くで。もう帰らんなん」

「そんな怒らんといとくれやすな。何で、こないならはりますんやろ。あしたでのうても、きっと来るて言うとくれやす」

「いずれは、もう来《き》いひんちゅうことになるやろな。初《はな》からそう言うたあったはずや」

格子戸があいてしまったようでした。ややあって初桃が玄関へ戻り、通り庭へぼんやりと目をやっています。そのうちに私へ向き直ると、涙らしきものをぬぐってから、

「さ、お千代さん、あんた、へちゃの姉ちゃんに会いに行ったんやろ」

「そんな、姐さん」

「そんで帰ってきた思うたら、のぞき見かいな！」という声が大きすぎたもので、女中の一人が目をさまし、肘をついてこちらを見ました。これに初桃がどなりつけて、「この婆ぁ、とっとと寝んかいな！」と言うものですから、女中も首を振って蒲団に入り直します。

「姐さん、おっしゃることは何でもいたします。おかあさんにはどうぞ言わんといとくれやす」

「そらそうや、何でもやってもらいまひょうなあ。そんなん言うだけ無駄な当たり前の話や。もう逃げられへんえ」

「うち、姐さんのお三味線届けてたんどす」

「一時間か、もっと前にな。それから姉ちゃんとこ行って、逃げる算段でもしてたんやろ。お見通しや。戻ってきたら盗み見しよって」

「すんまへん、堪忍どす。おいやすとは思わしまへんどしたさかい、てっきり――」

あれを鼠と思ったと言いたかったのですけれど、すんなり受け取ってくれるとも思えませんでした。

初桃は、しばし私にさぐるような目をあてていましたが、二階へあがり、降りてきたときには、何やら手の中に握っておりました。

「あんた、姉ちゃんと逃げたいのやろ。そらええこっちゃ。もし屋形を出んのやったら、早いとこ出てほしわ。うちなあ、世間では情なし女やて思われてるかしれんけど、ほんまはちゃうにゃで。あの牛みたいな姉ちゃんと、あんた、よそへ逃げて、ひっそり二人だけで暮らそういうのは、そら、考えただけで健気《けなげ》なことやないか。うちにしたかて、早よ往《い》んでくれたら、それだけ結構なこっちゃ。さ、立っとおみ」

何をされるかという不安はありましたが、とにかく立ちました。初桃は手にしたものを私の帯にはさみ込もうとするらしいのですが、間近く迫られて、つい私はあとずさりしてしまいました。

「ほら、これや」と、初桃が手のひらを見せます。紙幣を何枚か持っていたのでした。いくらだったのか定かではありませんが、私には見たこともない金額だったでしょう。「いま部屋から持ってきてん。礼なんて言わんかてええわ。遠慮のう取っとき。あんたが京都にいいひんようになって、二度と顔見んですむんやったら、それでもう返してもろたつもりやさかい」

たとえ甘いことを言われても初桃を信用してはいけないと、小母《あば》に釘をさされていましたのに、どれほど初桃に疎《うと》まれているのかと思ってみれば、これは親切心というわけではなく、ただ私を追い払いたいだけのことだろうと合点いたしまして、懐から帯の下まで手を入れられても、されるままにしていたのです。初桃は、くるっと私にうしろを向かせ、金がずり落ちないように帯の具合を見ますと、じつに異様な挙に出ました。また前を向かせてから、ほとんど母親が娘を見るような目をして、私の耳の上あたりで髪をなでつけたのです。この初桃がやさしいことをするのですから、どうにも不思議でありまして、たとえば毒蛇がやってきて猫のように体をすり寄せたという感触なのでした。すると、何が何だかわからないうちに、初桃は指先を私の頭の地肌までぐりぐりと押しつけ、怒りの形相《ぎょうそう》で歯を食いしばりますと、思いきりつかんだ髪の毛を力まかせに引っ張ったので、私はがっくり膝をついて悲鳴をあげました。とっさのことで、わけがわからないのですが、すぐに初桃は私を立たせて、つかんだ髪を右に左に揺すりながら、私を二階へ引き上げようとします。初桃が怒鳴りちらして、私が泣きわめいているのですから、近所中が目を覚ましてもおかしくはなかったでしょう。

階段をあがると、初桃は襖をばんばんたたいて、おかあさんを呼びます。間髪を入れずに襖があいて、おかあさんは帯を結びながら怒った顔をしていました。

「何ごとや、あんたら」

「うちの宝石どす。こいつや、この阿呆たれがっ！」と言うなり、初桃は私をぶちはじめました。もう私は倒れて丸くなり、やめとくれやすと泣くほかはありません。おかあさんがどうにか初桃を止めたときには、小母《あば》も踊場へ出てきておりました。

「なあ、おかあさん」と、初桃が言います。「今夜、うちが帰ってきたら、路地の先に千代がいて、男と何やしゃべってるように思いましてん。でも、まさか千代やおへんやろ、千代やったら外へ出たらあかんのやし、と思うて気にもせえへんかったんどす。それがまあ部屋へあがってみたら、宝石箱がわやくちゃどしたさかい、急いで降りてったら、ちょうど男に何ぞ渡そうとしてますのや。逃げようとするところを、つかまえて来たんどっせ」

おかあさんは私を見て、長いこと、じっと黙っていました。

「男は行ってしもたんどすけど――」初桃が続きを言います。「たぶん千代は金欲しさに盗んで売ったんとちゃいますか。ここを逃げ出そういうのどっせ、おかあさん、ええ、うちはそう読んでます。この家でこんだけ可愛がってもろとってからに……」

「そうか、もうええ。あんた、小母《あば》と部屋行って、何がのうなったんか見といない」

おかあさんと二人になって、すぐに私は膝をついた姿勢から目を上げ、そっと言いました。

「そんなんやあらしまへん。初桃さん姐さんは好いたお人とお台所にいてはって、それで何やむしゃくしゃすることがあるらしいて、うちに八つ当たりしてはるんどす。ものを盗むなんて、してしまへん」

おかあさんは口をききませんでした。聞こえたのかどうかもわかりません。まもなく初桃が来て、帯留《おびどめ》がないと言います。

「エメラルドのどっせ、おかあさん」と何度も言っては、名女優さながらに泣いてみせました。

「うちの帯留を、得体の知れん男に売ってしもたんや。ひとの大事なもんを盗むなんて、何のつもりどっしゃろ」

「千代の体、あらためてんか」と、おかあさんは言いました。

以前、六つかそこらだった頃に、蚊が飛び込んできて、隅っこで巣を張っている蜘蛛を見たことがあります。張り終わりもしないうちに、蚊が巣に引っかかりました。とりあえず蜘蛛はおかまいなしに仕事の続きをしましたが、いざ出来上がりますと、とがった足先ですべるように、つつっと寄っていって、蚊を刺し殺したのでした。私は床板にかしこまって坐り、白魚のような指で私につかみかかろうとする初桃を見ていますと、この女の張った巣にまんまと引っかかったのだと思い知らされました。帯の下には現金があるのですから、言い逃れできないということになるのでしょう。初桃が抜き取った紙幣を、おかあさんが手にして数えました。

「阿呆やな。たったこんだけの金でエメラルド売ったんかいな。弁償《まど》うのに、またよけいな借りこしらえたっちゅうのに」

その金を、おかあさんは自分の寝間着に突っ込んで、今度は初桃に言いました。

「あんたは、今夜、ええ男を引っ張り込んでたんやてな」

これに初桃は不意をつかれたようでしたが、答えに窮することもなく、「何でまた、おかあさん、そんなこと言わはりますの」

しばらく沈黙があって、おかあさんは「腕を押さえててや」と、小母《あば》に言いました。小母《あば》が初桃のうしろから腕をつかまえて、おかあさんは初桃の着物に手をかけ、腰から下の合わせ目を広げます。意外にも初桃は抗《あらが》いませんでした。おかあさんに腰巻をたぐられ、膝を割られながら、冷ややかな目で私を見ていただけです。おかあさんが手を深く差し入れ、その手が出てきたとき、指先には濡れたものがありました。少々こすり合わせてから、においを嗅ぎます。そうしておいて、おかあさんは手をうしろへ引き、初桃の顔を張りとばしたので、しめり気が顔に糸を引きました。

八

次の日、私のことを憎らしく思ったのは、初桃ばかりではありませんでした。男を引っ張り込んでいたのに見て見ぬ振りをしたということで、女子衆《おなごし》は一人残らず、向こう一カ月は、おかずに魚の干物がつかないと、おかあさんが申し渡したのです。えらいことになったというわけでして、たとえ私が女中の茶碗に手を突っ込んで、食べるものを横取りしたとしても、あれだけの憤懣《ふんまん》を浴びせられはしなかったでしょう。おカボなどは話を聞いて泣き出したくらいです。いうなれば私は総すかんを食った上に、見たこともさわったこともない帯留の代金を前借りに加算されたわけですが、正直なところ、さほどにうろたえたものではありません。いやなことがあればあったで、なおさら逃げ出してやろうという決意を固めるだけでした。

おかあさんも、さすがに私が帯留を盗んだとまでは思っていなかったでしょうが、私が新品を弁済するということで初桃の気が済むのなら、それで御《おん》の字というわけでした。ただ、私が禁を破って置屋を離れたのは、洋子の証言もあることで、動かしがたいところです。こうなったら表の戸に鍵をかけて、二度と出ていけないようにするというお達しが出たときは、すうっと精気が抜けて、このまま死んでしまうのではないかと思いました。もう逃げようがないのでしょうか。小母《あば》だけが鍵を持っていて、寝ている間も首にかけて離しません。しかも念の入ったことで、私は夜の番をお役御免になり、かわりにおカボが任ぜられて、初桃が帰ってきたら、小母《あば》を起こして戸をあけてもらうことになりました。

　毎晩、寝床につくたびに作戦を練っていたのですが、佐津と打ち合わせた決行の前日、つまり月曜日になっても、逃げ出せる目途《めど》が立ちません。気鬱《きうつ》が高じて腑抜けのようになり、用事もおろそかになって、雑巾がけや通り庭の掃除にも、手に力が入っていないと女中に叱られておりました。午後になって、裏庭で草取りをする格好だけはつけながら、ずっと敷石にへたり込んだきり、ぼんやりしていましたら、女中がやってきてお台所の床板を水拭きするようにと言います。洋子が電話番で坐っているところですが、ここで思わぬ出来事がありました。雑巾を絞りましたら、垂れた水がつつっと戸口のほうへ流れるかと思いましたのに、奥の隅へと流れるのです。

「ほら、洋子さん、水が下から上に行く」

　もちろん、そんなはずはありませんで、どういうわけか私の目にそう見えただけですが、びっくり仰天したもので、もう一度絞って流れるところを見ていたりしました。そのうちに……どうしてああなったのでしょうか、何ともわかりませんけれども、この私がふわふわと階段をあがり、さらに梯子づたいに二階から屋根まで抜けて、天水桶のそばへ行っている姿が、目に浮かんだのです。

　屋根！　と思いついた衝撃で、まわりのものがすっかりわからなくなり、洋子の脇で電話が鳴ったときは、あわてふためいて声をあげそうになりました。もし屋根へあがれたとして、それからどうするという考えはないのですが、どうにか降りられさえすれば、佐津と落ち合うこともできるでしょう。

＊　＊　＊

夜になって、寝しなに大きくあくびをしておいて、さっと蒲団を引っかぶったので、米袋のような格好になりました。たちまち寝込んだものと傍目《はため》には見えたでしょうけれど、じつは神経が冴えに冴えていたのです。そのまま長いこと郷里の家を思い、もし私が戸口に立ったら、父は卓袱台から目をあげて、どんな顔をするのだろうと考えていました。たるんだ目の下を一層たるませて泣き出すのではないか、あるいは父らしく口が曲がったような笑い顔になるのではないか……。でも母の顔だけは考えないことにしました。はっきり目に浮かべなくてもいいのです。また会えると思っただけで、もう涙ぐんでいたのでした。

やっとのことで女中たちも蒲団に入りました。おカボは初桃を待つ態勢になります。毎晩寝る前におばあさんが唱える念仏を、私は聞いていました。そして細くあいた襖から、おばあさんが蒲団の横に立って寝巻に着替えるところへ目をやります。はらりと着物が脱げたとき、見ている私がぞっといたしました。丸裸のおばあさんを初めて見たのです。首筋から肩にかけての肌が鶏の皮のようであるばかりか、全身が皺だらけの衣服を重ねたようでした。卓上の寝巻をとって広げようとする覚束《おぼつか》ない手つきに、得《え》もいえぬ哀れさが感じられます。どこを見てもだらりと垂れた体でして、乳首でさえも指先のように出っ張って垂れていました。この人を見ているとあの老いて雲のかかったような心の中にも、やはり幼いころに身売りさせたのであろう父や母について、私と同じように、思い悩むことがあるのではないかという気がしてきました。ひょっとしたら姉か妹と生き別れになったりしたのかもしれません。おばあさんのことをこんなふうに考えたのは初めてで、ここで暮らし始めたときには私のようだったのではなかろうかと思えてきたのです。この人が意地の悪いばあさんで、私がよちよち歩きのひよっ子だとしても、どこに違いがありましょう。つらい生き方をしていれば誰だって意地が悪くもなります。そういえば、ある日の鎧戸での出来事をはっきりと思い出しました。池のほとりの茨《いばら》の中へ突き飛ばされたことがあるのです。その男の子へのくやしさで、なんとか這い出したときには、板きれでも食い破りそうなほどに怒り狂っていました。ほんの数分苦しんだだけで、あれだけ腹が立つのですから、長年そうだったとしたらどうなるでしょうか。石だって雨だれに穿《うが》たれるのです。

このときは逃げ出す決心を固めていたわけですが、そうでなかったとしたら、祇園での私を待ち受けているだろう苦しみを思って、心底怯えきっていたでしょう。ここで生きて老いていったら、あのおばあさんのようになるのです。でも、あしたになれば、祇園へ来たという記憶さえも消し始めることができるのだと考えて、気持ちを落ち着けていられました。屋根までの行きようはわかっています。そこから小路へ降りるとなると……これがどうも不案内でした。暗闇の手さぐりで、どうにか賭けてみるしかないでしょう。しかも怪我もなく降りられたとしたところで、小路へ出たくらいでは、まだまだ苦労の始まりにすぎません。いくら祇園の暮らしが難儀だといっても、逃げてからの暮らしは、さらに難儀かもしれないのです。つまりは世の中がつらく出来ているわけでして、はたして生きていけるものやら、しばらく蒲団の中で悶えながら、そこまで自分は強いのだろうかと考えていました。でも、佐津が待っている、佐津には心づもりもあるのではないか……。

だいぶ時間がたってから、おばあさんも寝支度ができたようでした。とうに女中たちはぐうぐう鼾《いびき》をかいています。寝返りをよそおって、ほど近くに正座しているおカボを盗み見ましたら、顔はよくわかりませんが、どうやら舟を漕《こ》いでいる様子です。もともとはおカボが寝入るのを待つという計算でしたけれど、いまが何時なのかもわからなくなっていましたし、いつ初桃が帰ってくるかもしれません。そうっと起き上がってみました。もし気取られたら、厠《かわや》へ立って戻ってくればいいという考えです。あすの着物は手近にたたんでありました。これを拾って腕にかかえ、ひたすら階段をめざします。

上がってから、おかあさんの部屋の前で、しばらく聞き耳を立てました。ふだんから鼾をかく人ではないので、静かだというだけでは、電話をかけていない、とりたてて物音がしない、という以外には、どうという判断もつけかねます。ただ、犬のタクがおかしな寝息を洩らしていましたので、まったく静まり返っていたわけではありません。聞いているうちに、ぜいぜい言っている犬の息が「ちーよ、ちーよ」と私を呼んでいるようにも思えます。おかあさんが寝ていると納得できるまでは、うっかり抜け出すわけにもいきませんでしたから、いくらか襖をあけて、のぞいてみることにしました。もし起きていたら、お呼びのような気がしましてと答えればいいのです。おばあさんと同様、ここでも卓上のスタンドに明かりが入れっぱなしですので、ちょっと襖をあければ、ひからびたような足の裏が蒲団からはみ出しているのがわかりました。その足の間に寝そべったタクの胸が上がったり下がったりして、「ちよ」と言っているような寝息をあげています。

私は襖をしめて、二階の廊下で着替えました。いま用意がないのは履物だけです。裸足で逃げるわけにもいかないと思っていたのですから、郷里を出た夏以来、どれだけ私が変わっていたか、お察しいただけるのではないでしょうか。もしおカボが玄関の間に坐っているのでないならば、通り庭で使われている下駄を持ってきたかったところです。やむなく私は二階の便所用になっていたものを手にしました。これは下駄ともいえない出来でして、普通の鼻緒ではなく、革紐を一本渡してあって、そこへ足を突っかけるだけなのです。しかも私には大きすぎるのでしたが、ほかに仕方がありません。

屋根へ出て、そうっと上がり口を閉めてから、寝巻は天水桶の下へ突っ込んでしまって、じりじり這い上がり、棟《むね》にまたがったような形にまでなりました。こわくなかったなどとは申しません。小路の人声にしても、はるか下から聞こえるようです。でも、こわがっていても始まらないのでして、いまにも女中か誰か、おかあさんか小母《あば》でさえも、ひょっこり顔を出したりしそうな気がいたします。それで、下駄もどきの履物を落とさないよう手に突っかけ、棟づたいに進んでいこうと思ったのですが、やってみると予想を上回る難事でした。屋根瓦というのは案外厚みがあるもので、重ね目はちょっとした段のようです。よほど慎重に動かないと、体重をかけるたびに、その重ね目がかたりと音をたてて、あたりの屋根に響いてしまいます。

数分がかりで、どうにか置屋の屋根を進みきると、隣家の屋根が一段低くなっていましたので、とりあえずそこまで降りて、表の道へたどり着く経路はないものかと思いましたが、月夜だというのに、下を見ると一面の暗闇です。屋根の高さと勾配からして、えいやと滑りだす度胸はありません。次の屋根まで行ってもどうにかなる見込みはないので、退っ引《のっぴ》きならない焦りが出てきました。ともかくも棟から棟へと、家並みが切れそうになるまで伝っていきまして、ふと横を見れば、どこかの奥庭であるとわかりました。どうにか雨樋《あまどい》まで行けたら、それを頼りに風呂場とおぼしき小屋へ降りられそうです。そこからだったら庭へ降りるのもわけはないでしょう。

知らない家の奥へ降り立つというのは、あまり楽しい考えではありません。やはり置屋であるでしょう。ここの並びは置屋ばかりです。どうせ芸者の帰りを待っている寝ずの番がいるはずで、そんなところを内から外へ駆け抜けようというのですから、すわ怪しいやつだとつかまります。もしかしたら、この置屋でも表に鍵をかけているかもしれません。そういう逃げ道ですから、ほかに道があるならば考える価値もないわけです。ところが、この際、そうやって降りることが、何よりの安全策と思われたのでした。

しばらくは棟にまたがって、下の庭から何か聞こえるものはないかと耳をすませていましたが、小路を行く人の笑いあう声しか聞こえてはきません。ここの奥庭へ降りたらどうなるのか見当はつきませんけれども、私がいなくなったと置屋で気づかれる前に、なんとか動いたほうがまだましだと思いました。それが今後にどれだけの禍根《かこん》を残すのか、いくらかでも気がまわっていたならば、いま来た道を逆戻りで、さっさと帰っていたでしょうに、どんな危ないことをしているのか、ちっともわかっていないのでした。ほんの小娘が、大冒険に乗り出すつもりでいたのです。

片足を振り出しました。次の瞬間、かろうじて棟につかまっているだけで、体は屋根の勾配に乗っていました。思ったよりも急傾斜で、しまった、という気持ちが走ります。あわてて上へ戻ろうとしましたが、そうはいきません。手には便所の履物がありますので、しっかりと棟をつかむわけにもいかず、手首を引っかけただけになっています。さあ、進退窮まるとはこのことで、よじ登れるものではなく、また手を離したら最後、あれよあれよとすべり落ちるしかないでしょう。そんなことが心の中を駆けめぐっていましたが、棟から離れる決心がつかないうちに、棟のほうが私を離しておりました。ゆっくり落ちだしたのが意外で、この調子なら、軒端《のきば》に近づいて勾配がゆるくなったら、どうにか止まりようもあろうかと安堵しかけたとたんに、足にぶつかって瓦が一枚はがれてしまい、がらがらと落ちていって、庭でにぎやかに割れました。すると今度は、便所の履物が片方、手をすり抜けて、つつっと私を追い越すと、これは静かに地面へ落ちたようでしたが、それどころではない物音も聞こえました。廊下から奥庭へと駆けつける、人の足音がしたのです。

これが蠅でもありましたら、まったく平地と変わらずに壁や天井にとまっているのは、よく見ることでありまして、足が粘りつくものなのか、よほどに目方が軽いのか、そこまでは知りませんでしたけれども、下の足音を聞いた私は、なんとしても蠅のように屋根にへばりついていなければならない、その術を即席に覚えなければならない、と考えたような次第です。さもなければ、ものの何秒かのうちに、下の庭で伸びていることになるでしょう。足の先を、それから肘も膝も、屋根へ食い込ませるくらいに押しつけてみました。しかし、最後のあがきでやったことこそ、間が抜けていたのです。手に残った履物を捨てて、両手をぺったり屋根にくっつけ、滑り止めにしようと考えたのでした。しかし、汗で濡れていたのでしょうか、手を押しあてたら、ゆっくりになるどころではなくて、加速がついたように落ち始めました。しゅうっ、と落ちる音を聞いたと思います。それでもう屋根はありませんでした。

一瞬、何も聞こえなくなりました。ぽっかり穴のあいたような恐ろしい静寂です。宙を舞いながら、ある一つの図柄を頭に浮かべるだけの時間ができました。女の人が庭へ出てきて、地面で瓦が割れているので、屋根を見上げれば、私が落ちてきて、その人にどすんとぶつかる——というようなことは、もちろん現実にはなりませんで、私は空中で体をひねり、横から地面に落ちました。腕で頭をかばうという知恵は働いたようですが、まともに落ちたわけですから、ぼうっとして、わけがわからなくなります。落ちたとき、どこに女の人が立っていたのか、もう庭へ出ていたのかどうか、そんなことも覚えがありません。でも、屋根から落ちるのを見られたのは確かでしょう。地面で昏倒《こんとう》したようになった私にも、その人の言ったことがわかりました。

「何やねん、空から娘が降ってきたえ!」

まあ、ひょいと立ち上がって逃げ出したかったのですけれども、できるわけがありませんで、半身がどっぷり痛みに浸したようになっています。膝をついた女が二人で見おろしている、ということが次第にわかってまいりました。一人がしきりに何か言っていますが、言葉としては聞こえません。そのうちに二人で相談したらしく、苔の上で倒れていた私は抱き起こされ、廊下へ坐らされました。話の内容は、わずかな断片しか思い出せません。

「へえ、そうどすがな、屋根から落ちてきたんどっせ、おかあさん」

「そうかて、なんで手水場の履物があるにゃろ。ちょっと、あんた、うちの屋根で用足しでもしよ思たんか？　聞こえてまっかいな？　ほんまに無茶やなあ。落ちてばらばらにならへなんだんが、めっけもんやで」

「聞こえてしまへんわ、おかあさん。この目ぇ見とおみやす」

「聞こえてるて。ほれ、何ぞ言いなはれ」

そう言われても、口がきけなかったのです。佐津が西石垣《さいせき》で待っていて、私はそこへ行けないのだ、と考えることしかできませんでした。

＊　＊　＊

この女中が使いに走らされ、小路の家の戸をたたきまわって、私の身元をつきとめました。その私は自失したようになり、丸くなって転がっておりました。涙もなく泣いていて、痛くてたまらない腕をかかえていましたら、いきなり引っ張って立たされ、横っ面に平手が飛んできたのです。

「この阿呆、何ちゅう阿呆や！」という声がして、激怒した小母《あば》が目の前に立っていました。そして私を表へ引きずり出し、そのまま連行していって、置屋へ着きますと、戸を背にして立たせた私へ、また手を飛ばしました。

「あんた、自分が何をしたと思てますねん」と言うのですが、私に答えようはありません。

「何を考えとったんや。もう、あんたなあ、これですっかり台無しにしてしもたやないか。まったく、よりによって、こんな真似しでかすのやから……この阿呆！」

これだけ怒った小母《あば》を考えたこともありませんでした。奥庭へ引いていかれ、廊下へ腹這いにされます。いよいよ私は泣きじゃくりました。これから何をされるかわかっていたからです。今度ばかりは生半可なたたき方ではおさまりません。小母《あば》は私の着物の上から桶の水をかけました。そうすると竹の痛みが身にしみるのです。息もできないくらいにたたかれました。それが終わると、小母《あば》は竹の棒を地面へ放りだし、私を仰向けに転がしておいて、「もう芸妓にはなれんようになってしもた」と叫びました。「そやから、うちが言うたのに。もうあかん。あんたのためには誰も何もでけんようなったんや」

それ以上は、言われたことが耳に入りませんでした。廊下の先で、とんでもない悲鳴があがったのです。しっかり私を見張らなかったというので、おカボがおばあさんにたたかれているのでした。

＊　＊　＊

どうやら落ちたときの打ちようで、腕の骨が折れていました。翌日になって往診に来た医者に近所の医院へ連れていかれ、腕を石膏《せっこう》で固めて帰されたのが、だいぶ日も傾いてからのことでした。まだ痛みは激しいのですが、すぐおかあさんに呼びつけられます。おかあさんは長いこと私をにらんでいて、タクを可愛がりながら、あいたほうの手で煙管を支えていました。

「あんたに何ぼの金がかかってるか知ってるか」と、ようやく口を切ります。

「知りまへん。こんな子に金かけて損したて言わはるんどっしゃろ」

まともな答え方だったとは申しません。張り飛ばされるかと思ったくらいです。でも私はどうでもよくなっていました。もう何一ついいことはないという気分でした。おかあさんは、ぎゅっと歯を咬《か》み合わせて、いつもの咳のような笑いを二つ三ついたしました。

「わかってるやないか。ま、五十銭でも高い買い物やったやろ。賢い子ぉやと見込んだのに、ちょっとも目先の利かん阿呆たれやった」

そう言うと、またしばらく煙管をふかしてから、「七十五円。そいだけ使うた。ほな、あんた、着物はわやにするし、帯留はくすねるし、今度は腕を折ったわなあ。医者代かて、あんたの借金ふくらますだけや。それに三度の食事やお稽古代もある。今朝は今朝で、宮川町から知らせがあったわ。あんたの姉ちゃん、逃げたらしいやないか。龍代には立替の貸しがあるちゅうのに、あの女将、これでもう帳消しやいうとるわいな。それもまた、あんたにツケがまわるわなあ。そやけど、こうなったら、もうどないもこないもあらへん。あんた一人では、とうに払いきれるもんやあらへんえ」

つまり佐津は逃げおおせたのです。きょう一日それを考えていましたが、やっと答えが出ました。姉のためには喜びたかったのですけれど、そう素直にはなれませんでした。

「そらまあ、芸妓になって、十年、十五年、稼いでくれるのやったら、勘定の合わんこともあらへん。売れっ妓になったらの話やで。逃げたがるだけの娘には、もう一銭もかけられへん。誰が好きこのんで損するかいな」

どういう返事をしたらいいのかもわからないので、すんまへん、とだけ言いました。すると、いままで一応は穏やかな口をきいていたおかあさんが、はたと煙管を置いて、顎を突き出しました。腹に据えかねる、ということでしょう。襲いかかる猛獣の気味がありました。

「すんまへんやて？　あんたに金かけたんは、あてとしたことが間抜けやった。こんなに金食いの仕込みっちゅうのは、祇園にもよういてへんやろ。あんたの骨をむしり取って売れるもんやったら、少しでも払いにあてたいわ」

これだけ言うと、もう下がれということで、おかあさんは煙管を口に戻しました。

私は唇がふるえていましたが、その気持ちを顔には出すまいとしました。部屋の外に初桃がいたからです。別宮さんが帯を結んでしまおうと待機中で、ハンカチを手にした小母《あば》が初桃の前に立って、その目をのぞき込んでいました。

「こら、あかんわ」と、小母《あば》が言います。「ぐちゃぐちゃになってしもて、どんならん。めそめそ泣いてんと、あとで化粧のやり直しせんなんなあ」

初桃が泣きたがる理由はわかっています。置屋での逢い引きを禁じられたもので、あの男に会ってもらうことができないのでした。きのうの朝、そんなことを知りまして、どうせ私のせいにして恨みをぶつけてくるだろうと思っていました。見つからないように下へ降りてしまいたいのは山々でしたが、そうはいきません。初桃は小母《あば》の手からハンカチをひったくるように取ると、こっちへ来いという合図をします。行きたくありませんが、行かないわけにもまいりません。

「千代のことは放っといとくれやっしゃ」小母《あば》が言いました。「ええから部屋行って、お化粧直しといなはれ」

初桃は返事もせずに、私を自室に引き入れ、襖をしめました。

「あんたの一生ぶち壊したろ思うて、さんざん頭ひねったんやけどなあ、逃げ出そういう気になって、自分でぶち壊してくれたさかい、手間が省けたわ。喜んでええんかはわからんけど。うちの楽しみがのうなったいうことでもあるし」

私は、無礼ではありましたが、ちょっとお辞儀をしただけで、答えることもなく襖をあけて出ようとしました。ぶたれても仕方のないような態度だったのですけれど、初桃も廊下へ出てきただけで、「一生、下働きで暮らすのがどんなもんやら、なんなら小母《あば》に聞いとおみ。もうすっかり似た者同士やないか。いかれてんのが腰の骨か腕の骨かの違いや。そのうち、小母《あば》と同じで、男みたいな顔になってくるやろ」

「また始まった」と、小母《あば》が言いました。「ほれ、初桃さん姐さん、評判のお顔になっとくれやす」

＊　＊　＊

私が五歳か六歳で、およそ京都などというものを考えたこともなかった時分に、昇という名前の男の子がいました。いい子だったとは思うのですが、おかしな臭いが体にしみついていて、それで仲間はずれになっていたのでしょう。ものを言うたびに、ほかの子は知らん顔でして、鳥が鳴いたか蛙が鳴いたか、そんな程度にしか思いませんでしたから、よく地面に坐り込んで泣いていました。逃げそこなってからの私には、そういう切なさが人ごとではなくなったのです。何かの用を言いつけるのでもなければ、誰も口をきこうとはしませんでした。おかあさんは、もともと千代なんぞにかもてられへんというわけで、ふっと吐いた煙くらいにしか考えていなかったようですが、そんな気配を女中たちにしても、おばあさんにしても漂わせていました。

この年、底冷えする冬の間中、佐津はどうなったことか、父母はどうしているかとばかり考えました。夜になって蒲団に入れば、不安で胸がふさがりそうです。この世から人が消え去って、大きながらんどうができたような、そんな穴が体の中にぽっかりとあいている感じでした。気休めにと思って、目をつむり、鎧戸の崖の道を歩いている私を想像してみました。知り抜いている道ですから、佐津と逃げていって本当に帰り着いたとしたくらい、ありありと眼前に浮かびます。空想の私は佐津の手を握って——実際には握ったこともなかったのですが——もうすぐ父と母に会えると思いながら、ふらついた家へ駆けていきました。こんな空想の中で、私が家へたどり着くことはありませんでした。着いたらどうなるのか、それがこわかったのかもしれません。いずれにせよ、あの道を帰っていくというところが気休めだったのです。すると、どのあたりかで、女中の咳が間近く聞こえたり、うーむと唸って放屁するおばあさんのきたならしい音がして、その瞬間に海の匂いは消え、踏みしめていた道の土は、また置屋の蒲団に早変わりしたのです。ただ一人で切ないだけの元の位置にいるのでした。

＊　＊　＊

春になって、円山公園の桜が咲き、都の話題は花で持ちきりになりました。花見の宴がありますので、昼間でも初桃に忙しくお呼びがかかります。毎日、午後の支度をする初桃を見て、そのあわただしい生活が羨ましく思えました。いまとなっては、夜中に目が覚めたら佐津が私を救うべく忍び込んできているとか、父母の消息が風の便りに聞こえてくるとか、はかない望みも捨てかけています。そんなある日、おかあさんと小母《あば》が弁当を持っておばあさんを連れだそうとしていた朝でしたが、二階から降りたら、玄関の間に小包が置いてありました。縦の長さが私の腕くらいあって、厚手の紙でくるんで、くたびれた紐をかけてあります。私には関わりがないと思いましたが、あたりに誰もいないこともあって、太い字で書かれた宛名を読んでみれば——

京都府京都市祇園富永町
　新田加代子様方
坂本千代殿

あまりに驚いたものですから、しばらくは呆然として、口に手をあてて突っ立っていました。きっと湯呑み茶碗くらいのまん丸い目玉になっていたでしょう。何枚も貼ってある切手の下の差出人は、田中一郎となっています。いったい何を送ってきたのか、まるで見当もつきませんでしたが、田中さんの名前を見ましたら……そんな馬鹿なとおっしゃるでしょうけれども、これはきっと田中さんが私をこんなところへ来させた間違いに気づいて、置屋から出してもらえるような何かを送ってくれたのではないかと、本当にそう考えてしまったのです。身売りされた娘を請け出せるような小包があるものかと、いまでしたら思いますし、そのときでさえ考えづらかったのですけれども、まあ、この包みさえあけたならば、どうにか人生が変わるのだと心に決めたようなわけでした。

さてどうしたものかと思っていたら、小母《あば》が降りてきてしまって、宛名は私ですのに、しっ、と追い払うように遠ざけます。自分の手であけたかったのですが、小母《あば》が適当な刃物を持ってこさせて紐を切り、おもむろに紙をがさがさと広げていきました。すると、漁師の使うような糸で繕った帆布を一枚かけてあって、この布の上に四隅を縫いつけた形で封筒があり、私の名前が書かれています。小母《あば》が封筒をはずして、布を取り払ったら、黒っぽい木箱が出ました。中身は何だろうとどきどきしましたが、小母《あば》が蓋をあけたとたんに、私の体が重くなりました。白い布で幾重にもたたまれていたのは、ふらついた家の仏壇にならんでいた位牌です。その中の二つは、見覚えのない新しいもののようで、知らない漢字の戒名が記されていました。なぜ田中さんがこんなものを送ったのか、そう考えるのもいやでした。

とりあえず、小母《あば》はきっちり位牌の収まった木箱を下に置いて、封筒から手紙を出しました。私は、ずいぶん長いこと、不安だらけで立っていたと思います。考えるということが恐ろしいくらいでした。そのうちに、小母《あば》が重い吐息をついて、私の腕をとって客間へ連れていきました。座卓の前へ坐らされましたが、膝に置いた手がふるえます。縁起でもないことを思うまいと必死で心を押さえつけ、その力でふるえたのではなかったでしょうか。位牌を送られたのが明るい兆候であるかもしれないのです。一家で京都へ出ることになって、仏壇も新調して、そこへ位牌を置くつもりだということはなかろうか、それとも佐津が戻ってくる気になって、先に位牌だけ送ってきたのでは……という考えは、小母《あば》の言葉で途切れました。

「ええか、千代、いまから読んで聞かしたげるさかいな。田中一郎いうお人からの知らせや」

と、いやに重苦しい、ゆっくりした声でした。小母《あば》が卓上に紙を広げている間、私は息をしなかったと思います。


拝啓、一別以来、秋が過ぎ冬を越して、また木々の枝に新しい花の咲く頃となりました。古き花が枯れ、新しく咲く花を見るにつけ、生者必滅《しょうじゃひつめつ》と思わざるを得ません。

さて、小生も孤児の境遇を経た者として、かくのごとき痛恨事をお知らせ申し上げねばならぬのは、まことに心苦しいのでありますが、貴女が京都にての新生活に入るべく去られてより一月半をもって、母上様の病苦も終焉《しゅうえん》を迎えるところとなり、さらに一月を待たずして父上様にもご逝去あらせられました。小生、ご心痛のほどをお察し申し上げるとともに、ご両親様とも手厚く埋葬されましたことをもって、お心を安んじられますようお願い申しあげます。葬儀は仙鶴の法香寺にて相営《あいいとな》み、鎧戸から参集のご婦人方も読経に唱和されました。ご両親様には、さぞかし極楽往生遂げられましたものと存じます。

厳しいご研鑽《けんさん》の日々をお過ごしのことでしょうが、辛苦を糧《かて》として精進し、芸道に大成される方々には、小生、感嘆を禁じ得ないものがあります。数年前、祇園の地にて都をどりを賞し、しかるのち宴の席に列するの栄誉に浴したことがあります。感無量でありました。すでに貴女も安住の地を得て、行く末の憂いを脱せられましたること、喜ばしく存じます。かくいう小生も孫の顔を見るまでの齢《よわい》を重ね、ただの鳥に白鳥が生まれることの稀なるを承知するものであります。また白鳥といえど、長く親鳥の巣に暮らしおれば、命を全ういたしません。ゆえに、才色を備えたる者には、みずから世に立ち向かう艱難《かんなん》が課されるのであります。

過ぐる年、晩秋の頃、姉上が鎧戸へ立ち戻られたる由なるも、杉氏子息と何処へか駆け落ちとのことにて、杉氏にはご愛息との今生の再会を切に願われ、姉上より消息の折は至急ご一報ありたしとのこと、よろしくお願い申しあげます。敬具。

田中一郎

坂本千代様

小母《あば》が読み終わらないうちから、とうに私は熱湯の噴きこぼれるような涙をあふれさせておりました。母が死んだとか父が死んだとか、そのどちらかを聞くだけでも悲しかったでありましょうに、二親そろっての死に別れで、また姉と会える望みすらも絶えたという……まあ、そう聞かされたのですから、割れて立てなくなった花瓶のような心になりまして、部屋の中にいながら、どこにいるのかわからなくなっていたのです。

これだけ時間がたっていましたのに、まだ母が生きているという願いを捨てていなかったのですから、他愛のないものだとお考えでしょうが、ろくに願いごとも持てない暮らしでしたから、藁にもすがるというところだったと思います。なんとか自分を取り戻そうとする私に、小《あ》母《ば》はやさしくしてくれまして、「辛抱しいや、千代、ここで辛抱せなあかん。世の中いうのんは、それしかあらへんえ」と言い続けていました。

ようやく口がきけるようになってから、どこか私の目のつかないところに位牌をならべて、私に代わって拝んでおいてくれないかと、小母《あば》に頼んでみました。自分ではとても耐えられないと思ったのです。ところが、それはだめだ、ご先祖に背を向けるようなことは考えるだけでもいけないのだと言って、小母《あば》は私と一緒に、階段の下あたりの棚に位牌を立てて、毎朝私が手を合わせられるように計らってくれました。「なあ、千代、決しておろそかにしいなや。これだけが、あんた、小さい頃の思い出に残ったんやさかい」

九

あれは私が満で六十五になった頃でしょうか、知り合いの方がどこかで見つけた記事を送ってくださいました。「祇園史上の名妓《めいぎ》二十人」というのです。三十人だったかどうか、数字をよく覚えていないのですが、私も載せていただいておりまして、ちょっとした紹介文まであったのです。それを見たら私が京都の生まれということになっていました。もちろん違います。そもそも二十人の中に入るのがおこがましいのですよ。名前を聞いたことがあるというくらいで有名だと思われたら困ります。いずれにいたしましても、あのとき田中さんの手紙が届いて、とうに両親が亡くなり、姉と会う見込みもないと知ることがなかったとしたら、ありきたりの娘の運命としては、つまらない芸者、あわれな芸者にでも、なれただけよかったというくらいのものでしょう。

田中さんという方にお会いした午後は、一生のうち最高でも最悪でもあったと申し上げたのは、まだご記憶でございますね。どうして最悪だったのかは、ご説明するまでもないでしょう。いいところがあったという考えようもあることのほうが、ご不審ではありませんか。たしかに、あのときまでは田中さんのせいで私には苦しいことばかりでした。でも田中さんが私の将来を切り開いたようなものでもあるのです。人が生きるというのは、水が低いほうへ流れるようなものでして、何かにぶつかって跳ね返らないかぎりは、そう方向を変えることもないようです。もし田中さんに会っていなければ、私の人生は、ふらついた家から日本海へ流れて終わっていたでしょう。ああして世間へ送り出されたから、すっかり変わったのです。ただ、送り出されたといっても、あっさり郷里を離れたということにはなりません。手紙が来るまでに祇園での暮らしは半年以上にもなっていましたのに、それまでの私は片時たりとも、いつかは祇園ではないところで、一人でも二人でも慣れ親しんだ身内とともに、もっと幸せに生きるのだという考えを捨てておりませんでした。いわば私は半分だけ祇園にいて、残る半分は郷里へ帰る夢に生きていたのです。それだから夢というものは危なくもあるのですね。くすぶった燃え残りのような夢に、身を焼きつくされることとてありましょう。

春に手紙が来てから、その夏になっても、ずっと私は霧の湖に漂う迷子のような心境でした。一日また一日と、ぽたぽた水たまりに落ちるような時間が過ぎます。みじめになって怯えていたということのほかは、これといった覚えもありません。また冬になって、ある冷え込んだ晩のこと、奥庭に音もなく降る雪をながめて、長いことお台所に坐っていましたら、さびしい家のさびしい卓袱台で咳をしている父の様子が、頭に浮かびました。母はというと、痩せ衰えていますから、ほとんど蒲団に体が沈みません。みじめさを振り切ろうとして、私は庭へ転げ出ていきましたが、心の中にあるものを振り切ることはできませんでした。

それから春がめぐり、あの知らせから丸一年がたった頃、ちょっとした出来事がありました。ふたたび桜の咲いた四月です。手紙が来てから、きっかり一年だったのかもしれません。もう数えなら十二歳でありました。まだおカボは子供っぽさをかなり残していましたが、私はいくらか女らしくなりかけていて、背丈はほぼ出来上がり、体つきこそあと一、二年は小枝のようなままだったものの、顔立ちのぽっちゃりしたやわらかみは失せて、顎から頬骨のあたりが締まってきており、大人びた輪郭に切れ長の目ができていました。以前ですと、通りを歩いていても、殿方から見て、鳩がいるくらいにしか思われなかったようですが、いまではすれ違う人から目を向けられていました。さんざん知らん顔をされたあとで、今度は興味の的になるというのが、おかしな気分でしたね。

ともかく、そんな四月の朝、まだ夜が明けるかどうかという時刻でしたが、どうにも妙な夢を見て目が覚めました。髭を生やした男の夢です。えらい髭面でしたから、検閲《けんえつ》でぼかした映画のように、目鼻がよくわかりません。すぐ前に立って、何だったか忘れましたが何かしら言っていたと思うと、いきなり横っちょの窓の障子を、ぱたっ、と勢いよくあけたのです。物音がしたように思って目が覚めましたが、女中たちはふんふん寝息を洩らしているだけで、おカボはあの丸顔を枕にうずめて静かなものです。たしかに普段と何一つ変わっていません。でも、私の気持ちだけは、へんに違っておりました。昨夜見たのとは様変わりした世界を見ているとでも申しましょうか、夢の窓から外をのぞいたような心地ですらあったのです。

どういうことだったのか、さっぱり見当もつかなかったように思います。午前中、奥庭の敷石を掃きながら、そればかり考えているうちに、ぐるぐる回るだけでどこへも行き着かない物思いのせいで、瓶から出られない蜂の羽音のように、頭の中が唸っていました。ほどなく私は箒を置いて、通り庭の土間に坐り込みました。床下の空気が涼風になって背中から静めてくれます。すると、ふと思いつくことがありました。京都へ連れてこられた当初から、すっかり忘れていたのです。

姉と引き離されて一日か二日くらいの午後でしたが、雑巾を何枚か絞ってこいと言われて、そのようにしていましたら、蛾が一匹ふらふらと落ちてきて腕にとまったのです。また飛んでいくだろうと思って払いのけたら、小石を飛ばしたようになって奥庭の地面に落ちました。もともと死んで落ちたのか、私が殺したことになったのかわかりませんでしたが、小さい虫の死は心に感ずるものがありました。羽の模様がきれいだと思って、雑巾を一枚使って蛾を包み、床下に隠しておいたのです。

それきり忘れていたのでしたが、思い出してみると、すぐに私は膝をついて床下をさがしました。あったのです。私の暮らしはさまざまに変わり、私そのものまでが変わってきていましたのに、経帷子《きょうかたびら》となった雑巾を広げてみれば、葬《ほうむ》ってやったときと寸分違わぬ、はっとするように美しい姿があらわれました。おかあさんが麻雀に出かける夜のような、地味な鼠色と茶色の着物をまとっているとも思えます。どこから見ても美しく整っていて、ちっとも変わっておりません。もしも私に、京都へ来たときのまま、何か一つでも変わらないものがあるのなら……と考えていたら、心が台風のような渦《うず》を巻きました。この蛾と私が両極端ではないかと思ったのです。私は行方《ゆくえ》の定まらない水の流れで、この蛾は不変の石なのでした。そう思いながら指を出して、ビロードのような表面に触れようとしたら、わずかに指先でかすめたとたんに、音もなく、崩れたと見る間もなく、蛾は灰の小山になったのです。思わず私は声をあげました。心の渦が止まって、ちょうど台風の目に入ったように静まります。死を包んでいた雑巾と、灰になった蛾を、はらりと地面に落としました。もやもやしていた謎が解けたようでした。淀んでいた空気が吹きすぎたのです。過去が過去になったのでした。父も母も死んだのであって、いまさらどうなるものではありません。この一年、私まで死んだようになっていたのでしょう。姉もまた……そう、去っていました。でも私は去っていなかった——というような言い方でおわかりいただけるかどうか心許《こころもと》ないのですけれども、まあ、体の向きを変えて別の方向を見ていたと申しましょうか、もう過去を振り返るのではなくて、未来へ顔を向ける気構えになっておりました。ですから、次に考えなければならないのは、だったら未来はどうなるのかということでした。

そこまで考えがまとまりますと、かつてないほどの確かな見通しとして、この日のうちに何かのきっかけがありそうな予感がいたしました。髭の男が夢の中であけた窓は、そういうことだったのでしょう。来たるべきものを心して待て、それが未来になる、という意味だったのです。

ほかに考えがまわらないうちに、小母《あば》の呼ぶ声がしていました。

「千代、ちょっとおいない」

＊　＊　＊

通り庭を歩いていく私は幻覚でも見ているようでして、もし小母《あば》が「あんたの先の話か？ほな、よう聞きなはれ、あのな……」と言いだしたとしても、驚きはしなかったでしょう。でも、白い袱紗《ふくさ》にのせた櫛と簪を差し出されただけでした。

「これやけどな、ゆうべ初桃さんが、いったい何をしやはったもんやら、ほかの妓《こ》のんをつけて帰ってきはってん。たんと飲まはったんやろなあ。そやし、あんた、これから女紅場行って、誰のや初桃さんにきいて、返してきてえな」

私が受け取りますと、小母《あば》は紙切れも一枚よこしました。いろいろと用事が書いてありまして、ついでに全部すませて、終わったらすぐに帰ってこいというのです。

他人の髪飾りをつけて戻ったといって、だからどうなのだとお考えかもしれませんけれど、じつはこれは他人の肌着をつけて戻ったも同然なのです。芸者といいますのは、あんな手の込んだ髪型をしておりますから、毎日髪を洗ったりはいたしません。で、その飾りも自分だけが肌身につけるものとなります。小母《あば》などは手でさわりたくもないということで、わざわざ袱紗にのせていたわけですが、これで包んで私に持たせようとします。ついさっきの蛾の包みのように見えました。もちろん、兆《きざ》しだの予感だのといいましても、それをどう占うかがわからなければ、意味がありません。ぼんやり突っ立って、小母《あば》の手にある袱紗を見ていましたら、「早《は》よしいな」と言われました。しばらく歩きだしてから、持っているものを広げてもう一度見てみますと、夕日のような半円形で金色の花模様をあしらった黒い漆の櫛と、白っぽい柄《え》の先端で二つの真珠が琥珀の玉を押さえているという簪でした。

女紅場の外で待っていますと、そのうちにお稽古の終わりを告げる鐘が鳴りまして、白絣の娘たちが、どっと出てまいります。私より先に初桃のほうから気がついたようで、もう一人の芸者と連れだって、こっちへ寄ってきました。初桃は舞の立方《たちかた》としては達者なものですし、いまさら何を教わらなくたっていいようなものですから、どうして来ているのだろうと思われるかもしれませんが、たとえどんな大姐さんであっても、芸者でいるかぎりは、もっと上達しようとお稽古を絶やさないものでして、五十、六十になっても続けていたりします。

「ほら、見とおみ」と、初桃がお連れに言いました。「さすがに雑草や、よう伸びたもんやわ！」もう私のほうが初桃よりは指の幅くらい背が高くなっていましたので、こんな小馬鹿にしたことを言ったのです。

「あの、小母《あば》に言いつかりまして、姐さんがゆうべ盗《と》らはった指物《さしもん》は、どなたはんのもんかお聞きせんなりまへんのどす」

初桃の顔から笑いが消えました。袱紗をふんだくって中をあらためます。

「うちのやあらへん……これ、どこから持ってきたんえ？」

「いややわ、初桃さん」と、お連れの芸者が言いました。「覚えてへんの？　かな子さんと二人して、判事さんをお相手に、しょうもないお座敷遊びしやはったやおへんか。二人とも櫛やら簪やら抜いてはったさかい、取り替えっこになってしもたんやわあ、きっと」

「えずくろしい。せんど髪洗わはったん、いつのことやらわからへんのに。ま、ええわ、かな子さんやったら、おうちとこの隣の屋形やし、すまんけど届けといとくれやす。うちのはあとで取りに寄せてもらうさかいに、つまらん欲出さんようにて言うといとくれやっしゃ」

そう言われた芸者は袱紗を預かっていなくなりました。

「あ、千代、待ちいな。ひとつ教えたるわ。あこに舞妓がおるやろ、いま門を抜けるわなあ。市喜美いうにゃで」

その娘に私は目をやりました。ですが初桃が黙っていますので、私は「知らんお人どす」と言いました。

「そら、知らんやろ。鈍《どん》くそうて、辛気《しんき》くそうて、たいした女やあらへん。そやかて、もうすぐ衿替えなんやて。あの市喜美かて芸妓になるっちゅうのに、あんたには無理な話やったなあ」

私の心を突き刺すとしたら、これ以上の名セリフはなかったでしょう。下働きに明け暮れるしかなくなって一年半になります。この先どこへも行けない道が、一生伸びていくように思いました。芸者になりたかったとは申しませんが、このまま終わるというのが口惜しゅうございました。そのまま女紅場の庭に立って、似たような年格好の娘らがにぎやかに行き過ぎるのを見ておりますと、お昼を食べに帰るだけだったのかもしれませんけれど、私の目には、大事な用があってこっちからあっちへ動いていく、目的のある暮らしのように見えたものです。それに引き替え、この私には、帰ったところで奥庭の敷石をこするくらいの雑事しかありません。庭から人の波がひいてしまうと、あの夢占《ゆめうら》もこんなものだったのか、ほかの娘が先へ進んでいって私だけが取り残されるということか、と淋しい思いがいたしました。その恐ろしさにじっとしていられず、四条通まで出てから鴨川のほうへ折れました。南座に旗幟《のぼり》がひるがえって、午後の舞台は「暫《しばらく》」であると知らせています。これは歌舞伎十八番の一つですけれども、あの頃の私にわかるはずもありません。場内へ人が流れ込んでいきました。地味な色の背広なり和服なりを着た男性にまじって、あでやかな装いの芸者衆が、泥川に秋の葉を浮かべたように、ぽつりぽつりと目立っておりました。ここでもまた、ざわめいて活気のある人生が、私のそばを通り過ぎていきます。逃げるように四条を離れた私の足は、白川のほうへ向いていましたが、そのあたりでも祇園の男や女が、せわしげな行く先の決まった暮らしをしているようでした。つらい思いを断とうとして川面に目をやりますと、薄情なことに、水でさえも方向があって流れていきます。まず鴨川へ、それから大阪湾、瀬戸内海へと出るのでしょう。どこへ行っても同じことを見せつけられるようで、私は川岸に積まれた石にとりすがって泣きました。いうなれば大海原に残された小島なのでして、もちろん過去もなければ、将来だってわかりません。もう人の声の届かないところまで来ている心境になっていたら——ふと男の声を聞いたようでもありました。

「おやおや、こんないい日和《ひより》に、泣いたらおかしい」

いつもの祇園町ですと、私ごとき小娘を、男の方が気にかけてくださるものではありません。取り乱して泣いていたのですからなおさらで、しかも、邪魔だからどけとか何とかいうのでもなければ、ものを言ったりするはずがないのです。ところが、この方は話しかけたというだけではなくて、やさしい口をきいたのでした。なんだか私がどこかのご令嬢でもあるような、お知り合いのお嬢様でもあるような、そんなふうにも聞こえたのです。ほんの一瞬にもならないような短い間、私の脳裏に、普段とはがらりと違った世界がよぎりました。まともに扱ってもらえて、やさしくさえしてもらえるような——父親が娘を売ることもないような世界です。せわしなく行き交う人々の喧噪《けんそう》が消えました。少なくとも、私には聞こえなくなりました。体を起こして、その人を見ようとしましたら、惨めさを河畔の石に置き忘れたような気持ちになりました。

どんなお方だったのか、詳しく申し上げられたらいいのですが、こんな言い方しか思いつかないのですよ――鎧戸で海の崖っぷちにあった木のことですけれども、風に吹きさらされていますから、流木のように凹凸《おうとつ》がとれていました。私が四つか五つでしょうか、あるとき木に顔があると思ったのです。お皿くらいの大きさでつるつるしたところがありまして、両側にちょうど頬骨のような出っ張りがついています。そこから影が落ちますので、これが目の窪《くぼ》みのようでした。目の下がふくらんで鼻ができています。こういう顔が、ちょっと首をかしげて、問いかけるような眼差しをしているのです。見ていますと、木そのものと同じで、しっかりと居場所を心得ている顔でした。深い考えがあるようでもあります。仏様の顔を見つけたみたいだ、と子供心に思いました。

あの道で私に話しかけてくださった方は、まったく同じような大らかなお顔をしていらしたのです。その上に、なんともはや悠然とした表情を浮かべておいででしたから、私が泣きやまないかぎりは、いつまでも静かに立っているおつもりのようにさえ思えたのです。あの頃は四十半ばでいらしたでしょう。白いものの混じった髪を、生え際からうしろへなでつけておられました。私のほうは、いつまでも顔を合わせてはいられません。いかにも粋なお方でしたから、つい顔を赤くして目をそらしてしまいました。

ほかに年下らしい男の方が二人と、反対側に芸者が一人おりました。芸者のおっとりした物言いが聞こえまして、

「ただのおちょぼどすえ。お使いの途中でつまずいたか何か、そんなとこどっしゃろ。すぐに手ぇ貸すお人が来やはるのんとちがいますか」

「いず子さん、そうやって気楽に人を見られたらいいねえ」

「そうかて、じっきに幕があきます。ほんに会長さん、ここで油売ってはる場合やあらしまへんえ」

祇園の町で使い走りをしておりますと、よく殿方が「部長さん」のように呼ばれるのを耳にいたしました。「専務さん」もいらっしゃいます。けれども「会長さん」というのは、めったにあるものではありません。あったとしても、たいていは頭が禿《は》げていて、苦虫を嚙みつぶしたようで、側近の方々をお供にのし歩いておられます。そういう会長さんの常とは大違いでありましたから、いくら世間を知らない小娘といえども、たいした大手の会長さんとは思いませんでした。そこまでのお偉方だったら、そもそも私に話しかけたりはしないでしょう。

「つまり、ここでこの子に手を貸したら時間の無駄だと言いたいのかい？」

「いいえ、そうやのうて、とにかく時間がないいうたらええのどっしゃろか。もう幕開けには間に合わんようなります」

「そうは言うが、いず子さんだって、この子みたいな時期があったんだろう。芸妓の暮らしに波風がないとは言わないだろうね。よりによって、あんたがそういうことを——」

「この子みたいな時期て、そんな会長さん、うちが往来で恥ものう泣いたていわはんのどっか？」

と、そう芸者が言いますもので、会長といわれたお方は二人の男に、いず子を連れて先に行ってくれとおっしゃいました。二人は会釈《えしゃく》をして、芝居見物への道をたどります。あとに残った会長さんが、しげしげと私をご覧になったようですが、私は見つめ返すわけにもいきません

でした。ようやく私から口をききまして、

「あの、旦那《だん》はん、いまの姐さんの言わはったとおりどす。うちが鈍くさいだけどすさかい、どうぞ行ておくれやす。うちのために遅れはったらかないまへん」

「いいから立ってごらん」

どういうおつもりか見当もつきませんが、そう言われて立たないわけにもいきません。するとポケットからハンカチを出されます。砂汚れのついた私の顔を拭いてくれようというのでした。すぐ間近に向き合った形ですので、なめらかな肌からタルクの匂いがいたしました。ふと思い出したのは、いつぞや鎧戸へ立ち寄られた宮様のことです。大正天皇の甥《おい》にあたられるということでしたが、小さな漁師町で何をされたかというと、お乗物を降りて、入り江までお歩きになって戻られたという、それだけの話です。集まって膝をついた人たちに、ふんふんと頷《うなず》かれていました。西洋式に背広をお召しになっていましたが、私は上げるなと言われていた目を、ちらっと上げてしまいましたので、洋服なるものを初めて見ることになりました。そういえば、お髭の手入れも行き届いていたようです。漁師連中はもじゃもじゃの伸び放題で、道ばたの雑草も同然でしたから、ずいぶんと差があるものです。何しろ身分のあるお方など来たこともない田舎でしたから、ご威光に打たれたというところでしたでしょう。

得てしてありがちですけれども、およそ似たようなものを見たためしがないから、見てもよくわからないということがございます。鎧戸の宮様もそうでしたが、この会長さんがまたわかりませんでした。私の顔についた砂と涙を拭いてくださいますと、ひょいと手で上を向かせたのです。

「ふーむ、なるほど……何一つ恥じる謂われのない美しい娘だ。それなのに、まともに目を合わせてはこない。薄情な仕打ちでもされたのか……いや、人生そのものが薄情か」

「ようわからしまへん」と私は言いましたが、ちゃんとわかっていたと思います。

「どうも人間というやつは、しかるべきやさしさを受けられないようにできている。そういう世の中だな」と会長さんはおっしゃって、よく考えてごらんとでも言うように、一瞬だけ目を細められました。

なめらかなお顔をもう一度見たいものだと思いました。秀《ひい》でた額と、穏やかな目に大理石の疵を出したような瞼……。しかし、あまりにも身分の隔たりがありますので、やっと思いきって目を上げたものの、すぐ顔を赤くしてうつむきましたから、わずかでも視線が合ったことすらお気づきではなかったかもしれません。そのわずかな瞬間に見たものを、どう申し上げたらよいのでしょう。楽器を弾き始める直前の音楽家が、その楽器を見るような、すっかり心得た目になって、私を見ておられたのです。まるで私をご自身の中へ引き入れたように、私の中までお見通しになれるのだろうと思いました。この方に弾かれる楽器になら、是非ともなってみたいものでした。

すると、ポケットに手を入れた会長さんが、何か取り出しました。

「果物の味は好きかね？」

「あの……食べるいうことどすか？」

「たったいま氷屋が出ていた。私は大人になるまで、かき氷というのを食べたことがなかったが、あれは子供の頃に食べてみたかったね。小銭だが、これを持っていって一杯おあがり。あとで口を拭くことになろうから、このハンカチもあげよう」と、それだけ言うと、ハンカチをおひねりのようにして、こちらへ差し出したのです。

会長さんに声をかけられてから、夢占のことをすっかり忘れていましたが、硬貨を包んだハンカチを見たら、蛾を布にくるんだのとそっくりでしたので、ああ、これこそが求めていたものだったと思いました。いただいて、丁寧にお辞儀して、どうにかお礼を口にしようとしたのですが、どれだけの思いを伝えられたことでしょう。お金をいただいたからでも、わざわざ足を止めてくださったからでもなくて、何がありがたかったのかと言いますと……いまでも言葉につまってしまうのですが、この世は薄情なばかりではないと教えてくださったからではないでしょうか。

歩いていく会長さんを見送って、胸が苦しくなりました。心地のよい苦しさといっておわかりいただければ、そのようなものなのですが、そうですねえ、たとえば、またとない心のはずむ夜があったといたしましょうか。これが終わってしまうのは悲しいですけれども、そんな夜があったということは、うれしゅうございましょう。ああして束の間でもお会いできたおかげで、人生の虚《むな》しさにやりきれなくなっていた私が、生きる張り合いを持てるようになったのです。たまたま往来で誰かに会ったくらいで、そうまで変わることがあるのかとご不審かもしれませんね。でも、人が生きるというのは、そういうものではありませんか。あの場でもって、私が見て感じたのと同じご経験をなさったら、やはりお変わりになったと思いますよ。

会長さんが見えなくなってから、私は氷屋をさがして駆けだしました。氷を食べたいような暑い日でもありませんでしたが、いま食べておけば、いまの出会いが心に残ると思ったのです。

果汁のかかった氷を買い求めました。三角に丸めた紙に盛ってあります。これを手にして、さっきの場所へ戻り、あの石に腰をおろしました。甘い汁が、あっと驚くように、とても一つや二つの味ではないように迫ってまいりましたのは、私の五感が張りつめていたせいでしょう。もし私がいず子という芸者のようであったなら、会長さんほどの方とご一緒できるのかもしれません。このときまでは芸者が羨ましいと思ったりしませんでした。それはまあ、芸者になるということで京都へ連れてこられたわけですが、折りあらばすっ飛んで逃げたいくらいの日々だったのです。でも、いままで見逃していたことに、ようやく気がつきました。要は芸者になることではなくて、なってからなのです。芸者になるというのは……まず人生の目標にはなりません。しかし、芸者であるとしたならば……それを足がかりに、次のどこかへ行けるのではないかと思ったのです。会長さんの年格好を見まちがえていなければ、せいぜい四十五。それより出てはいないでしょう。芸者でしたら、二十にもならずに名花と謳われることが、ちっともめずらしくありません。いず子だって二十五にはなりますまい。私はほんの子供で、数えの十二ですけれど……これであと十二年したならば、二十いくつになっています。そうしたら会長さんは？——やっと、いまの田中さんくらいでしかないでしょう。

いただいたお金は、かき氷一杯くらいでは、たっぷりお釣りのくる額でした。それぞれ大きさのちがう硬貨三つの釣り銭を握りしめ、ずっと大事にとっておこうと思ったのですが、もっといい使い道があるではないかと気がつきました。

四条通へ飛んでいって、そこから東へ走り抜け、祇園さんの門前へ出ました。八坂神社です。石段をあがりましたが、あの破風屋根の楼門をくぐるのは滅相もないようで、横をまわって通ってから、玉砂利《たまじゃり》を踏んでいって、また石段をあがり、鳥居をくぐれば神殿に着きます。その気になれば祇園から出るのに使えたかもしれない硬貨を、三つとも賽銭《さいせん》箱へ投げ入れて、かしわ手を打ち、頭を下げました。ぎゅうっと目をつむり、きつく手を合わせて、どうにか芸妓になれますようにとお願いしました。会長さんのような方の目にとまるなら、どんなお稽古にも耐えて、どんなつらいことにも我慢します……。

目をあければ、依然として東大路の雑踏が聞こえていました。風に揺れる木々が、さっきと同じようにざわめきます。どこがどう変わったわけでもありません。私の願いが神様に届いたものかどうか、確かめようはないのです。仕方なしに会長さんのハンカチを懐の奥深くへしまい込み、そうやって置屋へ帰っていきました。

十

それから何カ月かたちまして、もう絽の長襦袢をしまって、九月に着る単衣を出している時分でしたが、とんでもない臭いが玄関に漂いましたので、私は腕にかかえていた着物を取り落としてしまいました。おばあさんの部屋のようです。とっさの勘で一大事と思いましたから、小母《あば》を呼びに二階へ駆けあがりました。小母《あば》も、がくがく腰を揺らしながら大急ぎで降りまして、部屋の中を見ましたら、おばあさんは死んでいたのです。しかも、その死にざまが尋常一様なものではありませんでした。

置屋では、おばあさんだけが電気ストーブを使っていました。夏場でもなければ、毎晩つけていたようです。九月になり夏物をしまおうという頃に、そろそろ使いだしていたのです。さほどに涼しい陽気だったわけではありませんが、実際の気温よりも暦《こよみ》に合わせて衣替えをするように、おばあさんも暦どおりにストーブをつけたのでした。長年、冷え性に悩まされる夜をすごしたせいでしょう、理屈抜きでストーブを放せなくなっていました。

朝になるとコードをストーブの本体にからめて、壁際に押しつけておくのが日課でした。まだ熱い金属部分がコードにふれて、じわじわと被覆を焦《こ》がしていたようです。むき出しになった電線と接触して、ストーブに電気が走ったのでした。警察の話ですと、おばあさんはストーブにさわった瞬間、金縛りで動けなくなったのだろうといいます。即死だったかもしれません。ずるりと崩れ落ちて、顔をストーブにくっつけた格好で死んでいました。それで臭ったのです。幸い、私は死顔を見ずにすみました。足だけが襖の外からでも見えていて、細い枝をしわくちゃな絹でくるんだようでした。

＊　＊　＊

それからの一週間から二週間ばかりは、まったく目のまわるような忙しさになりました。神道では死を不浄として忌《い》みますので、まずは大掃除です。しかもまた、いろいろと支度があります。蠟燭を立て、お供えを盛って、表に提灯を出します。お茶の用意もいたしますし、いただいだお香典を受ける盆もそろえます。そんな調子のあわただしさで、ある晩、賄いの女中が倒れたくらいです。往診の先生の見立てでは、たいした病気でもなかったのですが、二時間足らずしか寝ていないところへ、一日立ちづめに働いて、すまし汁を一杯しか腹に入れていなかったのです。また、おかあさんが金に糸目をつけないのも驚くべきことでした。知恩院で法要を営んでもらうように手配して、蓮の蕾《つぼみ》をつけた生花を葬儀屋にあつらえさせました。世を挙げて不況だという時代の話です。最初のうちは、いかに孝養を尽くしていることだろうかと思いましたが、あとで考えれば、祇園中がこぞって弔問に来るわけですし、法要にも列するでしょうから、世間体を気にしたというのが実情でした。

たしかに何日かは祇園が総がかりで押し寄せたような有様で、湯茶や菓子の接待に追いまくられました。おかあさんと小母《あば》が、お茶屋や置屋の女将さん連との応対にあたります。おばあさんと知り合いの仲居や女中などもいました。ほかに商店、鬘屋《かつら》、髪結い《かみゆ》からも人が来ましたが、このへんは男の人が多かったようです。もちろん、ひっきりなしに芸者が来ました。古株の芸者ですと、ご隠居になる前のおばあさんを知っていましたが、若手では名前を聞いたこともないくらいで、おかあさんへの義理で来たようなものです。中には初桃と何かしらの縁があって来た人もいました。

私は応接間である奥座敷への案内係になっていました。ちょこちょこっと歩けば行ける距離であっても、来た人にしてみれば勝手に踏み込むわけにはいきません。それに、どの顔がどの履物だったかと覚えている下足番が必要です。放っておいたら入口に足の踏場もなくなりますから、一旦お台所へ片付けて、頃合いを見てお出しするのでした。お客様の顔をまともに見るのも失礼で、さりとて、ちらっと見ただけでは覚えきれずに苦労しましたが、まもなく着物をじっくり見ておけばいいのだと要領がわかりました。

二日目か三日目の午後です。格子戸があいて、入ってきた着物を見たとたんに、その水際立った美しさが群を抜いていると感じました。場合が場合ですから地味なもので、黒紋付だったわけですが、緑色と金色の草模様が裾まわりへ刷いたように広がって、じつに豪奢なものです。これが鎧戸だったら漁師の女房や娘らがびっくり仰天するだろうと、つい考えてしまいました。お供がついていますので、お茶屋か置屋の女将さんということになりましょうか。女中をかかえるような余裕のある芸者は、まずめったにいません。その人が神棚へ目をやった隙に、顔を一瞥することができました。絵に描いたような瓜実顔でありましたから、小母《あば》の部屋で見た掛軸の、墨絵の白拍子を思い出したほどです。初桃のような目を奪うという美人ではありませんが、きれいに整った目鼻立ちの見事さに、やはり私など平凡な女にすぎないと、あらためて思われてきました。

豆葉でした。そうしたら、これが誰だったのか、あっと気がついたのです。

豆葉でした。初桃の企みで私が墨をつけてしまった、あの着物の持ち主です。

ああなったのが私のせいではないにしても、とうてい合わせる顔はなくて、それくらいなら裸にむかれたほうがまだましだと思っていましたから、案内をしながら、ずっと目を伏せていました。着物を返しに行ったとき、こちらの顔は見られなかったはずですので、まさか正体を見破られることはないでしょう。たとえ見られていたとしても、あれから二年たっています。また、きょうのお供は、あの晩、涙ながらに着物を受け取った若い女ではありません。それでも、奥へ案内してお辞儀までしたときには、ほっとひと安心でありました。

二十分ほどで帰る気配がいたしましたので、私は沓脱《くつぬ》ぎに履物をそろえながら、またしても下を向いたきり、どぎまぎしておりました。お供の女が格子戸をあけたので、いよいよ針の筵《むしろ》も終わりかと思いましたら、豆葉は出ていこうとはせず、その場に立っていたのです。困ったことになりそうで、たぶん目と心が連絡不行き届きになったのでしょう、やったらまずいと思いながら、ひょいと目をあげてしまいました。すると豆葉が私を見おろしていたのですから身の毛のよだつ恐ろしさです。

「お名前、聞かしとくれやす」という声で、私は叱られているように思いました。

千代どす、と答えます。

「ちょっと立っとおみやす。お顔見せとくれやすな」

言われるままに立ちましたが、できることならうどんを一本するように顔を丸めて、そのまま顔を消してしまいたいくらいでした。

「さ、ほら、見せとくれやす言うてますのえ。それやったら足の指かぞえてはるみたいやおへんか」

そこで目を合わせずに顔だけ上げましたら、豆葉は長い息をついて、しっかり見るようにと命じました。

「めずらし目ぇしてはる。錯覚かと思うたけど。なあ、たつ美さん、この色どういうたらええのやろ」

お供の女も引き返して、しげしげと私を見ます。「へえ、青い灰色どっしゃろか」

「そや、まったくその通りやわ。ほな、こんな目ぇの子が、祇園に何ぼいてはるやろなあ」

豆葉の問いが私に向けられたものか、たつ美という女にだったのかわかりませんで、どちらも答えを出しませんでした。豆葉は妙な顔つきで私を見ていました。何事か思いつめたような、とでもいう顔でしたでしょう。それから、ごめんやすと言って去りましたので、私はほうっと胸をなでおろしたものです。

＊　＊　＊

おばあさんの葬儀は一週間ほどたって行われました。八卦見の先生と相談の上で、その日の午前中と決まったのです。それがすんで、ようやく日常の暮らしに戻り始めたのですが、いくらか変わったところもできました。おばあさんがいなくなった一階の部屋へ小母《あば》が移り、いずれは舞妓になろうというおカボが、小母《あば》に代わって二階を使うようになったのです。しかも翌週には新しい女中が二人来ました。どちらも中年で、えらく張り切っています。身内の数が減ったというのに女中を増やしたのはおかしいと思われるかもしれませんが、もともと手が足りなかったわけでして、おばあさんが家の中を狭くしたくないというので、増やせずにいたのでした。

そして、変わったことといえば、おカボが雑用を言いつけられなくなったことが、何よりの変化でした。空《あ》いた時間は、いずれ商売道具になる芸事を磨くために使うのです。そこまで恵まれた条件もめずらしいのですが、物覚えの悪いおカボのことですから、人一倍に時間をかけないとだめでした。見ている私にもつらさはありました。毎日、おカボは廊下にかしこまり、まるで頰を舐めたいように舌を出して、何時間も三味線の稽古をしています。私と目が合うたびに、小さく笑ってみせました。あれだけ根のやさしい娘もいないでしょう。でも私のほうが我慢の日々に苦しくなっていました。ほんのわずかな突破口でもありはしないかと思っているのに、ついに願いは叶《かな》わないかもしれないのです。それなのに、こうして他人の前途が開けたところを見ていなければならないのでした。夜、蒲団に入ってから、こっそり会長さんのハンカチを取りだして、タルクの匂いをかいだこともあります。心の中をからっぽにして、会長さんの姿と、私の顔にあたった陽光、あの河畔の石だけを考えました。会長さんは私の千手《せんじゅ》観音でありました。いつ救いの手をいただけるのかわかったものではありませんが、いつか必ずと念じていたのです。

おばあさんが死んで一ヵ月にもなろうかという頃、新参の女中のうちの一方から、私に客が来ていると言われました。十月にしては季節はずれに暑かった日の午後で、私はじっとり汗をかいていました。小母《あば》が引き払っておカボのものとなった二階の部屋で、ばたばた掃除をしていたのです。おカボは煎餅を二階へ持ち込む癖をつけていましたので、まめに畳の掃除をする必要がありました。あわてて濡れ手拭いで汗をとって、下へ降りていきましたら、女中らしい形《なり》をした若い女が来ていました。私は膝をついてお辞儀をして、よく見たら、豆葉についてきたお供だったとわかりました。まずい相手が来たもので、これは困ったことになったと思ったのですが、手招きをしますので、私も下駄をはいて通り庭へ降り、女のあとから表へ出ました。

「千代さん、お使いに出やはることもあんのどすか」

逃げそこなった一件からはだいぶ時間もたっていますので、べつに足止めということにはなっていません。そんなことを聞かれるわけはわかりませんでしたが、出るときもあると答えますと、

「そら、よろしおした。あすの午後、三時に出られるようにしとくれやす。辰巳《たつみ》橋で待ってますさかい」

「へえ、そうどすか。そやけど何どっしゃろ」

「あしたになればわかるのんとちゃいまっしゃろか」と、女中は小鼻をひくつかせますので、からかっているのかと思わないでもありませんでした。

どこかへ連れていかれるらしいのですから、愉快な話だとはいえません。豆葉に引き合わされ、咎《とが》められるのではないでしょうか。それでも、次の日になって私はおカボに頼み込み、いいかげんな用事をこしらえてもらうことにしました。とばっちりを恐れるおカボに、あとで悪いようにはしないからと言い含めて、三時に奥庭から声がかかります。

「千代さん、すまんけど三味線の糸と歌舞伎の雑誌、買うてきとくれやす」そういう雑誌を読むのも修業のうちだとおカボは言われていました。さらに声を高くして、「小母《あば》、かましまへんなあ？」とも言いましたが、昼寝中で返事はありませんでした。

置屋から歩きだして白川へ出ます。渡れば元吉町という辰巳橋。ぽかぽかした陽気に釣られて、そぞろ歩きに繰り出した芸者連れが、つうっと川面に枝を伸ばした枝垂れ桜を誉めそやしておりました。橋詰に立っていたら、その名も高い祇園を見ようという外国の観光客が目につきました。京都では外国人の姿も見かけますが、やはり奇異な感じを受けました。高い鼻と明るい髪の女が、長い洋装に身をつつんでいます。男は背が高く、こわいもの知らずのようで、石畳に靴のかかとを鳴らしていました。男の一人が私に指をさして、何やらお国言葉で言いますと、みな一斉にこっちを見ましたので、私は恥ずかしくてたまらず、地面に落ちていたものがある振りをして、しゃがんで顔を隠しました。

ようやく豆葉の使いが来ました。案じていたとおり、橋を渡ったほうの、いつぞや初桃と小りんに着物を持たされて二階へあがった戸口まで行かされます。あの件がいつまでも尾を引いて、これだけ時間がたってからでも私に祟《たた》るというのは、いかにも釈然といたしません。女が格子戸をあけましたので、私も薄暗い階段をのぼります。その上で履物を脱ぐようになっていました。

「姐さん、千代さんおいでやしたえ」と、女が大きく声をかけました。

するとと奥から豆葉が応じて、「おおきに、はばかりさんどしたな」

たつ美の案内で、あいている窓辺の座卓につき、座蒲団をすすめられて、気後れしているのを顔に出すまいといたします。ほどなく別の女がお茶を運んできました。つまり、豆葉には抱えの女が二人もいたのです。お茶を出されるとは思いもよらないことでした。あの田中さんの家で夕食を振る舞われたとき以来でしょう。お辞儀をして、失礼にならないよう口をつけました。それからしばらくは手持ち無沙汰になりまして、白川のせせらぎが膝くらいの高さの段差を落ちる水音を聞いているしかありませんでした。

豆葉の住まいは、たいして広くはないものの、きわめて瀟洒なものでした。きれいな畳は表替えをしたばかりなのでしょう、青々として藺草《いぐさ》の香りがいたします。畳といいますと、ご覧になればわかることですが、一畳ごとの畳縁がございまして、これは黒なり紺なりで木綿か麻というのが相場ですけれども、この家では緑色と金色で模様をとった絹の畳縁がついておりました。床の間を見まして、掛軸の字が達筆なものだと思いましたら、それもそのはず、書家の松平光一先生から直々にいただいたものだと、あとになって知りました。お軸の手前に、よく花をつけた枝が浅い花器から伸びあがっていましたが、この花器がまた一風変わった形をして、深々と沈むような黒の釉薬に貫入《ひび》のある仕上げでした。めずらしい趣向だと思いました。なにしろ、戦後には人間国宝にもなった瀬戸黒の大家、吉田作平先生からの頂戴物であったのです。いよいよ豆葉が奥の間から出てきました。水を流したような裾模様で浅黄色《あさぎいろ》の着物を、見事に着こなしています。畳の上をすべるように来ますので、私は向きを変え、手をついて頭を低く下げました。やってきた豆葉は私と向かい合わせに膝をそろえますと、運ばれた茶を喫してから、こう言いました。

「千代さん……どしたな？　どないして屋形を出てきやはったのやら聞かしとくなはれな。女《お》子《な》衆《ごし》が昼日中に勝手な用で出たら、新田の女将さん、ええ顔しやはらしまへんやろ」

そんなことを問われるとは、まったくの予想外で、返事をしないのも失礼だと思いながら、どうにも言葉が出ませんでした。豆葉は茶をひと口飲んで、あの端正な瓜実顔にやさしげな笑みを浮かべていましたが、

「叱られに来たと思うてはんにゃな。ここへ来やはって、あとで困るようなことになったりせえへんかて心配さしてもろてますのどっせ」

そう聞かされると、ほっと心がなごみました。「へえ、姐さん、きょうは歌舞伎の雑誌と三味線の糸を買うてくるいうことになってます」

「ああ、そんなん何ぼもあるわ」と、豆葉は女中を呼んで、いくらか持ってくるよう言いつけ、卓上に置かせました。「これ持ってお帰りやす。ほな、あんたが怪しまれる心配ものうなったところで、尋ねたいのやけどなあ。お悔やみに寄せてもろたとき、似たような年の少女《しょじょ》はんがいてはった」

「そやったらおカボどっしゃろ。まん丸い顔とちがいますか?」

そういう綽名の由来を聞かれましたので、これこれと答えますと、豆葉は一つ笑っておいて、

「そや、そのおカボちゃんやけどな、初桃さんとはあんじょういってはるのやろか?」

「へえ、あのう、初桃さん姐さんのほうで、ちょっとも気ぃ使うてはらしまへんようで、いうたら奥庭に散った枯葉の一枚でも見るような」

「奥庭の枯葉て……風流なことお言いやす。で、あんたにも、そんなどっか?」

ものを言おうとして口をあけましたが、さて何と言ったらいいのやらわからないというのが本当で、この豆葉については正体がつかめないわけですし、置屋の外で初桃の悪口をならべるのも不穏当でありましょう。そんなことを考えていたら、豆葉が見透かしたように、

「聞くまでもあらへん。それくらい手にとるようや。蛇が次の獲物を狙うてるっちゅうとこやろ」

「へえ、どなたはんからお聞きやしたんどすか」

「誰からいうことものうて、うちが六つで初桃さんが九つの頃から、知ってますのや。ずっと長いこと、えげつない悪さを見たあとやったら、この次の見当つけるのかて容易なこっちゃ」

「でも、あないに嫌われるいうのんがわからしまへん」

「わからんこともないいえ。初桃さんなら猫みたいなもんや。日なたに寝そべって、ほかの猫がいてへんかったらご機嫌や。ただ、横から餌《えさ》の皿を突っつかれる思うたら……なぁ。初沖さんいう舞妓を祇園にいてられへんようにした話、聞いたことあらへんか?」

聞いていないと答えます。

「可愛《かい》らしい舞妓さんやったえ」と、豆葉が事情を語りだしました。「うちとは大の仲良しどした。初桃さんと同じ姐さんに仕込まれたんやさかい、初桃さんから見たら妹みたいなもんや。富美初さん姐さんいうたら、もう年とってはったけど、そら、大きいお姐さんでなあ。ところが初桃さんは、ねっから初沖が気に入らんいうわけで、二人して舞妓になったのが、何やしら我慢でけんようになったみたいで、初沖がどこそこの小路で夜さりに若い巡査と、人には言えんいやらしいことしてやった、と噂を流しにかかってん。もちろん、でたらめや。もし初桃さんが言いふらしてまわったんやったら、祇園の誰かて信じるはずがあらへん。そんなん初桃さんの嫉妬《へんねし》やっちゅうことは、とうに知れたことやったさかいなあ。そやから、芸妓でも女中でもお客さんでも、きつう酔うてはる人んとこ行って、あすになれば誰に聞いたとは覚えてへんよう、うまいこと耳元へ吹き込んだっちゅうわけや。初沖さんの評判はがた落ちになってしもて、あとはもう、ちょいちょいと最後の仕上げの悪だくみにおうたら、よそへ出ていかんなんようなってしもた」

初桃の化け物じみた仕打ちが私にだけ向けられたのではなかったと知って、何だか安心したようでしたから不思議なものです。

「張り合う相手いうもんが初桃さんには我慢でけへんね」と、豆葉は話を続けました。「あんたへの仕打ちかて、そういうことやろなあ」

「でも、姐さん、うちやったら初桃さん姐さんと張り合うようなもんやあらしまへん。水たまりと海みたいな差があります」

「そらまあ、おうちはお茶屋はんにも出はらへんにゃろけど、屋形ではどうえ？　新田の女将さんが、いっこも初桃さんを養女にしやはらへんのは、おかしいと思わへんか？　新田さんいうたら、娘分のいてはらへん屋形では、いっち内福なはずやわ。もし初桃さんを養女にしたら、跡継ぎができるわけやし、稼いでくる花代かて一銭のこらず屋形の上がりいうことになるやんか。あないにお花の売れてる芸妓さんえ。そやったら、あの算盤にしがみついてはるような女将さんのこっちゃ、とうに養女にしてはったかてええものをしやはらへんいうのは、よほどのわけがあるいうことになるのんとちがいまっしゃろか？」

そういう考え方をしたためしはありませんでしたが、豆葉の話を聞いていると、なるほど理由はあると思えてきました。

「つまり、虎を野に放ついうもんどっしゃろか」

「そのとおりや。うっかり養女にしたもんなら、どないな娘になるこっちゃら、女将さんかてよう心得てはるのやろ思うわ。乗っ取られて追い出されるかもしれへん。また、そうなったらなったで、初桃さんが飽きっぽいのは子供なみや、籠の虫かて飼うてられへんやろ。一年か二年もしたら、ありったけの着物を売り払うて、さっさと店じまいしたかて不思議やあらへん。まあ、お千代さん、そういうこっちゃさかい、あんたが目の敵にされてるわけや。おカボちゃんいうほうが養女になるとは、初桃さんも心配せえへんにゃろなあ」

「……あのう、姐さんの着物がわやになったことがおしたやろ」

「あんたが墨《べべ》つけたと、そないに言わはるのやな」

「へえ、あの……そうどす。あれが初桃さん姐さんの差金《さしがね》やいうのんはご存じどっしゃろけど、うちかて心苦しゅうてかなんのどす。どうぞしてお詫びらしいことがでけたらええと思うてます」

しばらくの間、豆葉はじっと私を見ていました。何を考えているのか、さっぱりわかりませんでしたが、やっと口をききまして、

「ほなら、そうしてもらいまひょか」

私は座卓から下がって、畳に頭をすりつけましたが、何を言いだす暇もなく、豆葉のほうから言葉が飛んできました。

「初めて京へのぼった田舎娘やったら、それで愛敬になるわなあ。祇園町《ここ》で女を磨くつもりなら、お辞儀はこないせんなん。見といやす。もっと下がって、そう、いま膝をついてますやろ、それから腕を伸ばして、指を畳にそろえなはれ。指の先だけや、べたあっとついたらあきまへん。指を広げるのもあかん。ほら、まだ指の間があいてまっせ。そうや、畳につけて、手と手を添わすのやで……そう、それでよろし。ようなったえ。おつむを低う低うして、首はまっすぐ伸ばしたままや、どてっと下げたらあきまへん。手に重みをかけるのだけはせんとおきや。男はんのようになるえ。ま、それでええさかいに、もう一遍やっとおみやす」

それで、また初めからお辞儀をして、あれだけの見事な着物を台無しにするのに一役買ってしまったことを、深く詫びました。

「そや、ええ着物《べべ》やった、なあ？　ま、これで忘れるとしまひょ。ところで、どないしてお稽古せんようになったんや。あんじょうしてはったのに、ぴたりとやめてしもたてお師匠さん方が言うてはったえ。あんたみたいな子こそ、ええ芸妓になるよう仕込まんなんのに、新田の女将さんも、どういう考えでおいやすにゃろ」

私は前借りの話をしました。あの着物と、私が盗んだことにされている帯留で、借金がふくらんだことまでは言ったのですが、聞いている豆葉の目つきが冷ややかになっておりまして、

「まだ、うちに言うてへんことがありまっしゃろ。そない借金があるにゃったら、なおさら女将さんはあんたを芸妓にして、たんと稼がそう思わはるはずや。ずっと女子衆にしといたかて、返せるもんやあらへん」

そう言われて、たぶん私は恥ずかしさのあまり、知らず知らずに目を下げていたのでしょう。豆葉は瞬時に私の心の中を読みとったようでした。

「逃げようとしやはったな？」

「へえ、そのとおりどす。うちには姉が一人いてまして、別々になってましたんどすけど、会いにいったことがおす。これこれの晩に逃げよういうて決めてましたのに、うちが屋根から落ちて、腕を折ってしもたさかい……」

「屋根て、あんた、ほんまかいな。京都の見納めでもしよ思うたんか？」

私は事の次第を打ち明けまして、「阿呆なことやらかした思うてます」とも言いました。「これでもう、いつまた逃げるかわからへんいうわけで、お稽古に一銭もかけてもらえへんのどす」

「それだけでもあらへん。逃げられたら女将さんが顔つぶさはる。何や、あこの屋形は女に逃げられよる、ちんと抱えとられへんのかいな——と、まあ、そないに思うのが祇園いうとこどっせ。でも、あんた、どないするつもりや。このまま女子衆で終わりたいいう顔つきには見えへんわなあ」

「へえ、姐さん、いままでの失敗を帳消しにできんのやったら、どんな覚悟でもいたします。なんせもう二年にもなるんどす。きっかけらしいもんが来るのを、じっと待つばっかりどした」

「ただ待つというのは、あんたらしゅうおへん。見たところ水性《みずしよう》の生まれやし、どだい待つのは似合わへんのや。水は形を変えて、ぐるっと回って、誰も思いつかへんなんだような抜け道を――屋根やら箱の底やらの、ちっこいちっこい穴でも抜けて、流れるのんとちがうか。いうたら変幻自在や。水は土を流して、火を消して、金かて削って押しのけるがな。木はもともと相性のええもんやけど、水がのうては生きられへん。そういう強さを、あんた、いままで使うてきやへなんだんやなあ」

「でも、そういえば、姐さん、うちが屋根から逃げよう思うたのも、水の流れる勢いやったような気がします」

「そやなあ、あんたが賢いのはわかるけど、屋根へあがったいうのは、あんまり賢うなかったな。水の流れは、水だけが決めるもんやあらへん。山や谷があって、おのずと行き先ができるように、うちらは生きてんのや」

「けど、うちの場合、流れていったら堰にぶつかった川みたいなもんどす。初桃さん姐さんいう堰に」

「まあ、そうかもしれへん」と、豆葉は静かな目を私に向けて、「そやけど、川が堰を破ることもあんのえ」

この家へあがったときから、なぜ呼ばれたのかと考えていました。どうやら着物の件でないとだけはわかったのですが、ここまで話が進んでようやく、はらりと謎が解けたように思いました。豆葉は初桃への意趣返しに、私を利用することにしたのでしょう。この二人が張り合っているのは明らかです。さもなければ、二年前の初桃だって、豆葉の着物に墨をつけようとはしなかったはずです。豆葉にしても機をうかがっていて、いまが潮時と断じたのでありましょう。いうなれば庭の草を枯らす雑草のような形で、私を利用する腹と見えます。しかも、ただの鬱憤晴らしというよりは、もし私の読み違いでないならば、初桃を消し去るまでの徹底した計算ではないでしょうか。

「どっちにしたかて」と、豆葉が先を言いました。「新田の女将さんがお稽古を止めてはるかぎりは、どんならんわなあ」

「へえ、うちから頼んだかて、そう見込みはあらしまへん」

「どうせ心配するなら、いつ頼んだらええのかっちゅう心配をしよし」

すでに私でも、そこそこの人生経験を積んでいましたが、じっと待つということは、どうも苦手でありまして、豆葉のいう時期の問題も、よくわかりませんでした。もし知恵を授《さず》けてもらえたら、あすにでも切りだしてみたいものだと申しました。

「なあへえ、千代さん、行き当たりばったりいうのんは、まずい手どすえ。何事にも時と場合があるもんやと心得とかなあきまへん。鼠が猫の鼻あかしたい思うたら、ちょっとくらい飛び出しとうなったかて、いきなり穴を出たりせえへん。あんた、暦の見方はわかるな?」

日本の暦をご覧になったことはありましょうかしら。ぱらぱらと指で繰ってみればおわかりになりますが、それはもう、やたらに込み入った図表ですとか、まずお目にかからないような漢字が、ずらずら出てまいります。芸者が迷信深いということは、すでに申し上げました。おかあさん、小母《あば》、また台所の女中にいたるまで、たとえば下駄を一足買うだけのことでも、いちいち暦を見たがります。ところが私は一度も見たことがありませんでした。

「ほな当たり前や。間《まん》の悪いことばっかしやろ。吉日も知らんと逃げよう思うたんか？」

逃げる日取りは姉が決めたのだと申しますと、いつだったか覚えているかと問われましたので、豆葉と暦をのぞいてから、なんとか思い出しました。昭和四年の十月です。月末の火曜日でした。京都へ連れてこられて、せいぜい三カ月かそこらです。

豆葉は女中に言って、その年の暦を持ってこさせました。そして私が申歳の生まれということを確かめますと、しばらくは首っ引きで、あっちの図こっちの図と見ておりましたが、その月の私の運勢も参照して、声に出して読みました。

「八方塞《ふさ》がり。針仕事、慣れぬ食物、旅行、心して避くべし――」と、ここで目をあげた豆葉は、「ええか？　旅行とあるやろ。ほかにも慎《つつし》むことが書いてある……ええと……酉《とり》の刻の湯浴み、新しい着物の買い入れ、新規事業、ほら、ここや、転居とあるわ」豆葉は暦を閉じて、私の顔を見ました。「いくらかでも気ぃつけてはったか？」

所詮、たかが占いではないか、と思う方もいらっしゃいますが、そういう方であっても、次に申し上げることを、あの場でご覧になったとしたら、お疑いもすっと失せるのではないでしょうか。姉の生まれ歳から、豆葉は同じように調べました。おもむろに言います。「――小吉というところか。まあ、逃げるのにちょうどええ日でもあらへんけど、その週、次の週と見ても、ここしかないわなあ」ということでしたが、たまげたのはそれからで、「こうも書いてある

——旅行は未《ひつじ》の方角に吉」と読んだ豆葉が、地図で鎧戸を見ますと、たしかに京都からは北北東、まさに未の方角なのでした。これを佐津は知っていたのです。あの龍代の階段部屋で、私だけを置いて二階へあがった数分間に、たぶん暦を見たのでしょう。そこが分かれ目になったのです。佐津は逃げて、私は残りました。

いままでの私がいかにぼんやりしていたのか、逃げる云々《うんぬん》だけではなくて、とにかくものを知らなかったということが、このときからわかってまいりました。方位方角ばかりではありません。人間といいますのは、何かこう、ずっとずっと大きなものに組み込まれているのですね。ただ歩いているだけでも、小さな虫を踏みつぶすかもしれませんし、空気だって動きますから、蠅のとまろうとした場所が変わってしまうかもしれません。同じようなことを、虫が人間で、人間が宇宙だとして考えましたら、虫の上へ落ちてくる巨大な足のように、どうしようもない大きな力があって、毎日、動かされているのだと、いやでも明らかになりましょう。では、どうしたらいいのかというと、どうしてでも宇宙の動きを知りまして、その流れに逆らうのではなくて、うまく棹《さお》さすように、時宜《じぎ》を得て事にあたらないといけません。

ふたたび暦を手にした豆葉が、今度はこれから大事に乗り出すための吉日を選びにかかりました。そこで私が、おかあさんに話をするのもそういう日がいいのか、いったいどう言ったらいいのかと尋ねましたら、

「あんたから切りだすのはやめときよし。そうさせとうはないわ。はねつけられるのが落ちや。うちが女将さんやったかて、そうするえ。あんたの姉芸妓になってもええいう者は祇園のどこにもいてへんと、女将さん、そないに思うてはるやろしなあ」

そこまで言われては、ほとほと困りまして、「へえ、豆葉さん姐さん、そんならどないしたらよろしおすのやろ」

「なあ、千代さん、屋形へ戻っても、うちと会うて話したと口外したらあかんえ」

そのあとはもうお辞儀して帰れというように、豆葉が目つきだけで伝えますので、そうするしかありませんでした。気持ちがもやもやしておりましたから、せっかくもらった雑誌と糸を忘れてしまい、あとから女中が追いかけてくることになりました。

十一

豆葉が「姉芸妓」と言いましたが、あの頃は私も不案内だったくらいですので、ちょっとご説明しておきましょう。若い娘が、いよいよ舞妓として店出しするといたします。そのときまでには、先輩の芸者と姉妹の縁組を決めておかなければなりません。豆葉の話には、えらいお姐さんだった富美初という人が出まして、初桃の姉芸妓になったときには、かなりの年だったそうなのですが、姉だからといって、ずっと年上の人ばかりとは限りません。一日でも先輩格であるならば、妹分を持てるのです。

この縁組には、ちょうど結婚式のような盃事《さかずきごと》をいたしまして、そのあとはもう親類ということになります。中にはちゃらんぽらんな姉さんもいますけれども、しっかりしたお姉さんであったなら、若い芸者にとっては生涯の一番大切な人にもなるのです。教わることはいくらでもあります。たとえば、お座敷で品の悪い冗談を言われたら、どうやって笑いに紛らすかとか、お化粧の下地の油はどんなものを選ぶのかとか教えますが、とうていそんなものだけではありませんで、妹分がしかるべきところで目をかけてもらえるように、お披露目《ひろめ》もしないといけません。お茶屋さんを軒並みに連れまわして、そこの女将さんにご挨拶いたします。舞台にあがるときの髪をつくる職人さんやら、名のある料理屋の板場さんなどにも、声をかけておきますね。

ま、そういうことでも大いに気張るわけですが、昼間のうちにお披露目して歩くだけでは、まだまだ序の口でございます。祇園町というところは、ぼんやりした星のようなもので、夜になって燦然《さんぜん》と輝きますのですから、お姉さんは妹をお座敷へ連れていって、長年可愛がっていただいているご常連にお引き合わせすることになります。「今度うちの妹で出た何々どす。よろしゅうおたの申します。きっと売れる妓どすさかい、覚えといてやっとくれやす。また呼んでやっとくれやす」とまあ、そんなようなことを申します。もちろん、たかだか十四かそこらの小娘とおしゃべりがしたくて、高いお花を買ってくれる方もおられませんで、あの何々を呼べとおっしゃることはありませんでしょうね。でも、姉芸妓やらお茶屋の女将さんやらが、その舞妓の後押しをいたしまして、いずれは呼んでいただけるように仕向けます。どうしてもお気に召していただけないわけがあるとでもいうなら、それはもう……どうしようもありませんが、そうでもなければ、だんだんとご贔屓《ひいき》をいただいて、お姉さん同様、すっかりお馴染みになってもくださいましょう。

姉芸妓になるのは大変で、いうなれば米袋を背負って行ったり来たりするようですね。妹が電車のお客みたいに乗っかっていますし、もし不始末でもしでかされたら、お姉さんの責任ということになります。ただでさえ引っ張りだこでいそがしい芸妓が、そこまで面倒なことをするというのは、舞妓が売れるようになれば、祇園全体が潤《うるお》うからです。舞妓本人が少しずつ前借りを返せるのはもちろんんで、うまくいけば裕福な旦那さんがつくかもしれません。お姉さんにしても、妹が稼いでくれたら、いくらか割前がもらえます。お座敷へ出れば、行った先々のお茶屋で、女将さんの懐にも入るものがあるでしょう。あとは髪屋、簪屋のようなお商売ですね。菓子屋だって、折々に舞妓がご贔屓筋への配りものを買うことがあります。こういうところは、じかに割前があるわけではないにしても、得意客が増えたことになるわけで、また舞妓がいれば、それだけお客様が祇園へ足をお運びになって、お金を落としていってくださいます。ということですので、若い妓にとっては、何につけお姉さん次第で事が運ぶといってよろしいでしょう。ところが、誰がお姉さんになるかというと、舞妓の意向を聞いてもらえることは、まずありません。姉になる側からいえば、たいして見込みのなさそうな、お客さんに気に入ってもらえそうにもない妹ができたら、自分の評判があやうくなります。また置屋の女将さんから見たならば、せっかく元手をつぎ込んで仕込んだ妓ですから、ただ待っていて、つまらない芸者に引き受けられてもかないません。そんなわけで、しっかりした芸妓さんのところには、手に余るほどの依頼が集まります。断れることも、そうでないこともありますが……まあ、そこらへんの事情でもって、豆葉が言っていましたように、私を引き受けてくれる姉さん株などいるわけないと、おかあさんは腹の中で思っていたのでしょう。

私が置屋へ連れてこられた時分には、初桃を私の姉にするのが、おかあさんの目論見《もくろみ》だったと思います。なるほど初桃は相手が蜘蛛でも嚙みつきかえすような女ですが、たいていの舞妓だったら、お姉さんにしたがる芸妓でしたでしょう。少なくとも二人の若い妓の面倒を見ていて、すでに二人ともよく売れていました。私をいじめ抜いたのとは、だいぶ態度が違っていたようです。損得の計算をした上で、断ってもいいところを引き受けたものでした。ですが、相手が私となったならば、高《たか》の知れた儲《もう》けのために承知するとも思われず、たとえば犬を猫の付添いにして、噛みつかずに路地の奥まで送らせるというほどにも、当てにはなりません。たしかに、おかあさんから無理に言いつけるということも考えられました。まだ初桃は自前にもならず置屋にいたのですし、なにしろ着物をろくに持っていませんでしたから、その点でも置屋が頼りであるという弱味があったのです。ただ、どれだけ無理強いされたとしても、初桃が私をしっかり鍛えたとは思われません。お茶屋の水木へ連れていってお披露目する日が来たとしたら、河原にでも連れ出して、「鴨川さん、今度出た妹どす」と言うなり、私を突き落としたのではないでしょうか。

では、ほかの誰かが私の姉芸妓になるかというと……おそらく初桃と正面切ってぶつかることになるでしょう。そこまで度胸の据わった女が祇園にいるかという問題になります。

＊　＊　＊

豆葉と会ってからしばらくいたしまして、おかあさんに来客があったものですから、お昼近くに奥座敷でお茶を出しておりましたら、小母《あば》が襖をあけました。
「お話し中すんまへんけど、ちょっとの間だけ、加代子さん、よろしおすやろか」おかあさんの本名が加代子なのですが、めったに置屋では耳にしませんでした。「訪ねておいやした人がいやはりまんね」

おかあさんは、いつもの咳のような笑いを一つ発しまして、「きょうは、小母《あば》、えろう暇にしてますにゃなあ。取り次ぎの用までやってますのんか。それでのうても女中が楽《らく》してまんのに、そこまでしてやらいでもよろしおっせ」

「うちがお伝えしたほうがええ思いましてなあ、へえ。訪ねてきやはったんが豆葉さんどすさかい」

私は、ああして豆葉と会ったというのに、何事もなく終わりそうな気がしていました。ところが、いざ置屋へあらわれたと聞きますと……そうですねえ、かーっと血がのぼりまして、裸電球をつけたような顔になりました。ぴたっと部屋の中が静まり返りましたが、そのうち座敷にいたお客さんが言いました。「豆葉さんが……！　ほな、こっちは退散や。そやけど、何の話やったか、あした、きっと聞かしとくれやっしゃ」

お客さんが帰られるというので、ついでに私も部屋を出ましたが、玄関の間でもって、おかあさんが思いもよらないことを小母《あば》に言っているのを聞きました。おかあさんは奥座敷から持ち出した煙草盆に灰を落としていたのですが、その盆を私に持たせながら、「小母《あば》、ちょっと、ここんとこ髪の具合なおしとくれやす」と声をかけたのです。およそ見てくれを気にしない人かと思っていました。たしかに粋なものを着てはいますが、おかあさんの部屋がきれいな品物をそろえていながら、なお気が滅入るほど陰鬱であるように、風袋《ふうたい》の着物はまことに結構であるくせに、中身のほうをいえば、目は腐りかけた魚の切身のようにべとついていますし、髪の毛だって、汽車の煙突とでもいいましょうか、たまたま頭の上にあるという程度にしか思っていないようでした。

おかあさんが応対に出ていきまして、私はお台所で煙草盆の灰を始末していましたが、耳をすますのに必死でしたから、耳の筋肉が一斉にひきつってもおかしくはなかったでしょう。まず、おかあさんから口をきいたようで、「えろうお待たせしてしもて、堪忍どすえ。ようお越しやしとくれやした」

「いえ、女将さん、うちのほうこそ、こないに参じまして、すんまへん」と、似たような型どおりの挨拶を、豆葉もしていました。しばらくそんな調子のやり取りが続きましたので、耳を突っ張らせている私としては、葛籠《つづら》を山の上まで運んだら荷は石ころだったというような拍子抜けの心地でした。

いよいよ玄関から奥座敷へと移っていくようです。私は盗み聞きしたい一心にかられて、そこらにあった雑巾をひっつかみ、玄関の板の間を拭きはじめました。普段でしたら、奥にお客様がいらしているのに玄関で雑巾がけなど、小母《あば》が黙っていないところでしょうが、きょうに限っては小母《あば》も気持ちが耳にいっています。お茶を出した女中がさがってきますと、小母《あば》は見えないところに位置を占めて、襖にわずかな隙間を残すことを忘れませんでした。その奥でかわされる世間話に私も神経を研ぎすましていましたから、ほかのことが何もわからなくなっていたのでしょう、ひょいと目をあげたらおカボの丸い顔があって、こっちを見ているのでした。もう雑用をしなくてもいいくせに、やはり雑巾を持って膝をついていたのです。

「豆葉って誰やのん」と、ひそひそ声で言います。

どうやら女中同士の話を聞きつけてきたようでした。その女中たちは通り庭にかたまって、廊下までにじり出たようになっています。

「初桃さん姐さんと張り合うてはるお人や」と、私も小さく言いました。「うちが墨つけさせられた着物の持ち主やがな」

おカボはまだ何か言いたそうでしたが、そこへ豆葉の声がいたしました。「なあ、女将さん、せわしのうしてはりますのやろに、お邪魔してしもうて、たんとお詫びせんなんのどすけど、じつは千代ちゃんのことで、ちょっとご相談しとおて寄せてもろたんどす」

「ひゃー」と言ったおカボが私の目をのぞいて、あんた、また難儀やなあ、という顔をしてみせました。

「……そうどっか、まあ、千代いうたら、うちらも手を焼いてますのどっせ。何ぞご迷惑でもかけてへんにゃったらよろしおすにゃけど」

「いいえ、そんなことやあらしまへん。ただ、よう女紅場のお廊下でお見かけしてたのんが、何やこのごろ、見えへんなあと思うたもんどすさかい。……つい昨日《きんの》、あっと気ぃつきまして、もし伏せってでもおいやすのどしたら、そらもうええ腕のお医者はんと、ちょうど知り合うたばっかしどすさかい、どうどっしゃろ、いっぺん往診してくれはるよう頼みまひょか？」

「これはまたご親切に、すんまへんなあ。けんど、人違いしておいやさしまへんか。千代やったら二年も女紅場へあがってしまへんのどす。廊下ですれ違うこともおへんのとちがいますやろか」

「そやけど、人違いとは思われしまへん。あの可愛《かい》らしい、びっくりするような青い灰色の目えしてはる子どすえ」

「そらまあ、たしかに変わった目はしてます。ほなら、あんなんが祇園にもう一人いてるっちゅう……そんな、なんぼ何でも」

「へえ、二年もたつお言いやしても、おかしなもんどすなあ。そやったら、あれだけの娘さんどすさかい、あんまりよう覚えてますので、つい先度のように思うてしもたんどっしゃろか。……ほな、女将さん、ひとつお尋《たん》ねしとおす。千代さん、あんじょうしてはりまんのどすな？」

「へえ、そらもう、あての口から言うのも何どすけど、木ぃが伸びるようにぴんぴんしとりまっせ。どこへ伸びるかもわからんいうとこどす」

「それがお稽古やめてはる？　どないしやはったんどっしゃろ？」

「あんたはんのように時めいてはるお人には、祇園の暮らしも楽なもんどっしゃろなあ。これでなかなか不景気かぶってんのどっせ。ええかげんな娘に元手かけるわけにはいかしまへん。あの千代ではどんならん思いましたさかい――」

「ほ、そやったら人違いのようどすなあ。女将さんほどお商売に長《た》けてはるお方が、千代さんをそないにお言いやすとは、いかにもけったいな話で、考えられしまへんわなあ」

「千代いう名前に間違いおへんか」

座敷の外ではわかりませんでしたが、そう言いながら席を立ってきたようでして、すっと襖があいたと思うと、おかあさんの目の前に小母《あば》の耳があるということになりました。小母《あば》は何事もなさそうに脇へのいただけで、おかあさんも荒立てる気はなかったのでしょう、ただ私のほうを見て、「千代ちゃん、ちょっとお入り」

私が襖をしめて、お辞儀しようとかしこまったときには、おかあさんは元の位置に坐りなおしておりました。

「これが千代どっけど」と、おかあさんが言います。

「そうどす、この子どす。さ、千代さん、どうえ、何やしら心配になってしもてなあ。いま女将さんにも言うてましたのや。よろしおしたわ、元気そうで何よりのこっちゃ」

「へえ、姐さん、あの、お陰様なことで」

「ほな、ご苦労さんやったな」と、おかあさんが言いますので、頭を下げて出ていこうとしましたら、立ったか立たないかというくらいで、豆葉の声がいたしました。

「ほんに可愛《かい》らしいことどすなあ、女将さん。じつをいうたら、うちの妹にさせとくれやす言うてお願いにあがろう思うたのも一度や二度ではおへんのどす。けど、お稽古してはらへんのどしたら、もうそれもかないまへんなあ」

これを聞いて、おかあさんは愕然《がくぜん》としたのでありましょう、湯呑み茶碗を口へ運びかけた手が、ぴたりと動かなくなって、私が座敷を出るまで止まったきりになっていました。さっきのように玄関へ戻りますと、ようやく返事らしきものを発しているのが聞こえました。

「豆葉さんみたいな、よう売れてはる芸妓さんやったら……どないな娘さんかて選《よ》り取《ど》り見取りどっしゃろに」

「へえ、たしかに頼まれることもあんのどすけど、この頃は遠慮させてもろて一年以上になります。えらい不景気で、お客さんもさっぱり来やはらへんのやないかと思わはりまっしゃろ。それがどうして、ちょっとも暇になりまへんのどす。こんなご時世かて、儲けてはるとこは儲けてはりますのやなあ」

「ご時世どすさかい、気晴らしも欲しゅうならはりまんにゃ。そらそうと、いまのお話で

「……」

「へえ、何どしたやろか。ま、よろしおすわ。あんまりお邪魔したらあきまへん。とりあえず千代さんがお元気でよろしおした」

「そら、元気は元気どすにゃけど、あの、ちょっとお待ちやしとくれやす、千代を妹にいうお考えもおしたと、そない言うといやしたな？」

「ほんに惜しいこと。お稽古やめてしまわはったんどすなあ。というて、こればっかりは女将さんがこうと決めはったことどすさかい、ほかの者が何やら言うたら筋違いになります」

「あ、いいえ、きょうびは泣く泣く決めんなんことばっかしで、つらいのどっせ。ない袖は振れんいうだけどすねん。そやけど、豆葉さんが見てはって、もし千代に見込みがおすのやったら、いまお世話してもろたかて、けっして先々のご損にはなりまへんわなあ」

おかあさんは私のお稽古代まで豆葉に負わせようと欲を出したのです。そんな姉芸妓がいるはずもないのですが。

「それが出来たらよろしおすにゃけど……おっしゃるとおりの不景気で」

「あ、いえ、そやったら、こっちにも手の打ちようかておますやろ。ただ、肝心の千代が、なあ、きつい子ぉやし、あんだけの借金どすさかいに、ちんと返せるもんやったら、たまげますわなあ」

「あの子がどすか？　よう返せへんようなら、たまげるのとちがいまっしゃろか」

「というて、世の中、金ばっかしではおへんさかい、なあ？　そらまあ、千代みたいな子のためやったら、せえだい気張ってやりたいとは思うてます……まあ、お稽古代くらいなら、この家で面倒見てやれんこともあらしまへんやろ。ほんで、そのあとはどないなりまっしゃろか」

「千代さんの借金いうのんは、さぞかし大層なもんどっしゃろ。けど、何ぼいうたかて、二十《はたち》までには返せるようにならはると、うちは思うてんのどっせ」

「えっ、二十！」と、おかあさんはびっくりした声を出しました。「それが出来たら前代未聞どすがな。この不景気のどん底いうのに……」

「へえ、不景気は不景気どすけど」

「どっちかいうたらおカボのほうが、かけた元手に引き合うように思うてまんにゃ。なんせ千代は、おうちのような姐さんについてもろたら、借金を減らすより先に増やしてしまうのやないかと」

おかあさんはお稽古にかかる費用ばかりではなくて、豆葉への払いもあるということを言っていたのです。豆葉くらいの芸妓でしたら、妹の稼ぎから納める金額も相場より大きくなるのが普通です。

「なあ、豆葉さん、お帰りの前にもう一つだけ言わしとくれやすな。ものは相談どっけど、あんたはんほどのお人が二十までにとお言いやすのなら、そら、間違いはおへんやろ。また、そのくらいの姐さんについてもらわなんだら、千代あたりではどないなるもんやらわからしまへん。そやけど、この家もぎりぎりの無理を重ねてやってますのや。豆葉さんの思わはるような条件で折り合う余裕はあらしまへん。千代の花代から差し上げられる分は、お見込みの半額ほどがええとこどっしゃろなあ」

「そうどすか。まあ、じつは、ほかで結構なお話をいくつも伺うとります。こちらさんだけ値引きでええいうわけにはいかしまへんのどす」

「あ、ちょっと、待っとくれやす。そやったら、どうどす、お見込みの半額いうのは、こらもう、どないもならんのどすけど、ほんまに千代が二十までに借りを返せるのやったら、そのあとで、もともとの取り分を三割増しくらいで取っとくれやす。長い目で見たら、ご損にはなりまへんえ」

「もし千代さんが借りを返しきれんと二十にならはったら、どないしまひょ」

「そうなったら、もう仕方おへんな。どっちも商売にしくじったっちゅうことどす。この家からお支払いすることはでけしまへん」

しばらく二人とも黙ってから、豆葉が吐息をついたように、

「どうにも勘定は苦手どすねんけど、なあ、女将さん、うちの勘違いやおへんのやったら、あかんかしれん思うてはる仕事を、それも割安で引き受けてほしいと、そないにお言いやすのどすな。危ない橋を渡らいでも妹にできそうな子は、祇園にぎょうさんいてはります。結構なお話や思いますけど、またにしとおくれやす」

「おっしゃることは、ようわかります。ま、三割では少のおすな。ほな、あんじょういったら、もとの倍いうことでどうどっしゃろ」

「あんじょういかなんだら、丸損どすわなあ」

「そうは言わんといとくれやす。それまでずっと千代から納めるもんはおすのやし。まあ、この家からは割増分を出せへんっちゅうことどすわ」

聞いていて私は、てっきり豆葉が否というのだろうと思いましたが、「その前に、まず借金

が何ぼのもんやら、はっきりさせてもらえますやろか」

「よろしおす。いま帳簿持ってきまっさかい」

＊
＊
＊

この話はそれ以上聞いておりません。そろそろ私の盗み聞きを目こぼしできなくなった小母《あば》に、ずらずらと用事を書きならべた紙を持たされ、お使いに出されたのです。午後からずっと、私の心の中は、石ころを積んだ小山が地震で揺れるように、騒いでおりました。どうなることやら、さっぱり見当がつかなかったのです。もし、あの相談がまとまらなければ、亀がいつまでも亀であるように、私は女中のままでしょう。


置屋へ帰ったら、おカボが廊下の奥庭へ寄ったほうにかしこまって、へたな糸の音を鳴らしていました。私の姿を見ると、えらく喜んだような顔になり、声をかけてきます。

「ええかげんな用こしらえて、おかあさんの部屋へ上がっとおみ。さっきからずっと算盤とにらめっこしてはるえ。行けば何ぞ話があるはずや。聞いたら、すぐに教えてや、な」

なるほど悪くないと思いました。さっきの用事には賄い女中の疥癬につけさせる軟膏を買うということもあったのですが、ちょうど薬屋で品切れだったので、買わずに帰ってきたと申し訳なさそうに言えばいいでしょう。どうせ重大事とは思わないはずですし、そんな用件があったのを知らないかもしれませんが、とにかく部屋へ入る口実になればいいのです。

行ってみたら、おかあさんはラジオの寄席を聞いていました。こんな時刻ですと、いつもなら手だけで招じ入れ、ラジオを聞いたまま、帳簿に目を落として、ぷかぷか煙管をふかしているのですが、きょうは意外や意外、私を見るなりラジオを切って帳簿をぱたんと閉じました。私がお辞儀をして、卓の前へ膝をそろえますと、

「あんた、さっき豆葉さんが来てはったときに、玄関の雑巾がけなんぞしてましたな。立ち聞きでもしよ思うたんか」

「いいえ、板の間に引っかいた傷みたいなもんがおしたさかいに、おカボちゃんと二人でこすったら取れへんか思うただけどす」

「へたな嘘つきよる。それよりはましな芸を覚えてほしいわ」と言うと笑いだしたのですが、煙管を口から離さないもので、羅宇《ラウ》のほうへ息を吹き込んでしまい、火皿がぷっと灰を噴きました。それで火の粉が着物に降りかかりましたから、おかあさんは煙管を卓に置いて、手でさかんに着物をはたき、無事消えたことを確かめていました。

「なあ、千代、あんたも屋形《ここ》へ来てから一年ではきかんわなあ」

「へえ、二年でもきかしまへん」

「ずっと放ったらかしといたようなもんやのに、きょうはまた豆葉さんほどのお人がわざわざ向こうから来て、あんたを妹にしたい言わはったんえ。どないなっとんのやら、わけがわからへん」

おそらく豆葉の真意は、私に手を貸すというよりも初桃を痛めつけることにあるのだろうと思いましたが、それは口に出すわけにもいきませんで、なぜ目をかけてもらえるのかわかりませんとだけ言っておこうとしましたら、すっと襖があいて、初桃の声がいたしました。

「おや、ごめんやす。女中をお叱りの最中とは知りまへんで」

「そのうち女中やのうなるで」と、おかあさんは言いました。「さるお人が来やはってな。あんたにも言うといたろか」

「ああ、それやったら、豆葉さんどっしゃろ。雑魚《ざこ》のつかみ取りに来やはったんどすな」と言うなり、つつっと卓の前へ来て、割り込むように坐りますので、あわてて私が場所をあけることになりました。

「何やしら、豆葉さんがな――」と、おかあさんが言います。「千代やったら二十までに前借りをきれいにでける言わはんにゃ」

初桃の顔が、こっちを向きました。笑っている顔だけでしたら、いとしげに赤子を見る母親のようでありましたが、その口で言ったことは、

「そうどんなあ、女郎屋にでも売れればええかも……」

「やかまし。しょうもないこと聞くために呼んだんやあらへん。あんた、また豆葉さんの気に障るようなことやらかしたんとちゃうか」

「さあ、あのええかっこしいと道ですれ違うたんかもしれしまへん。それが気に障ったいうならともかく、あとは身に覚えがあらしまへんえ」

「そうかて豆葉さんにも何ぞの狙《ねら》いはあるはずや。それが何やていうてんねん」

「ちょっとも不思議やおへんわ、おかあさん。この鈍チビはんを出しにして、うちにいけずしよいうのどっしゃろ」

おかあさんは返事をせずに、初桃の理屈を考えているようでした。ようやく口を開いて、

「たぶん、千代がおカボよりも売れると見込んで、いくらかせしめる魂胆やな。それくらい、どうちゅうことあらへん」

「お言葉どっけど、もし金が目当てやったら、千代なんか相手にせんかてええのどっせ。好きこのんで時間の無駄になるような子を選ぶいうのんは、うちと同じ屋形にいてるからやおへんか。偶然やあらしまへん。うちを祇園から追い出すためやったら、おかあさんの飼うてはる犬とかて縁組しますやろ」

「ちょっと、あんた、なんで追い出されるほど恨まれてますねや」

「そら、うちに器量で負けてるせいどっしゃろ。ほかに何がおますのん。きっと言いふらすつもりどっせ——今度出た妹どす、初桃さんと同じ屋形どすけど、いうたら新田さんの掌中《しょうちゅう》の玉どすさかい、とくに預からせてもろてます……」

「あの豆葉さんがそないな真似しやはるかいな」と、おかあさんが押し殺したように言ったところへ、

「もし千代を出しておカボより上へ行かそう思うてんにゃったら、あとで豆葉さんもぎゃふんちゅう目にあいまっせ。へえ、楽しみどすなあ。千代が盛装してお披露目に歩かされるようなったら、おカボにこそ時節到来どっせ。おかあさん、猫が糸玉をいたぶるのん見たことおへんか。ほら、この糸玉でおカボの歯を研がせますのや。ずっとええ芸妓になりますえ」

　これが気に入ったようで、おかあさんも口元をぴくっと動かし、ほくそ笑んだようでした。

「どんなにかええ日になるやろな。けさ起きたときは、ろくでもない娘を二人住まわせてる思うたけど、これでもう競争やな……しかも、いまの祇園で指折りの姐さんが、それぞれを妹に

して引き立てんのや」

十二

次の日の午後、さっそく豆葉からの呼び出しがありました。今度は、女中があけた襖の向こうに、もう豆葉が卓について坐っていました。私は丁寧にと心がけてお辞儀をしてから部屋の中へ進み、あらためて頭を下げました。

「豆葉さん姐さん、このたびは、ようわからしまへんのどすけど、何と言うてお礼申し上げたらええのか……」と言いかけますと、

「まだ礼を言うのは早いえ。どうともなってへんにゃさかいにな。昨日《きんの》、うちが帰ってから、新田の女将さん、何て言うといやしたか、ちょっと聞かしとおみ」

「へえ、あのう、なんで姐さんがうちに目ぇかけてくれはるのんか、おかあさんも少々まごついたはるのや思います。……正直いうたら、うちかてそうどす」と私は言って、豆葉の答えがあるものと思いましたのに、そうでもありませんでした。「初桃さん姐さんのほうは――」

「そんなんどうでもよろし。初桃さんが何言うたかて、ここで考えるだけ時間の無駄や。あんたがしくじったら小躍《こおど》りして喜ぶいうのやろ。それくらい、とうに知れたことやないか。新田の女将さんかてそうえ」

「しくじったら、女将さんも喜ばはるのどすか。あんじょういったほうが儲けはるのんとちがいますか」

「一応はそうやけど、あんたが二十までに借金返してしもたら、あの女将さん、うちにぎょうさん払わんなんようになるのや。ちょっとした賭けをしたわけやなあ」と豆葉が言うそばで、女中が茶を出してくれました。「そら、あんたなら芸妓になれると見込んださかい、うちも賭けをしてきたのえ。ただ、うちの妹になるのやったら、しつけは厳しいもんと覚悟しいや」

どういう厳しさなのか言ってもらいたかったのですが、豆葉はにらんだような顔をしただけで、

「そんなにふうふう吹いてお茶飲《ぶ》んだらあきまへん。田舎もん丸出しや。熱うて飲めへんなら、冷めるまで待っといなはれ」

「へえ、すんまへん。気ぃつかんと鈍なこっとす」

「そろそろ気ぃつかんなんえ。芸妓いうたら、人様に見られて、どない見えるのんか、それを忘れたらあきまへんのや。ほんで、いまの厳しいいう話やけどな、まず何ちゅうても、よけいなこと考えんと、うちの言うようにするのんが一番や。よろしおすな。いままでは女将さんやら初桃さんやらの言わはること、ないがしろにしたこともあったらしいなあ。そら、あんたは筋を通したつもりやろけど、うちに言わせれば、もっと言いつけどおりにしてたら、そもそも自分が困るようなことにはならへなんだのや」

そういうことでした。いまは世の中が変わりまして、そうでもなくなりましたが、昔は目上に逆らおうものなら、すぐさま身のほど知らずとして叱られたものです。

「もう何年か前や、二人の妓《こ》を妹にしたことがあったんえ」と、豆葉の話が続きました。「一人は気張る子やったけど、もう一人がずるけてしもうた。いっぺん呼びつけて、あんた、うちの顔つぶす気かいな、と言うてやったのに、埒《らち》があかんかった。そやし、月替わりしてから、もう面倒見きれんさかい、ほかの姐さんにおつきやす、となあ」

「豆葉さん姐さん、うちは絶対そないならしまへん。姐さんのおかげで、ようやく海へ出してもろうた船のような意気になってますのどす。お心にそむくようなことはでけしまへん」

「そうか、そんならええわ。けど、あんたが気張るだけの話やないのえ。よう気ぃつけてんと、まんまと初桃さんに足すくわれるさかいな。借金のこともそや。どう間違うても、いま以上に増やしたらあかん。湯呑み茶碗ひとつ割らんようにおしやす」

へえ、必ず、と答えましたものの、また初桃にどんな手を使われるかと思うと、いささか心許ないものがありました。

「あと一つ」と、豆葉は言いました。「うちらが話したことは、いっさい他言は無用と思いなはれ。たとえお天気の話かて、初桃さんには言わんときやっしゃ。ええか？　うちが何と言うたか初桃さんに聞かれたら、こないに言うたらよろし。へえ、姐さん、それが豆葉さん姐さんときたら、しょうもないことしか言わはらしまへんのどす、聞いたそばから忘れるようなことばっかりどす、あんな辛気くさいお人はいてはらしまへん――」

わかりましたと申しました。

「初桃さんいうたら油断でけん相手や。ちょっとでも漏らしたら、その先の先まで読まれてしもて、びっくりせんなんようなめにあうやろ」

と、いきなり豆葉がせり出してきて、怒ったように言います。「おうち、昨日《きんの》、ならんで歩いとったわなあ、何話してたんや」

「いえ、姐さん、何も」と、私は言いましたが、豆葉ににらみつけられるばかりで、それ以上どうとも言えずにおろおろしておりました。

「何もて何やねん。とろこい子ぉや。早う答えへんと、今夜寝てるうちに耳ん中へ墨流したるえ」

これが初桃の口調を真似ているのだということが、やっとわかってきました。さすがの豆葉も、物真似は上手ではありませんでしたようで。ま、とにかく、わけを呑み込みましたので、

「へえ、正直に申します、豆葉さん姐さんは鈍なことばかり言わはんのどす。降った雪がとけるようなもんで、あんなん聞いたかて一つも覚えてられしまへん。うちらが話してはったて、ほんまどすか。なんしか、ろくな覚えもあらしまへんさかい……」

しばらく豆葉はうまくもない物真似でこんなことを続けましたが、そのうちに合格点をつけてくれました。それでも私には不安が残ります。いくら初桃の役を演じているとはいえ、豆葉に問いつめられているのと、本物の初桃の前でしらを切りとおすのは、要領がちがうのではないでしょうか。

＊　＊　＊

お稽古を止められてからの二年間で、それまでに習ったことは、あらかた忘れていました。

もともとお稽古よりほかに考えることがあったのでしたから、たいして身についていたわけでもありません。そんなわけで、豆葉が姉芸妓になると決まって、あらためて女紅場へ行きましても、まったく初心者に戻ったようだったのが偽《いつわ》らざるところです。

すでに満の十二歳でありまして、背丈では豆葉に追いつきそうになっていました。大きくなったというと結構ではないかと思われるかもしれませんが、なかなかそうでもないのです。ずっと小さいころから手ほどきを受けている子が多いのでして、中には六歳の六月六日がお稽古始めの日だったという、昔ながらの子もいます。そんなに早くから始めるのは、だいたいが母親も芸妓だったような場合で、舞も茶道もあたりまえのように慣れ親しんで育ちます。私が池で泳いで育ったようなものでございますね。

たしかネズミの先生の授業について、いくらか申し上げましたと思います。あれは三味線のお稽古でしたが、習う芸事はそればかりではありません。なにしろ芸者というくらいなもので、芸で身を立てる商売なのです。私の朝の一時間目は、鼓《つつみ》でありました。そんなことまで芸者がやるのかとお考えでしょうけれども、答えは簡単でありまして、たいていのお座敷や宴会でしたら、立方の舞に対して、地方《じかた》は三味線がひと棹か、せいぜい唄が入るくらいなものです。ところが、春の「都をどり」のような大きな舞台になりますと、三味線だけでも六棹かそれ以上もそろいますし、太鼓、小鼓、笛なども加わります。それでまあ、いずれは一つか二つ得意なものを磨くようにと言われるのですが、とりあえずひと通りは習っておくことになります。

さて、私の朝のお稽古は、まず小鼓から始まりました。かしこまって坐った姿勢をとるのは、どの楽器でも一緒ですが、小鼓は右肩にのせて右手で打ちます。ひとまわり大きなのを大鼓《おおかわ》と申しまして、これは左膝にのせて右手で打ちます。一番大きな太鼓でしたら、やや斜めの角度で台の上へ寝かせ、太い撥でたたきます。おいおいに、どれもお稽古いたしました。たたけばいいのだから子供でもできるだろうと思われがちですけれども、たたき方も様々なものでして、たとえば太鼓ですと、一本の腕を体と斜交《はすか》いに構えてから、いわば逆手に振りおろす「打ち込み」があります。あるいは、打つほうの腕を振りおろし、同時にもう一方を振りあげる「さらし」というのもあります。ほかにも打ち方はありますが、いずれも音色が違います。さんざん練習して、やっと違いが出せるのですがね。それにまた、こういう地方囃子方が、そっくり観客席から見えているわけですから、調子を合わせるのはもちろんのこと、手の動きも見ていて品のよい美しいものでなければなりません。正しい音を鳴らすこと、正しい鳴らし方で鳴らすこと。この二つがそろわないとだめなのです。

鼓のあとは、笛、さらに三味線と、朝のお稽古は続きました。どれも指導法は似たようなものでして、まずお師匠さんが見本を演じてから、生徒が真似をいたします。どうかすると、生徒一同、まるで動物の楽隊のようになりましたが、お師匠さんは単純な見本から始めますので、そういつでも動物園のようだったわけではありません。初めて笛を習ったときは、お師匠さんが一つの音を引いて、みんなが一人ずつ同じ音を吹かされました。たったそれだけのことでも、あれこれお小言《こごと》が飛んできます。

「誰それさん、あんた、小指を浮かさんと、しっかり下げといなはれ。そっちの何々さんは、笛がにおいますのんか。え、そやったら、そないに鼻をくしゃくしゃにせんときやっしゃ」

お師匠さんというのは厳しいものですから、教わるほうは間違えてはいけないと思ってびくびくします。笛の先生は、生徒の笛を取り上げて、肩をたたいたりもしていました。

鳴り物に三味線ときまして、その次はたいてい唄になりました。お座敷では唄が入ることが多いですし、そのお座敷が楽しみでお客様はいらっしゃるわけですからね。たとえ、音痴でもって、人前で喉を披露するとは思われない妓であろうと、舞の修業のためにも唄は勉強しておかないといけません。舞はそれぞれ決まった曲に合わせて振り付けられています。それが三味線の弾き語りであることも普通ですね。

ひと口に唄といいましても、やれ地唄だの長唄だのとありまして、細かく数えればわからなくなりそうですが、私が習ったのは五種類でした。俗謡のようなものもありましたし、また歌舞伎に由来する長い語り物ですとか、気のきいた文句で短く終わるものとかで、いちいち何がどんなだと言ってみても仕方ないでしょう。一つだけ申し上げておけば、私などが聞きますと、しみじみ味があると思える唄でも、外国の方のお耳には、お寺の境内で猫どもが鳴いているくらいにしか聞こえなかったりいたします。まあ、たしかに、日本の唄には、長く揺らした節回しがたくさん出まして、その声も喉の裏のほうから発しますので、口よりも鼻で唄っているようです。聞き慣れているかどうかというだけの問題でしょうけれども。

さて、こういうお稽古で学んだのは、歌舞音曲《かぶおんぎょく》だけではありません。しっかり芸を身につけても、それだけではお座敷をしくじることになるでしょう。つまり立居振舞というものがあります。だからこそ、お師匠さん方が礼儀や所作についてもやかましいわけで、用足しに行くつもりで廊下を小走りに急いでも叱られるのです。たとえば三味線の授業であっても、言葉遣いについて咎められることがあります。在所の訛《なま》りが出てもいけません。だらけた姿勢になっても、のそのそ歩いても叱られます。何で一番きつく叱られるかといいますと、楽器が下手だとか歌詞を覚えないとかではなくて、爪に垢がたまっている、生意気な態度をとる、といったようなことでしょう。

外国の方にお稽古のことを申し上げますと、だったら、いつ華道を習ったのかと言われるのですが、じつは私は習っていないのです。それはそうですよ。お客さんと差し向かいでお花を活《い》けるなんて、そんなことしてごらんなさいな。ご退屈で、突っ伏してお眠りになるでしょう。なにしろ芸者なんですから、一人で花をいじくってたって始まりません。お酌をしたりお茶を差し上げたりすることはあっても、お漬物をもうひと皿とりに走るというようなことをしないのが芸者です。そもそも、細かい仕事は女中まかせにしておりますので、身のまわりの始末やら部屋の片付けやらについては、どうも芸者は情けないものです。お座敷に花を飾ってみたりするわけがありません。

最後に、お茶の授業がありました。茶道の本というのは何冊も書かれていますから、いまさら私が何だかんだ申し上げるまでもないでしょうが、要するに、お点前《てまえ》をする側が一人か二人いて、結構な茶碗を使い、茶筅《ちゃせん》その他のお道具でもって、古式のとおりにお点《た》ていたします。お客様のほうにも役割がありまして、持ち方、飲み方にも約束事ができています。お茶でも飲んで一服しようというよりは、まあ、そうですね、正座したまま舞をひと差しとでもいいましょうか、静かに座禅するようでもあります。お茶の葉をひいて粉にしたものを、お湯で溶いて、茶筅でまぜるのですが、このお抹茶というのが外国の方には評判がよろしくありません。なるほど見た目には緑色の石鹸水ですし、苦い口あたりですから、ある程度は慣れないとだめでしょう。

お茶の作法は、大事な修業となります。どこか個人のお宅での宴会でしたら、まずお点前があって始まるということがめずらしくありません。また、都をどりの際にも、お茶席の接待がございます。

私の先生は若い女の方でした。二十五かそこらでしょう。芸者としては上のほうへ行けなかった人らしいのですが、茶道への精進ぶりは大変なものでして、一挙手一投足に神が宿るとでもいうほどの教え方でした。まもなく私は、これは熱心な、えらい先生だと思うようになりました。午前中たっぷりお稽古をして、その最後としては願ってもないような、すうっと心の静まる時間でした。いまでも私は、お茶の席がありますと、ひと晩ぐっすり寝たように安まります。

芸者になる仕込みが厳しいのは、芸を覚えなくてはいけないばかりか、とにかく忙しい暮らしであるということでしょうね。お昼前はみっちりお稽古がありまして、午後と夜には、従前と同様の働きをしないといけません。寝られるのは三時間から五時間がやっとでしょう。ああいう仕込みの時分には、体が二つあっても、まだ足りないくらいでした。私もおカボのように雑用を免除されたらよかったのですが、おかあさんとしては豆葉との賭けがありますから、私の練習時間を増やしてやろうとは、とうてい考えなかったでしょう。いくらか女中に肩代わりしてもらった分もありますけれども、ほぼ毎日のように、こなしきれない仕事に追われ、しかも午後に一時間やそこらは三味線を弾くのが当たり前だと思われておりました。冬になりますと、おカボも私も、手の皮膚を鍛えるということで、痛さに泣くまで氷水に手を突っ込まされ、冷えびえした奥庭の外気の中で練習させられました。何と無慈悲なと思われますでしょうが、昔はそんなものでした。それに、ああして鍛えたのが、たしかに無駄ではありませんで、いざ本番であがってしまったような場合、手の感覚がなくなりますけれども、痺れきってどうしようもない手で弾くのに慣れていれば、それだけ助かることになりましょう。

初めのうち、私とおカボは、昼からの一時間ほど小母《あば》に読み書きを教えてもらって、そのあとで一緒に三味線の練習をいたしました。読み書きは私が京都へ出て以来、ずっと小母《あば》に習っていましたし、小母《あば》のほうでも行儀を仕込むつもりでやっていました。でも、楽しかったのはおカボとならんで三味線を弾いたことです。わっと大笑いしたりすれば、小母《あば》なり女中なりにたしなめられましたが、べんべんと糸の音さえ鳴らしていれば、おしゃべりしていてもわかりませんで、それが一日の楽しみになっていました。

ところが、ある日、音をずり上げたりずり下げたりする弾き方をおカボに見てもらっていましたら、ぬっと初桃が通り庭へあらわれました。いつ帰ってきたのやら、物音もしなかったようです。

「おや、豆葉さんの妹になるとやらの子ぉやわ」と、私のことを言います。私が舞妓で店出しするまでは正式に姉妹ではあるまいというので、な、る、と、や、ら、なのでした。

「あんたを鈍なチビやと思うてたけど、いまみたいなんを見たら、おカボこそ鈍チビやいわんなんようやなあ」

おカボは三味線を膝におろしましたが、犬が尻尾を巻くようにしょげた様子でした。「やっぱし、うちが下手やさかいどっか」

初桃のほうは、その顔を見るまでもなく、怒りに燃えているのがわかりました。どうなるものやらと私は不安でいたたまれません。

「下手やなんて言うてんにゃあらへん。何ちゅうお人好しやいうこっちゃ」

「へえ、すんまへん、姐さん、ただ千代ちゃんを手伝うてやろて思うただけで――」

「何いうてんねん。そんなん、いらんわ。千代は千代でお師匠さんに習うたらええのや。あんた、大きな頭して、からっぽの瓢箪《ひょうたん》かいな」

と言うなり、初桃はおカボの口をねじり上げましたので、三味線がおカボの膝から廊下へ、さらに下の土間へと落ちました。

「ちょっと、あんたには言うとかんなんな」初桃がおカボに言います。「もう阿呆な真似せんよう、ここへ立って見張ってるさかい、はよ三味線たたみなはれ」

初桃が手を放しましたので、おカボは下へ降りて三味線を拾い、これを分解しはじめました。私に哀れっぽい目を投げまして、そのまま落ち着くのかと思いましたら、唇がわないて、さらに顔全体が地震の前触れのように揺れだします。はずした三味線を取り落とし、おカボは手を口にあてました。すでに唇が腫れかけていて、涙がぽろぽろ落ちていました。すると初桃の顔は、荒天に雲の切れ間ができたようにやわらいで、気のすんだような笑顔が私に向けられました。

「お連れやったら、ほかでさがすこっちゃ。これからおカボに言うて聞かしたる。ほしたら、あんたとは口きかんほうがええいうことがわかるやろ。そやな、おカボ」

おカボとしては首をうなずかせるしかありません。その気持ちが私にも痛いほどでした。もう二人で糸を鳴らすことはなくなりました。

＊　＊　＊

次に豆葉を訪ねたときに、そんな話をいたしました。

「ほな、初桃さんの言わはったことを、あんたも忘れんようにおしやす。向こうから口をきいたらあかんのやったら、あんたかて口きいたらあかんのえ。おカボちゃん困らすだけや。それに、あんたから聞いたことを初桃さんに知らしたらあかんいうほうが無理やろ。おカボちゃんには気の毒やけど、もう信用でけんようになったと思わなあきまへん」

そう言われたのが悲しくて、しばらくは返事もろくにできませんでした。「初桃さん姐さんと一つ屋根の下にいるいうのんは、殺される前の豚が死にとうないてもがくようなもんどす」

私はおカボのことを言ったつもりでしたが、豆葉は私のことだと思ったのでしょう。「そやろなあ。わが身を守りとおすんやったら、初桃さんを見おろすくらいの芸妓になって、追い出してやらんなんやろ」

「へえ、そやけど、あないに売れてはる芸妓さんもいてはらへんいうて、もっぱらの評判どす。あれ以上ぎょうさんお花が売れるとは思われしまへん」

「売れるとは言うてへんえ。初桃さんの上に立ついうことや。お座敷の数をこなせばええっちゅうもんやおへん。うちを見とおみ。こないな家に住まわせてもろて、女中が二人もいてますやろ。初桃さんはどうえ。お花だけやったら、うちと似たようなもんやろけど、よう新田さんを出られへん。ええか、自前になってこそ芸妓の出世やと、そないに言うてますのどっせ。ちんと着物《べべ》をそろえるか、屋形の養女におさまるか——どっちでも結果はおんなしやけど、そうならへんのやったら、一生どこぞの抱えで終わるしかあらへん。あんた、うちにある着物《べべ》いくらか見てるわなあ。ああいうのん、どないして手に入れた思う？」

「そのことどすねん。豆葉さん姐さんも、ここへ住まわはる前は、屋形の養女はんにならはったのやないやろか思うてたんどす」

「そら、うちかて屋形にいてましたえ。五年前くらいまでのことや。けど、そこの女将さんには内娘さんがいてはったさかい、ほかに養女をとるいう気はあらへなんだ」

「そやったら、あの、自分で稼がはって、そっくり着物を買わはったんどすか」

「あんなあ、千代、あんた芸妓の稼ぎが何ぼや思てますのや。着物が一式そろうっちゅうことはな、季節ごとに二枚や三枚いうのとはわけがちがうのやで。お客さんの中には、祇園でのうては夜も日もあけんいうほど、通いつめてはるお方もいてはんのや。毎夜毎晩、着たきり雀みたいな芸妓が出てきてみいな、あきれ返らはるわ」

私の頭の中はごちゃごちゃで、それが表に出ていたのでしょう、私の顔がおかしいといって豆葉がぷっと吹き出して笑いました。

「しっかりしよし、お千代さん、謎解きはこういうこっちゃ。うちの旦那《だん》はんが気前のええお人で、あらかた買うてくれはってん。それで初桃さんとの差ができたんやな。うちには好衆《ええし》の旦那はんがいてはる。もう何年も初桃さんには旦那はんがついてへんのや」

ます。

＊＊＊

私も祇園町の住人の端くれでしたから、旦那とは何かというくらい、おおよその見当はつきました。一般には奥様がご主人をいう言葉ですが、いまはどうでしょうね、昔はそんなふうにおっしゃったようです。いずれにしても芸者がいう旦那は別物でして、なにしろ芸者は奥様にはなりません。なるとしても落籍《ひか》されてからですから、もう芸者ではなくなっています。

そうですねえ、まあ、お座敷遊びをなさったあとで、それだけでは物足りないという殿方も、中にはいらっしゃいます。そうなると、たとえば宮川町あたりへ繰り込んで、気散じをなさることもありましょう。私が佐津を訪ねていった晩に見たような、ああいうお宿に汗のにおいを残してこられるわけです。さもなければ、侍らせた芸者に酔眼をお寄せになって、いくらなら一夜の揚代になるのかと小さな声でおっしゃったりもいたします。これが安っぽい枕芸者でしたら、そういうお話にもすっかり乗り気で、臨時収入に勇み立つところでしょうが、その手の女は検番に登録してあるから芸者だというだけのことで、まともな芸者といえるのかどうかは、舞、三味線、茶道の嗜《たしな》みなどをご覧になってから、お考えいただきたいものです。名を惜しむ芸者でしたら、一夜の切売りでもって顔に泥を塗るようなことはいたしません。

それはまあ、どうかした具合で、ふらっと負けてしまいたくなるような男性が出てこないとは限りませんけれども、その先の思案は、いわば隠しごとですね。芸者も人間ですから、情に溺れることだってありましょう。ただ、そこまで思いきるならば、表沙汰になったら大変だと覚悟してかからないと、看板に傷がつくかもしれません。何よりも、もし旦那のいる芸者だったら、その旦那をしくじらないよう気を遣うところです。置屋の女将さんだって鬼の顔になるでしょうね。恋の炎に身をまかすなら、そういう危ないことがあるのです。しかし、どう転んでも、小遣い銭欲しさに体を売ったりはいたしません。そのくらいのご祝儀なら、ほかに稼ぎようもございます。

というわけで、ちゃんとした芸者はひと晩いくらの売り物にはなりません。ですが、しかるべきお方が筋を通されるなら、つまり長いこと可愛がってくださるおつもりで、相応の条件をお出しいただけるならば、芸者にとってはありがたいお話でしょう。お座敷やら何やらも結構にはちがいありませんが、まとまった金額が動くとしたら、出所は旦那であるというのが祇園です。初桃のように旦那のいない芸者など、餌をくれる飼い主のない野良猫のようなものなのです。

初桃ほどの美貌を誇る芸者だったら、旦那のなり手はいくらでもいただろうと思われるかもしれません。そうだろうと私も思います。以前には旦那をとったこともあるのです。ところが、そのあとになって、どういう行き違いなのか、水木の女将さんを怒らせてしまいました。お世話になっているお茶屋さんです。それで、いま初桃はどうなっているかとお尋ねの向きがあるたびに、あきまへん、と女将さんは答えたのでした。そう言われたら、もう旦那がいるのだとお考えになりましょう。女将さんとの仲をこじらせたばっかりに、初桃は自分が一番損をしたのです。なにしろ売れっ妓であることは確かでしたから、置屋のおかあさんが喜ぶくらいには稼ぎました。しかし、旦那がいないのが弱味で、自前になって置屋を出るまでにはいたらなかったのです。旦那の口をかけてくれそうなお茶屋さんを見つけるということもできませんでした。どこの女将さんたちも、水木ほどの老舗と張り合いたくはなかったのです。

もちろん、これが普通の芸者なら、かえって困らずにすんだでしょう。うまいこと媚《こ》びを売って、お茶屋の女将さんに話を持ちかけてくれそうな男性をつかまえようとするはずです。もっとも、そういう話は立ち消えになることも少なくありません。調べてみたら金回りが悪かったという場合もありましょう。あるいは、ほんの気持ちとして高い着物の一枚くらい贈ったほうがいいと聞かされて、お客さんのほうから尻込みすることもあるでしょう。そういう何週間かの交渉がまとまりますと、芸者は姉妹の縁組と同じような固めの式を旦那さんといたします。それで続くのは半年か、もうちょっとくらいでしょうか、どうも男の方は新しいもの好きですからねえ。で、旦那さんということになりますと、芸者の借金をいくらか埋めてやったり、月々のお手当を払ったりいたします。お化粧代、ある程度のお稽古代、ひょっとすると医者代、薬代というような、そんなものもあります。これだけ散財をさせられた上に、お座敷に侍らせるとしたら、ほかのお客さんと同じで、時間に応じたお花をつけるのです。もちろん、あちらの特権はありますがね。

そういうのが普通の芸者です。しかし、最高級の芸者になりますと、あの頃で三十人か四十人はいましたが、そんなものではすみません。次から次へと旦那をとったら、かえって名折れでありまして、まあ、一生に一人か二人でしょう。そういう旦那さんは、生活費の一切を、もう登録料から、お稽古代、食費まで、そっくり受け持つばかりか、小遣いを持たせ、踊りの会のスポンサーになり、着物やら宝石やらを買ってやります。お座敷へ呼んだときは、花代としては出さなくても、それ以上のものをご祝儀で出すことになりますね。

豆葉はどこから見ても最高級でした。いえ、あとで知ったことですが、日本でも三本の指に入るという名妓だったのです。豆月という名高い芸妓さんのことはお聞き及びでしょうか。第一次大戦の直前に、時の総理大臣と浮名を流して、ちょいと世間を騒がせたという人ですが、この豆月姐さんが豆葉の姉芸妓でありました。それで、どちらにも豆の字がついています。姉の字を一つもらうのがしきたりなのです。

ああいう姉芸妓がついていたら、それだけでもう前途は開けたようなものでしたが、その上に、大正十年頃だったのでしょうか、外国向けの観光キャンペーンが張られるようになって、ポスターができあがりました。その図柄は、東寺の塔を真ん中に、桜と舞妓を配したものでして、ここで奥ゆかしくも可憐な美少女ぶりを見せていた舞妓が、豆葉だったのです。

それからの豆葉は有名になったというどころではありません。世界中の都会にポスターが貼られ、さあ、旭日の国へ、とか何とかいう宣伝文句が、英語はもちろん、ドイツ語、フランス語、ロシア語、そのほか私などの聞いたこともないような言葉にまでなって、書かれていたそうです。まだ十六歳だった豆葉は、国家元首の来日であるとか、イギリスやドイツの貴族、アメリカの大金持ちが来たような折には、必ず呼ばれるようになりました。トーマス・マンというドイツの大作家にお酌をしたこともあるらしいのですが、この先生は通訳を介して、おもしろくもない話を延々一時間ほども豆葉に聞かせたといいます。それからチャーリー・チャップリン、孫文、のちにはアーネスト・ヘミングウェイというような人もいたそうで、飲んだくれたヘミングウェイは、豆葉の白い顔にかがやく赤い唇が、雪に血を落としたようだと言ったとか——。さらに東京の歌舞伎座で、舞の会を何度も華々しく開くにおよんで、豆葉の名声はいやが上にも高まり、たいていは首相以下の貴顕紳士がご臨席だったとのこと。

この豆葉が私を妹にするという意向を明かしたときに、いま申し上げたようなことを私は全然知りませんで、また知らないからよかったのです。もし知っていたら、あまりに畏《おそ》れ多くて、豆葉の前に出ても、ただ身震いするくらいしかできなかったでしょう。

＊　＊　＊

こうして、だいたいの説明がありましてから、私がわかったらしいと見て、豆葉は言います。

「店出しがすんだら、十八くらいまでは舞妓やわなあ。もし借金返したいいうのやったら、旦那さんとらなあかんえ。ちゃんとした、ええ旦那さんや。それまでに、あんたの名前を売るようにするのんが、うちの役目なんやけど、あんたは舞の上手やいわれるように、せえだいお気張りやす。十六までに、せめて五段はもらえる舞い手になれへなんだら、うちが何ぼ手伝うたかて、どんならんと思うといやっしゃ。新田の女将さんは賭けに勝ったいうて喜ばはるやろ」

「けど、姐さん、それと舞と、どないな関係があんのどすか」

「どないもこないも大変なもんえ。えらい芸妓さんには誰がおいやすか、指折って数えとおみ。よう舞わはるお人ばっかしどっせ」

芸者の芸の中でも、とくに重んじられるのが舞です。これはと見込まれた妓でなければ、舞を看板にせよとは言われません。また伝統芸としての厚みでも、舞に匹敵するのは茶の湯くらいなものでしょうか。祇園の舞は井上流と決まっておりまして、これは能に起源があるといわれます。なにしろ能は古い時代から宮中で行われてまいりましたので、祇園の舞は川向こうの先斗町《ぽんとちょう》よりも上なのだと、こっちでは思っています。先斗町の踊りは歌舞伎に由来しますのでね。それはまあ、私だって歌舞伎は大好きでありまして、当代の名優といわれた役者さんたちとも、ずいぶんご昵懇《じっこん》にしていただきまして、ありがたいことだと思ってはおりますけれど、歌舞伎はどちらかというと歴史の浅い芸です。せいぜい江戸時代ですからねえ。それに、だいたい庶民の娯楽でありました。先斗町の踊りを祇園の井上流とくらべるのは、ちょっと無理がありましょう。

舞妓というくらいですから、誰でも舞は習いますけれど、やはり先の見込みがあって姿のいい舞妓が、三味線やら唄やらよりも、舞で身を立てるようにと言われます。ふっくらした真ん丸顔のおカボが、あれだけ三味線を練習したというのも、残念ながら、舞の道へ進むようには求められなかったからです。私だって、初桃とはちがいまして、何が何でも舞をやれと言われるほどの絶世の美女ではありませんでしたから、どんな修業でもするくらいの覚悟をお師匠さん連に見せておかなければだめだろう、と自分でも思っていました。

＊　＊　＊

ところが、初桃が一計を案じたもので、私はお稽古の出だしからさんざんな目にあいました。お師匠さんは五十がらみの人でしたが、喉元でぎゅっと皮膚が寄っていて、まるで顎の下に小さなお尻ができているようでしたから、おいどの先生などと陰では呼ばれていました。で、この先生が、徹底して初桃を嫌っていたのです。そんなことは初桃も承知していましたが、では初桃が何をしたかというと、先生のところへ行きまして――これは何年かたって先生から直《じか》にうかがったので知っているのですけれど――こんなふうに言ったのです。

「すんまへん、ひとつお願いしとおすのやけど。先生の教えといやす中に、うちが目をかけてます子がいてまして、これは見どころがあるて思うてます。ご覧になって、どうお考えにならはるやら、うちにも聞かしとくれやす。千代いいまして、そらもう、うちは可愛がってんのどっせ。とくに念を入れて仕込んでやっとくれやしたら、ほんま恩に着ますえ」

そこまで言ったら、もう充分でした。まったく初桃の思惑どおりに、先生は「とくに念を入れて」くれたのです。私は舞が下手なほうではなかったと思いますけれど、すぐに先生は私を悪い見本として引き合いに出すようになりました。たとえば、こんな朝もありました。一方の腕を体の前でさっと払って、とん、と片足を畳につくという模範が見せられ、これを生徒が一斉に真似るのでしたが、まだ心得のない悲しさで、足をつくところまでいっても、お手玉をまとめて落としたように、さみだれ式に、ぱたぱた畳に落ちました。あの中では私など上等だったと思うのですが、こっちへ歩み寄った先生は、お尻のような喉をぷるぷる震わせて、自分の脚を扇子で二度三度とたたいておいてから、すっと引き上げた扇子で、横なぐりに私の頭をはたきました。

「ええかげんな間で足をつくもんやあらへん。それに顎なんぞぷるぷる動かさんでよろし」

井上流では、顔は能面のように動かさないものとされております。それにしても、ご自分が怒って顎の下をぷるぷる動かしながら、私の顔が動いたといってお叱りとは……まあ、たたかれた私は目に涙というところでしたが、ほかの生徒がどっと笑ったりいたしまして、それでまた私が叱られて、きょうはもう罰として外へ出なさいということになりました。

あのままだったらどうなったかわかりませんけれども、ついに豆葉が乗り出して先生と面談し、裏の事情が明らかになってまいりました。もともと先生がどれだけ初桃を嫌っていたのかはともかく、一杯食わされたと知ってからは、いよいよもって憎さも憎しというところだったようで、かえって私としては、先生が罪滅ぼしのように可愛がってくださったので結構なことになりました。

＊　＊　＊

舞であれ何であれ、私が素質に恵まれていたとは申せませんでしょう。ですが、こうと決めたらやり抜くのだという、強い気持ちにはなっていたと思います。あの会長さんに出会った春の日から、どうにかして芸者になって生きる道をつかみたいと願っておりました。そのきっかけを豆葉がくれたのですから、これを無駄にしてはならないと思いつめていたのです。ただ、いざそうなってみると、お稽古はあるし、雑用はあるし、そのくせ高望みは捨てないしというわけで、半年くらいは押しつぶされそうになっていました。そのうちに、ちょっとした要領がわかってきて、かなり楽になりました。たとえば、使い走りをしながらでも、三味線の稽古ができるのです。棹をおさえる左手と、撥を持つ右手をしっかり思い浮かべ、心の中で糸のしらべを奏《かな》でておりました。そうしておけば、本物の三味線を抱いたときに、実際には一度しか弾いたことのない曲でも、だいぶ上手に弾けました。練習もしないうちに覚えたのかとお考えの人もいたようですが、じつは祇園町を行ったり来たりしながら練習していたのです。

唄を覚えるのには、また別の要領がありました。小さい頃から、耳にした唄は翌日にも案外忘れていないということがあって、なんとなくそういう質《たち》だったのでしょう。で、寝しなに唄の文句を紙に書くことにいたしました。朝起きて、まだ頭が硬くなっていないうちに、蒲団から起き出しもせず字句を読んだのです。それでまあ一応はすんだのですが、節回しのほうは、もう少しコツが要《い》りまして、目に見えるものを借りて音の調子を思い出すことにしました。垂れ下がる木の枝なら鼓の音、岩を越えて流れる川なら三味線の糸をおさえて音を上げる感じ、というようなものです。そうやって、ある風景をながめて歩くようなつもりで唄を頭に浮かべました。

しかし何といっても、難関であり、また大事なのは、舞でした。ずいぶん長いこと、いくつもコツになりそうなことを工夫したのですが、所詮は小手先の細工にすぎませんでした。すると、ある日、お茶をこぼしたら小母《あば》が読んでいた雑誌にかかってしまいまして、ひどく叱られたことがありました。たまたま私としては、小母《あば》という人には好意を向けたいような気分になっていたところでしたので、何すんねん、と言われたのが、いかにも間の悪い感じになりました。それが尾を引いて落ち込んでいたら、私と離れてどこかにいるはずの姉のことが思われました。さらには、極楽往生してくれたことを願うだけの母ですとか、娘を売って一人で余生を終えようとした父のことも――。そんな考えが頭をよぎって、体が重くなりました。二階へあがり、いまではおカボと寝起きしている部屋へ行きました。豆葉が置屋へ来訪したとき以来、おかあさんが私を二階へあげたのです。この日、私は畳に倒れて泣くよりも、すうっと胸の前へ腕をかざしておりました。どうしてだかわかりません。朝のうちに習った舞の振りでした。悲しみのこもった動きであるように思えました。ですが、同時にまた、私は会長さんのことも思い、ああいう方におすがりできたら、どんなにか幸せだろうとも思ったのです。大きく宙を漂う私の腕を見ていると、そんな悲しみや望みが、なめらかな動きにこもっているようでした。腕が悠然と動いたのです。枝を離れた木の葉というのではなくて、大海原を行く船のようだったのです。悠然、と思われましたのは、ものに動じない確かさとでも申しましょうか、風に吹かれようが、波に打たれようが動かされないという感覚でした。

あの日、体に重みを感じれば、悠然と動けるということを知りました。また、会長さんに見られているのだと念じますと、動作の一つ一つに、深々とした感慨が生ずるようで、なんだか舞の所作によって会長さんと心を通わせているような気持ちにもなれました。小首をかしげて振り返れば、「きょうは、どこへお供いたしまひょう」とお尋ねしたような気分です。腕を伸ばし、扇を広げるとしたならば、ご一緒させていただけたことにお礼申し上げているようでした。その扇を閉じたときには、お心の安らぎになるという願いにまさるものはございませんと申し上げていたのです。

十三

昭和九年の春、私の仕込みが始まってからでも二年を越えていましたが、そろそろおカボを舞妓として出そうという相談を、おかあさんと初桃がまとめました。もちろん、私などには知らされないことです。おカボは私と口をきくなと命じられているのですし、おかあさんや初桃が私にかまうはずはありません。ある日、お昼すぎにおカボが出かけていったと思ったら、夕方ごろ、髪を割れしのぶに結って帰ってきたのでわかったのです。玄関へ上がってくるおカボを見て、私は気が滅入るやら羨ましいやらで、胸が苦しくなりそうでした。私とは、ちらっと目を合わせたのかどうか、おそらくおカボも私がどういう気持ちになるかと考えないではいられなかったのだろうと思います。いままでは首のうしろで引っ詰めていた髪が、きれいに鬢《びん》をふくらませていますので、いくら童顔のままとはいえ、すっかり女らしくなっておりました。ずっと長いこと、私もおカボも、年上の娘らが結い上げた髪の美しさを見ては、憧れてきたものです。これでもうおカボは舞妓で店に出ることになり、私だけが取り残されて、どんな様子か聞くこともできないのでした。

いよいよ店出しの日になりました。初めて盛装したおカボが、初桃とお茶屋の水木へ行って、姉妹の固めの盃をかわすのです。おかあさんと小母《あば》も同行します。私は残留組ですが、おカボが女中に付き添われて二階から降りてくるまで、玄関で皆とならんで立っていました。おカボは新田の紋をつけた黒紋付に、濃紫と金色の帯を締め、生まれて初めて白塗りの化粧をしています。あれだけの指物《さしもの》で髪を飾り、くっきり赤い唇をしているのですから、もっと晴れやかに輝いてもよさそうなものなのに、何だか不安に負けているように見えました。歩くだけでも大儀そうです。たしかに舞妓の盛装というのは、動きやすいものではありません。おかあさんは小母《あば》にカメラを持たせ、おカボが初めて切り火を打ってもらうところを表の側から撮るようにと言いました。木履《おこぼ》に足をすべらすときはおカボの腕を両側から女中が支えました。そういう背の高い履物で舞妓は歩きます。おかあさんはおカボの背後へまわり、いつもなら小母《あば》か女中がやっている切り火の格好をつけました。ようやく写真が撮れまして、何歩かよたよたと足を進めたおカボが振り返ります。一緒に行く人たちも表へ出かかっていましたが、おカボが見ようとしたのは、あとに残る私でした。こうなった成り行きが心苦しいと言っている顔だったようです。

その日のうちに、もうおカボは初美代という名前でお披露目されていました。初桃くらいの芸妓からもらった字がついているのですから、さぞかしご利益があったかといいますと、結局そうはなりませんで、そんな名前がどれだけ知られたことやら、どこへ行ってもおカボと呼ばれつづけることになりました。

＊＊＊

おカボが舞妓で出たという話を、私は豆葉にしたくてたまりませんでしたが、この時期の豆葉は多忙をきわめていて、旦那さんのご意向で何度も東京へ出かけたりしていましたから、私とは半年ばかりも顔を合わせていなかったのです。さらにひと月足らずたちましたでしょうか、やっと豆葉の呼び出しがありました。訪ねていって中へ入りましたら、女中が、あっと息を呑んだのです。ほどなく奥の間から出てきた豆葉も、やはり同じようにいたしました。こちらは事情がわかりませんから、とりあえず膝をついて頭をさげ、お呼びいただきまして云々という ような挨拶をしましたのに、豆葉はどこ吹く風といったところで、

「ほんまに、こない長いことやったかいなあ、たつ美さん」と、女中に言っていました。「変われば変わるもんやわ」

「へえ、そないに言うてくれはりますか」と、たつ美も応じました。「もう、てっきり、うちの目ぇがどないかしてしもたんやないかと……」

このときは何の話だろうと思っていましたが、しばらく会わずにいた間に、どうやら私が自分でわかる以上に変わったのは確かです。豆葉は私にあっちこっちを向かせながら、「ほんに、まあ、ええ女になってくれた」と言いどおしでした。そのうちに、たつ美が両脇をあけて立つようにと言いますので、そのようにしましたら、腰のあたりを寸法でもとるようになでまわされました。「これやったら、足袋が足に合うように、ぴったり着物が合いますわ」と、たつ美

がやさしげな顔で言いますので、きっと誉められているのだろうと思いました。

　すると、豆葉がたつ美に言って、私に奥の間で着付けをさせました。私はお昼前にお稽古へ行ったままの常着だったのですが、たつ美に着せられたのは、紺地に明るい黄色と赤の御所車という絹物で、とくに上等なわけではなかったにしても、きれいな緑色の帯を締めてもらいながら、姿見に映ったところを見ましたら、これで髪を結い上げさえしたら、お座敷へ出ていく舞妓のようではないかと思いました。すっかり気をよくして、また豆葉が息を呑んだりしないかと期待しましたのに、豆葉は立ち上がり、ハンカチを袂に入れて、外へ出ようとします。若草色の草履に足をすべらせて、こちらへ振り返り、

「さあ、おいでやっしゃ」

　どこへ行こうというのか知りませんが、とにかく豆葉とならんで往来を行けるのですから、小躍りしたいくらいでした。女中が薄い鼠色の草履を出してくれました。これを履いて、豆葉のあとから暗い抜け穴のような階段を降り、表の道へ出ましたら、ある年配の女の人が歩みを遅くして、豆葉にお辞儀をし、すぐさま私のほうへも会釈したのです。なにしろ道を歩いていて挨拶されるということに不慣れですので、どうしたらいいのか勝手がわかりませんでした。いきなり明るい日なたへ出たせいで、目もくらんでいました。知っている人なのかどうかもわかりません。お辞儀を返すだけは返したら、すぐにその人はいなくなりました。あんな人がお師匠さんにいたかしらんと思っていたら、また同じことがありました。今度は舞妓でした。こちらは遠くから憧れていましたが、いままで私には目もくれなかった人です。

　歩いていくと、すれ違う誰もがといっていいくらい、豆葉に何やら話しかけたり、少なくと

もお辞儀をして通ります。ついでに私にも、ちょこっと会釈するのでした。私は返礼のつもりで足を止めるということが何度かありまして、そのたびに一歩二歩と豆葉から遅れます。それで私が困っているものですから、豆葉は人通りのない小路へ折れて、歩き方の指南を始めました。豆葉が言うには、私は体の上下を分けて動かすことができないのです。だから、お辞儀するだけで足が止まっていたのでした。「歩調を落とせば丁寧な感じになるのえ。ゆっくりするほど丁寧やわなあ。お師匠はんでも来やはったら、止まってお辞儀するくらいでもええわ。ほかの人なら、やたらに遅うせんかてかまへん。いちいち止まってたら、どこへも行かれへんえ。もし誰も来いひんのやったら、速うも遅うもせんと、小そう小そう足を運んで、裾だけが揺れるようにおしやす。女が歩くいうのんは、砂地にさざ波いう心やと思うといなはれ」

言われたように、その道で行ったり来たり練習しました。裾がさざ波になっているかどうか、足だけを見ていましたが、もうよかろうと豆葉が判断したところで、また歩きだします。

会う人ごとに見ていますと、どうやら挨拶は二通りになっているようです。若手の芸妓舞妓ですと、豆葉を見て歩みを遅くするか、足を止めるかして、丁寧に頭を下げていました。これに豆葉が声をかけてやって軽く会釈を返します。すると相手方は、私がいるものですから戸惑ったような顔をして、曖昧《あいまい》なお辞儀をしますので、それよりは深い礼を私は返しました。誰に会おうと私のほうが若輩であることは確かです。もし中年かそれ以上の人に会ったとすると、たいていは豆葉のほうから頭を下げました。その人も丁寧にお辞儀しますが、豆葉ほどには下げていません。それから私を見上げ、見おろし、ちょっとだけ頷いてみせます。私は足だけは動かしながら、できるだけ深々とお辞儀しておきました。

この日、私はおカボの店出しのことを豆葉に話しました。それからの数カ月は、そろそろ千代も舞妓におなりやす、と言われるのを待ち望んでいたのですが、春が過ぎ、夏が過ぎても、一向に豆葉はそれらしいことを言いませんでした。おカボが華やかな暮らしを始めたのに引き替え、この私はあいかわらずお稽古と雑用の毎日で、週に何回か、十五分か二十分くらいずつ豆葉に会ってもらうだけのことでした。豆葉の部屋に坐って知識をつけてもらうこともありましたが、むしろ豆葉は自分の着物から選んで私に着せ、何かの野暮用《やぼよう》とか、易者や髪屋へ行くとかの理由にかこつけて、祇園町を連れまわしました。たとえ雨が降って、出かける用もないときであっても、きれいな傘をさして、あっちの店こっちの店と顔を出しては、イタリアの香水がいつ入荷するのか尋ねたり、一週間先だとわかっている仕立て直しがもう出来ていないかと確かめたりしました。

初めのうち、私は豆葉が正しい立ち姿でも教えようとしているのかと思いました。もっと背筋を伸ばすようにと、閉じた扇で私の背中をぽんぽん打っていたくらいです。また人との応対の仕方もあります。まったく豆葉は誰とでも顔見知りであるようでした。そして、相手がどんな下っ端であろうとも、笑顔を見せたり、やさしい言葉をかけたりすることを心がけていたようです。世間の評判があればこそ、第一等の地位を得ていられるのだと承知しているのでした。ですが、ある日、本屋から出ようとしたところで、豆葉の本当の狙いに、はたと思いあたりました。べつに本屋へ来る用事はなかったのです。髪屋や文房具屋にしても同じこと。たいした用でもないし、女中を使いにやってもいいのです。わざわざ出てくるのは、私と連れ立っているところを祇園の目にふれさせようとしたからです。あえて私の店出しを遅らせて、その前に私を見せておこうというのでした。

＊＊＊

よく晴れた十月の午後でした。豆葉の家を出て、白川沿いに、川面に落ちかかる桜の葉を見ながら歩きます。考えることは同じようで、かなりの人出になっておりました。大勢いれば、それだけ豆葉が挨拶を受けることになります。そして、たいていは私までが、ついでに挨拶されました。

「あんたも、よう知られてきてますなあ」

「へえ、でも豆葉さん姐さんとご一緒させてもろたら、猿が歩いたかてお辞儀されるのとちがいますか」

「そんなめずらしいもんやったら、なおさらや。けど、ほんまの話、めずらしい色の目ぇしてはる娘は誰やろと噂になってるらしいわ。名前までは知られてへんようやけど、そんなんどうでもええこっちゃ。どうせ近いうちに千代いう名前ではのうなるのやし」

「え、姐さん、そやったら――」

「そや、八卦はんに見てもろうたんえ――。来月の三日が、あんたの店出しにはええやろて言うてはった」

私は木になったように突っ立って、お煎餅のような丸い目になりましたので、豆葉も立ち止まって、しげしげと私を見ました。私は叫んだり手をたたいたりはいたしません。うれしくて口がきけなくなっていたのです。やっとのことで頭をさげてお礼を言いました。

「あんたやったら、ええ芸妓さんにおなりやろ。けど、その目にもの言わすよう気ぃ遣《つこ》うたら、ずっと大きい人になれるえ」

「目にもの言わすて、そないなこと考えたこともあらしまへん」

「女が一番にものを言うのは目ぇどすがな。あんたの場合、とくにそうや。ほな、見せてあげるさかい、ちょっと待っといない」

豆葉は人通りのない小路に私を置くと、角を曲がって姿を消しました。ほどなく、ふらりと出てきて、目を隠すようにしながら私を行きすぎます。うっかり私を見ようものなら、あとの祟りがこわいという様子でした。

「どや、あんたが男はんやったら、どないに思う?」

「へえ、うちを避けるのに夢中で、ほかのことには頭がまわらへんいう感じどした」

「雨樋の出口でも見てるように思われへんなんだか」

「そうやったとしても、うちを避けたいからやろと思います」

「そやろ、それを言うてるのや。あれっと思うようでも横の顔やったら、男はんに伝わることは、どう間違っても一つしかおへん。けど、男はんいうもんは女の目を見るもんや。それで女が何ぞ言いたがってるらしいやないかて思わはる。ほな、もう一遍見とおみ」

また豆葉は角を回りましたが、今度あらわれたときは、目の先を地面に落として、夢うつつのような歩みを見せていました。私のそばまで来たときに、ほんの一瞬だけ私と目を合わせ、すっと脇へそらしました。それだけで私に電気が走ったようだったと申し上げねばなりません。

もし私が男だったら、いま目を伏せた女には、ひた隠しにしたい心情があって、束の間だけ、それに負けそうになったのだとでも考えたでしょう。

「うちみたいな普通の目でも、ものは言えるのどっせ」と、豆葉は言います。「あんたの目なら、何ぼ言えることやら。ここへ通りかかる人を気絶させたかて、おかしないえ」

「そんな、姐さん、そないな力があるのやったら、いままで自分で気ぃつきそうなもんどす」

「気ぃつかんほうがおかしいわ。ほな、こういうことでどうえ、歩いてはる人に流し目くれて、それで足とめさすことができたら、もう店出しやわ」

私は舞妓で出たくてたまりませんでしたから、たとえ立木をにらみ倒せと言われたとしても、やってみたことでしょう。何人か試してみるから見ていてくれるかと豆葉に言いましたら、豆葉は二つ返事です。最初にやって来たのは、骸骨《がいこつ》が着物を着て歩いているような老人でした。杖をついてよたよた足を運んでおりまして、しかも眼鏡がきたないといったらないのですから、よくあれでどこかの家にぶつからないものだと思えました。私など目に入らないでしょう。これでは仕方ないので、四条の通りへ出ますと、会社のお仕事らしい洋服の方が二人いらっしゃいました。これまた、うまくいきません。豆葉の顔を知っていたのか、そっちのほうが美人だと思っただけなのか、なにしろ豆葉を見たきりなのです。

もうだめかと思いはじめた頃、ふと目についたのが、二十ばかりの出前持ちでした。弁当箱をお盆に重ねて運んでいます。仕出屋は何軒もありましたから、昼下がりに、よく若い衆が空いた弁当箱を集めてまわっていました。たいていは、何段かに入れられる岡持を手に提げているか、自転車にくくりつけるかしていましたが、この男は、なぜかお盆にのせていたのです。

いました。

「あのお盆、落とさしとおみ」

冗談なのかどうか判断をつけかねているうちに、ついと豆葉は横丁へ折れて見えなくなって

ともかく、そうやって向こうから歩いてきます。これに豆葉は目をつけたようで、

たかが十四の小娘が、いえ、いくつの女にしてもそうですが、どういう目つきをしたところで、いっぱしの若い男に持っているものを落とさせるというのは、映画や小説ではあるまいし、できる相談ではないと思うのです。初めから無駄だとあきらめてしかるべきなのですが、あのとき私は二つのことに気づいていました。まず、すでに男のほうから腹の減った猫が鼠を見るような目を私に向けていたこと。それから、この道は祇園界隈にしてはめずらしく歩道の段差があって、男は道の真ん中を段差寄りに歩いていたことです。もし、うまく歩道へ押し上げるような形になれば、何かのはずみで取り落とさないともかぎりません。そう思って、私は視線を足元へ落とし、さっき豆葉がやった通りにすることにいたしました。ちらっと見上げて一瞬だけ男の目に合わせ、すぐにまた落とします。さらに二、三歩近づいて、もう一度やってみました。こうなると男は私に気を取られ、ぴたっと私に目を向けていましたから、お盆を持っていることを忘れていたかもしれません。ましてや足元の段差など、おろそかになっていたでしょう。ほんの間近まで来たとき、私は心持ち方向を変え、歩道へ乗り上がらないことには私とぶつかりそうだと思わせておいて、すっと男の目を見たのです。よけようとしていた男は、こちらの思惑どおり、段差に足がもつれて横倒しに転んでしまい、弁当箱が歩道に散らかったのでした。それはもう、私は笑いだしてしまいました。そうしたら、その人も笑ってくれました

ので、まあ、救われましたですねえ。弁当箱を拾うのを手伝って、ちょっと笑顔を見せましたら、私にお辞儀して先へ行きましたが、ああやって男の人に頭を下げられたのは初めてでした。

それから、始終を見ていた豆葉と、また二人連れになります。

豆葉は「こうなったら、もういつでもかまへんなあ」と言いますと、大通りを渡って、易者の先生のところへ私を連れていき、店出しまでの日取りについて吉凶を判じてもらいました。神社に詣《もう》でて決意をあらたにするとか、初めて髪を結ってもらうとかいたしまして、豆葉と私が姉妹の盃事をする運びなのです。

＊　＊　＊

その晩は、とうとう眠れませんでした。ずっと望んでいたことが、ついにかなえられるというので、もう胃袋がぐるぐる回るような気分でした。憧れの華やかな衣装に身をつつんで、お客さんのそろったお座敷へ出ていくのだと思うと、まさに手に汗握るというところです。そう考えるたびに、膝から胸のあたりまで、じんじん響くような甘美な緊張感がありました。お茶屋さんへお花に行った私が目に浮かびます。お座敷の襖をあけますと、一斉に私を向く顔があって、もちろん会長さんもいらっしゃるのです。お一人だけのお座敷を考えることもありました。洋装の背広ではなくて、くつろいだ宵のために和服を着ておいでです。流木のようになめらかな手に、お盃を持っていらっしゃるので、私としては会長さんに見られていると思いながらお酌してさしあげるのが、何よりもうれしいことであるというような……。

いまだ十四歳でありましたが、もう二度も生きている心地でした。ちょっと前に一回目のほうが終わっていまして、いまは二回目が始まろうとしているところなのです。郷里の悲報を知ってから四年ばかり。心の中の風景が様変わりしているのには、まったく驚いたものでした。たとえば、樹木まで雪に覆いつくされた冬景色でも、春が来れば見違えるようになりましょう。ただ、そういうことが心の中で生ずるとは、思ってもみませんでした。あの悲報を聞いたときの私は、いわば雪をかぶっていたのです。でも、時がたって、底冷えの寒さもゆるみ、見たこともなかったこともない景色が、雪の下から姿をあらわしたのでした。こういうことを申し上げて、おわかりいただけるかどうかわかりませんが、店出しを間近にひかえた私の心は、土の中から花が顔を出したばかりの、どういう眺めになるのかは、まだ何とも言いがたい庭園のようなものでした。私は興奮にひたりきっていました。そして、私の心という庭に、ちょうどその真ん中に、かくありたいという芸者の姿が立っていたのです。

十四

人の話を聞きますと、仕込みさんが舞妓になる直前の一週間は、芋虫が蝶になるようなものだというのです。きれいな譬《たと》え方だとは思いますが、そんなこと私に言わせれば、どうして考えついたのだろうかと不思議ですね。芋虫でしたら、ただ糸を吐いて蛹《さなぎ》になって、しばらく居眠りしていればいいのでしょう。私の場合には、あんなに疲れ果てる一週間はありませんでした。まずは舞妓の髪に結ってもらわないといけません。割れしのぶ、というような言葉は、すでに申し上げました。あの時分には、ずいぶんと髪結いさんがおられましたが、豆葉の行きつけは鰻《うなぎ》屋の二階で、ひどく混んでいました。七、八人の芸妓さんが、入りきれずに踊場まではみ出して、かしこまって待っていたくらいですから、私など二時間近くも待たされました。こう言っては何ですけれども、よごれた髪の臭いというのは、たまりませんでしたね。結い上げるのには、手間もかかれば、手間賃もかかりますから、髪結いへ行くのは週に一度くらいがせいぜいでした。ですから、行くまぎわの髪ともなりますと、香水を振りかけたってどうなるものではなかったようです。

ようやく順番が来ました。ここの髪結いは男の職人さんでしたが、まず大きな洗い場にかぶさるような格好をさせられましたので、何だか首切りの場にでもなりそうな気配でした。それから、湯を桶に入れてきて私の頭にかけ、ごしごしと石鹼でこすりだします。いやはや、本当は「こする」といったような生易しいものではありませんで、指を地肌にぐいぐい押しつけてきますから、地面に鍬《くわ》をいれているのかと思うようでした。でも、いまから考えれば、当然だったのですね。フケは芸者の大問題でして、あれほど艶《つや》消しで、せっかくの髪を台無しにするものもありません。それで、よかれと思ってやってくれているのでしょうが、こっちは地肌がひりひり痛くなってきて、しまいには泣きそうでありました。それで髪結いさんに、「涙くらい流してもかめへんで。何のための流し場や思うてんねん」と叱られる始末です。

気の利いた洒落のつもりだったのでしょう、そう言うと、あっははと笑っていました。

地肌を引っ掻く作業が一段落しますと、今度は畳に坐らされ、柘植《つげ》の櫛で梳《と》かされました。これまた力ずくですので、引っ張られないように頭をまっすぐ立てていたら、首筋が痛くなりました。どうにか櫛の通りがよくなりますと、椿油をつけて、また櫛をあてます。髪に艶が出てきました。これでもう峠は越えたのかと思いましたら、次に出てきたのが鬢付油です。蠟のような固まりでして、いくら椿油でなめらかな髪になっていて、鬢付のほうには鏝《こて》をあてて柔らかくしてあるとはいいながら、人間の髪と蠟の固まりは、そう仲のいいものではありません。若い娘がおとなしく坐って、その髪の毛に、大の男が蠟みたいなのをすり込んでいるのに、娘はベソをかきたいのも我慢するというのですから、いかに人間は文明開化しているかということで、あれが犬だったら、がぶっと嚙みついて、手が透けて見えるくらいになることでしょうねえ。

油が満遍なく行き渡りますと、前髪がうしろへ持っていかれて、そのほかの髪は針山のような形に丸くなって頭に乗りました。うしろから見ると、この丸い山が二つに割れているようですので、なるほど「割れしのぶ」というのでしょう。

こんな髪型を何年かすることになったわけですが、だいぶあとになって、さる男性に言われるまでは、まるで思いつかなかったことがございます。いま私が針山のようだと申し上げたところは、かのこという布地を髪でつつみ込むように結ってありまして、山の割れ目に布地が見えております。その模様や色はどうでもいいようですけれども、舞妓の場合には、少なくともある程度の期間は、赤い色と決まっています。ある晩、ある方がおっしゃいました――。

「おぼこい舞妓には、さっぱりわからへんやろけど、あの割れしのぶいうのんは、そら、男の気ぃそそるもんやで。たとえば舞妓のうしろから歩いたとするやろ。この妓にどんなことしよか思うて、けったいな妄想をふくらますわいな。そんでに、ひょいと目をやったら、割れ目に赤いもんが、さあっと見えとるのやわ。……そやったら考えるのは何やな」

そう言われても、とっさに思いつきませんので、そのように申し上げますと、

「よういわんわ。考えてみいな」

一瞬遅れで、はは―んと気がつきましたら顔が赤くなって、笑われました。

＊　＊　＊

置屋へ帰る道すがら、頭の地肌は、陶工の棒で引っ掻かれた粘土の気持ちがわかるくらいに

なっていましたが、その痛みもどうということはありません。商店のガラスに映る自分を見るたびに、ちょっとした女になったような、もう娘っ子ではなくて、だいぶ大人になったような心地でした。置屋では小母《あば》が鑑賞するように見て、うれしい言葉を何度もかけてくれました。おカボでさえ、いいものを見るように、私をひと回りしないではいられませんでしたが、もし初桃に知れたら大変です。では、おかあさんはどうしたかといいますと、よく見ようと背伸びしたのですけれども、私のほうが背が高くなっていましたので、たいして見えなかったはずなのですが、やっぱり初桃が行く髪結いへ行かせればよかったと、ぶつくさ言っていました。

舞妓の髪を結うと、その当座は得意になって喜びますが、ほんの三日か四日もすれば、いやになって音《ね》を上げるものです。髪結いへ行って、くたびれて帰ってきて、ちょっと昼寝のつもりで、きのうの晩と同じように枕に頭をのせますと、髪がつぶれてしまいます。起き抜けにまた髪結いへ行かなければなりません。そんなわけで、初めて髪を結った舞妓は、まず眠り方を覚えるのです。もう普通の枕は使わずに、高枕にいたします。これは申し上げたことがありますね。いうなれば首根っこをのせる台でして、たいていは籾殻《もみがら》の詰め物をあててありますが、石の上に頭をのせるのと、たいして違いはありません。これを使って蒲団に寝て、結った髪は宙に浮いていますから、もう大丈夫と思って眠るのですけれども、目覚めてみれば、頭が畳の上へずれていて、せっかくの高枕が何にもならずに、髪型がつぶれているということになります。私の場合、そうならなくする訓練で、小母《あば》が米糠《こめぬか》の盆をすぐ枕元に置きました。いくらか頭が下がっても、鬢付油で固めた髪に粉がくっついてしまいます。この特訓で苦しむおカボを見ていたものですが、今度は私の番でした。しばらくは朝起きたら髪が粉だらけで、またしても必死の我慢をするために髪結いで順番待ちというはめになったのです。

＊　＊　＊

店出し前の一週間は、午後になると小母《あば》が私に舞妓の盛装をさせました。体を慣らさないといけないというので、置屋の通り庭を行ったり来たりさせられたのです。やってみると歩くのさえ覚束なくて、うしろへひっくり返るのではないかと思いました。だいたい若い妓のほうが、お姐さん連よりも、きらびやかな装いをいたします。着物の仕立てが派手ですし、帯も長くなっていますね。一人前の姐さんの帯は、いわゆるお太鼓の結び方で、きりっと締まった箱形の感じがします。そう長い帯でなくても結べます。でも、二十くらいまでの若い妓は、もっと華やかに結びまして、とくに舞妓でしたら、これぞ豪華絢爛というところで、だらりの帯であります。ほとんど肩甲骨《けんこうこつ》くらいの高さに結んで、地面のちょっと上まで垂らしています。どんな彩《いろど》りの着物であっても、なお帯のほうが目立ちやすいものですね。道を歩いていて、すぐ前に舞妓がいるといたしましょうか。うしろ姿で目につくのは、着物ではなくて、色鮮やかなだらりの帯です。着物は肩の線から両脇にかけて見えている程度です。で、こうなるためには、えらく長い帯でないといけません。伸ばしたら座敷の端から端まで届きますね。ただ、扱いにくいのは長さよりも重さです。絹を厚く織り出した帯地のせいで、二階へ運び上げるだけでも大変なのですから、これを体に巻いたときのことをお考えください。幅の広い帯が大蛇のように巻きついています。しかも重い生地がうしろへ垂れていて、背嚢《はいのう》でも背負わされたような気分です。

さらには着物まで重いのですからね。長い振袖がついています。いえ、長い袖といったって、だぶだぶの袖口が地面に届くというのではありませんよ。着物の女が腕を上げますと、その下側に大きな袂がついていますでしょう。この振袖が、舞妓の衣装では、とくに長いのです。うっかりしていると、本当に地面に引きずりそうになります。舞うときにも、ぐるぐると腕にからめるのでもないかぎり、袖を踏んでつまずくかもしれません。

ずっと後年の話ですが、ある高名な京大の理科の先生が、ご酩酊《めいてい》の宵に、舞妓の衣装についておっしゃったことを、いまでも覚えています。「中央アフリカに、マンドリルという狒狒《ひひ》がいてね、霊長類の中では最も派手な動物ということになっている。だが、色彩をいうなら、最も派手な霊長類は、祇園の舞妓だというのが、僕の説だ」

＊　＊　＊

さて、いよいよ豆葉と私が姉妹の固めをする式の当日になりました。早めに沐浴して、午前中いっぱい支度の時間にあてました。お化粧や髪の具合を、小母《あば》が見てくれます。顔一面に油と白粉を塗りましたから、顔の感覚がなくなったような、へんな感じがいたしました。頬にふれても、何となく指先で押しているのがわかるというだけです。つんつん突いていましたので、小母《あば》が塗り具合を直さないといけなくなりました。そのあと、じっと鏡を見ましたら、おかしなことが起こりました。鏡台の前に坐っているのが私であるのはわかっていますが、鏡の中に坐っているのは見たこともない娘で、こっちを見つめ返しています。つい手を出して、その娘にさわってみました。芸者の化粧をしています。真っ白な顔に、赤い花が咲いたような唇でした。ほんのり頬紅をつけています。髪には鼈甲の簪、身にまとうのは新田の紋をつけた黒紋付でした。どうにか立ち上がって、廊下へ出て、姿見に映った自分の姿に、また驚きました。裾から腰の下あたりまで、龍の刺繡がくねっています。たてがみには光沢のある赤い糸を織り込み、爪と歯が銀糸で、目が金糸でした。本物の金です。あふれそうな涙を止められず、仕方なしに天井を向いて、涙を頬に落とさないようにいたしました。置屋を出るときは、会長さんにいただいたハンカチを帯にはさんでおきました。これがお守りのつもりです。

小母《あば》が付き添ってくれて豆葉の家へまいりました。あらためて豆葉に礼を言い、姉として敬《うやま》うことを誓います。それから三人で八坂神社へ詣でて、豆葉とそろってかしわ手を打ち、姉妹になりますという報告を神前にいたします。私はご加護を祈るとともに、目を閉じて、芸者にさせてくださいという三年半前のお願いを聞き届けてくださったことに感謝いたしました。

盃事は一力亭《いちりき》で行うことになっていました。一力といえば日本中にその名も高い、とびきり由緒あるお茶屋さんです。元禄の頃に、ここへ身をひそめたお侍が有名であるせいもありますね。忠臣蔵なんていうものをお聞きになったことがあれば、あの大石内蔵助ですよ。一力茶屋を隠れ家に、仇討《あだう》ちの秘策を練ったというのです。祇園で一流どころのお茶屋さんは、入口だけ道路に出して、あとは引っ込んでいるものですが、この一力はリンゴの木に実ったリンゴのように、よく目立ちます。四条通の角地に、でんと構えていて、瓦屋根をつけた紅殼色の塀をめぐらしてあります。お城のようにも見えました。

豆葉の妹分が二人と、新田のおかあさんも、ここへやって来ました。一力の庭で勢揃いしますと、仲居の案内で、玄関を抜け、磨きぬかれた廊下を伝っていって、奥まった小座敷に着きました。こんなに格調のある世界は初めてです。建具の木材まで底光りするようで、壁がまた、なめらかなことといったらありません。ふと焦げたような香《かぐわ》しさがあると思いました。黒焼です。これは一種の香料でありまして、木炭をやわらかい粉にしたようなものですが、とうに時代がかった代物で、あれだけ昔気質《かたぎ》の芸妓だった豆葉でさえ、洋風の香水を使っていたくらいですけれども、はるか昔の芸者たちが、じっくり時間をかけて、一力に移り香を残していたというわけです。いまでも私は少し持っていますよ。印籠に入れてありましてね、その匂いをかぐと、あの世界に戻ったような気がいたします。

一力の女将さんも同席してくださいましたが、儀式そのものは十分ばかりで終わりました。盃をのせた盆が運ばれてまいりまして、豆葉と私が口をつけます。まず豆葉が三度口をつけて、その盃が私にまわってきますので、私も三度いただきました。これを三つの盃でもって行いますと、いわゆる三々九度になります。これでもう私は千代でなくなったのです。さゆり、という名の駆け出し芸者でした。最初の一カ月は、ただの半人前ということで、姉芸妓の付添いもなしにお座敷へは出ませんでしたし、そもそも見習うほかには、たいした仕事もありません。

私の名前については、豆葉がじっくり易者と相談して考えたようです。音の響きだけではなくて、字で書いたときの意味や画数も大事なのです。漢字ですと佐酉理になるのですが、トリの字を使ったのは、そのほうが私の場合は釣り合いがとれるのだといいます。残念ながら、豆何々という名前では、どうも思わしくないと判断されたのでした。

いい名前だと思いましたが、千代でなくなるというのはおかしなものでした。盃のあと、別室でお赤飯をいただいたとき、へんに落ち着かなくて、お祝い気分にもなれずに、やっと箸をつけていると、女将さんに何か尋ねられ、さゆりさん、と呼ばれたもので、自分のとまどいがわかったように思いました。池で泳いでから、ふらついた家まで裸足で駆けていった、あの千代という子は、この世にいなくなったらしいのです。顔を白く塗って、唇に紅をさしたさゆりという女が、すでに千代を消していたのでした。

午後になったら私のお披露目に歩こうと豆葉は考えていました。お茶屋さんに挨拶してまわり、関わりのある置屋にも顔を出しておこうというのです。でも、お昼を食べてすぐに出発したのではなくて、また別の部屋へ坐らされました。もちろん、着物姿の芸者がべったり坐るということはないのでして、世間なみにいえば膝をつくという程度です。とにかく私が坐りますと、豆葉は渋い顔をして、もう一度やってみるようにと言います。衣装のせいで思うようには動けず、ちゃんと坐れるまでには何度かやり直さないとだめでした。豆葉は瓢箪形の小物を私にくれて、帯に揺らしてつけることを教えました。瓢箪は中が空っぽで軽いものですから、体の重みを打ち消してくれるのだそうです。要領の悪い出たての舞妓が、転ばないおまじないにする例が少なくないとか。

しばらく話をして、それでは出ようかというときに、豆葉はお茶をついでくれと言いました。急須にお湯はありませんでしたが、真似だけすればいいとのことです。振袖をどう始末するか見ようというのでした。目をつけられるところは心得ているつもりで、念入りにやってのけたはずなのに、豆葉はいい顔をしません。

「まず、あんた、誰の茶碗についでますのえ？」

「姐さんのどす」

「何言うといやす。うちの前でかっこつけてどないしやはる。うちやのうて、ほかの人や思わな。男か、女か？」

「男はんどす」

「ほな、もう一遍」

また真似だけいたしますと、豆葉は筋をちがえそうなほどに首を曲げて、私が腕を伸ばす袖口から奥をのぞこうといたしました。

「どない思う？　いまみたいに腕を高うしたら、のぞかれたかて仕方あらへんやろ」

それではと今度は腕を下げぎみにしましたら、豆葉はあくびをする芝居で、そばにいるという設定の芸妓とおしゃべりを始めました。

それで私は、「うちには色気も何もおへんと言わはるのどっしゃろけど――。お茶をついだだけで退屈しやはるもんどっしゃろか」

「何ぼ袖をのぞかれとうないうたかて、どこぞのお嬢様やあらへんのやし、男はんの考えたはることは一つだけやと思うといやす。じっきにわかるはずやけど、とりあえずの心がけとしては、ちょっと肌を見せてもろた、目の保養させてもろた、と男はんに思われるようおしやす。舞妓にお茶つがせて、それが女中と変わらんようでは、こらあかんと思わはるだけどす。やり直し。その前に、腕を見せとおみ」

そこで肘まで腕まくりいたしますと、豆葉は上から見たり裏返したりしておいて、

「きれいな腕や。ええ肌してはる。そばに坐ったはる人に、一遍ずつは見せたげるようおしやす」

こうして何度もお茶をつぐ真似をさせられて、ようやく邪魔にならないように袖を引いているだけのような、わざとらしくない具合に腕を見せられるようになって、豆葉も納得いたしました。もちろん腕まくりになってしまってはお笑いぐさで、さりげなく袖口を押さえながら、指の幅で何本かという程度にだけ、手首から上を見せるのでした。私の腕は下からの眺めがよいというのが豆葉の見解でして、急須を持つときは、腕の裏側をちらつかせるようにとのことでした。

すると今度は、一力の女将さんにお茶を差し上げるつもりでやらされました。いまの通りに腕を見せたら、すぐに豆葉は顔をしかめて、

「何やってますのん。女を相手に、そないに見せるいうのは、怒らそうとしとぃやすのか」

「怒らす？」

「そや、ほかに何があんのえ？　だいぶ古うなったお人に、若い女ぶりを見せつけてんのやさかいなあ。えげつないことしよと思うてんにゃったら別として――」

「えげつないて、そんな……」

「あないに腕を見せたら、そうとしか思われしまへんやないか。足の裏でも太股《ふとぼん》でも見せつけたら一緒や。偶然ちょこっと見えたのやったら、かましまへんやろ。けど、わざと見せるいうのんは、なあ」

また何度かやり直して、さっきよりも品のいい手つきを覚えますと、それでは出ていこうと

豆葉が言いました。

舞妓の盛装につつみ込まれてから、もう何時間かたっていましたのに、これから木履《おこぼ》を履いて祇園町を歩きまわろうというのです。えらく厚みのあるものでして、きれいな鼻緒がついています。鼻緒の先から地面へ向けて、くさび形のように削れていますので、地面に足跡をつける面積は、半分くらいにしかなりませんでしょう。これが粋であるということになっているようですが、こんなものを履いて可愛らしく歩くのは、なかなか大変でありました。足の裏に屋根瓦でもくくりつけたような気分でしたね。

ともかく置屋とお茶屋で二十軒ばかりも歩いたでしょうか。たいていは顔を出したという程度で、まず女中が出ますと、豆葉が丁寧な口をきいて、女将さんに会わせてもらいます。女将さんが顔を出すと、豆葉が「今度出ましたさゆりどす」と言いますので、私も「よろしゅうおたの申します」と頭を低くいたしました。女将さんと豆葉が親しげに二言三言かわして、そこはもう終わりです。何度か、中でお茶でもと言われて、五分ばかり寄せてもらいましたが、私はお茶を飲みたいとはさらさら思いませんで、口を濡らす程度にしておきました。衣装をつけたまま手洗いの用をすますというのは、たいした高等技術なのでありまして、まだまだ私は会《え》得《とく》したといえたものではなかったのです。

それやこれやで、一時間もすると、くたびれ果ててしまいました。ただ歩いているだけでも、ひいこら弱音を吐くまいとするのがやっとでしたが、のんびりしているわけにはいきません。あの時分ですと、一流どころのお茶屋さんだけでも、三十軒から四十軒はございましたでしょうか。いくらか格の落ちるところが、さらに百軒ばかりでした。もちろん、しらみ潰しというわけにはいきません。よく豆葉がお座敷をつとめる十五、六軒ほどです。置屋のほうは、それこそ数知れずあったのでしょうが、豆葉と縁のある何軒かに挨拶しただけでした。

やっと終わったのが三時を少しまわった頃でした。もう私は置屋へ帰って欲も得もなく眠りこけてしまいたい気分でしたが、今晩すぐにでも初めてのお座敷へ出そうというのが、豆葉の考えでありました。

「ひと風呂浴びといない」と、豆葉は言います。「えろう汗かいて、お化粧くずれてますえ」

あたたかい秋の日でした。まったく大汗かいておりました。

＊　＊　＊

置屋へ戻ると、衣装を脱ぐのに手を貸してくれた小母《あば》が、いじらしいと言って、三十分ほど寝かせてくれました。私が逃げだそうと馬鹿な真似をしたのも昔のことで、これからはおカボよりも有望だというわけですから、また私は小母《あば》に可愛がられていたのです。起こしてもらいますと、銭湯へ飛んでいきました。五時には着付けと化粧をすませております。お祭しではありましょうが、いざ出陣を前にして、すっかり高ぶっていました。ずっと長いこと初桃を見てきましたし、この頃はおカボでさえも、夕方になると、きれいになって出かけていくのです。いよいよ私の番なのでした。初めて出ることになったのは、関西国際ホテルというところでの宴会でした。こういうのは肩肘張ったような催しです。畳敷きの大広間で、ぐるりとコの字形にお客様がならんでおられまして、お料理が銘々のお膳にのっています。その真ん中を――といいますのは、お膳に囲まれたコの字の中ですけれども、そこを芸者が動いて接待にあたります。お一人ずつの前で膝をついて、お酌して、ちょっと愛想のいいことを言って、すぐ次の方へというわけですが、そう心の弾むひとときではありません。しかも半人前の分際では、なおさら端役のようなものでして、豆葉の横にくっついて影みたいになっていました。豆葉が名乗るたびに、そのあとから私もお辞儀して、さゆりどす、出たばっかりどす、どうぞご贔屓に、と付け足したものです。それで言うことはなくなって、また誰からも何とも言われませんでした。

お開きも近くなって、一方の襖が開け放たれ、豆葉がもう一人の芸者と「千代の友」と題する舞を披露しました。心の友というべき二人の女が、長く別れていたのちに再会するという、情趣のある演目です。ただ、大方のお客さんは、つま楊枝で歯を突っついておられました。ゴム弁だか何だか、そんなような部品を作っている大会社の偉い人たちだそうで、年に一度の宴会で京都へ来ていたのでした。あの様子では、誰一人として、舞の動きやら夢遊病やらもおわかりにはなりませんでしたでしょう。でも私は陶然としておりました。舞には小道具として扇を使うものですが、豆葉は練達の芸を見せていて、まずは扇を閉じ、一回転しながら手首の動きで扇を揺らして、水の流れといたしました。それから扇を開けば盃でして、ここへ二人目の舞い手が酒をつぐ形になります。情趣のある舞だと申し上げましたが、音曲もまたそうなのです。小さくて潤んだような目をした、えらく痩せぎすな地方《じかた》芸者が三味線を弾いていました。

あらたまった宴会は、だいたい二時間もあれば終わります。八時には豆葉とならんで道を歩いておりました。これでもう今夜は、おおきに、おやすみやす、と言えばいいのだろうと思いましたら、豆葉のほうから口を切って、「そやな、そろそろ帰らしたげてもええと思うたけど、まだ元気そうやさかい、連れていこか。後口《あとくち》で小森屋さんに知らしてもろてるのや。内輪のお座敷いうもんも見せといたげるわ。あんたのお披露目にもなるし、善は急げや」

しんどうて、もう堪忍どす、などと言えたものではありません。本音をぐっと呑み込んで、豆葉について行きました。

道々聞かされたところですと、これから行くのは東京の大劇場を取りしきっている先生のお座敷だそうです。およそ日本中の花街でおもだった芸者を知っている方であるとかで、豆葉から私を紹介すれば、たぶんご機嫌であろうけれども、口は重い人だと思っていたほうがよいとのことでした。とにかく可愛らしく、しゃきっとしていれば、私の役目は足りるらしいのです。「ま、鈍《どん》くさそうに見えることだけはせんといとくれやす、ええな」と、釘をさされました。

お茶屋に着きますと、二階へ行とくれやすと仲居に言われました。豆葉が膝をついて襖をあけましたが、私はろくに中を見ることもできません。七、八人いらっしゃるのはわかりました。座卓のまわりへ座蒲団を敷いて坐り、芸者も四人はいたでしょうか。豆葉と一緒にお辞儀をして、中へ入り、また畳に膝をついて襖をしめる、というのは芸者のお決まりの入り方です。あらかじめ豆葉に言われていたように、まず先着の芸者に声をかけてから、上座にいる主客へ、ほかの客へと挨拶いたします。

「豆葉さん」と、ある芸者が言いました。「ええとこへ来やはった。髪屋の近田はんの話、聞かしとくれやすな」

「ひゃあ、いやや、覚えてしまへんわ」と豆葉が言うと、どっと笑い声があがりました。どういう冗談なのか、私にはわかりません。豆葉に連れられ、上座の客のほうへ行きまして、ちょっと脇の位置につきます。

「先生、今度出ました妹どす。どうぞよろしゅうに」と、豆葉が言いました。

これが合図になりまして、私が頭を下げ、名前を言って、ご贔屓にとか、おたの申しますとか、そんなようなことを口にしました。この先生は何だか気難しそうで、出目金のような目をして、鶏のガラのように折れそうな感じです。私には見向きもせず、あふれんばかりの灰皿に紙巻きの灰を落として、

「その近田さんとやらの話は何だね。さっきから女どもが言いづめで、そのくせ教えてはくれんのだよ」

「ほんまに、もう知りまへんえ」

「知らんいうのんは——」と、言いだす芸者がありました。「恥ずかしゅうて言われへんのどっしゃろ。ほんなら、うちが言うたげまひょか」

これを男たちが面白がったようで、豆葉は一人ため息をついていました。

「とりあえず豆葉の心を静めてやろうじゃないか。まあ、一つ」と言うと、劇場の先生は杯洗で盃をすすぎ、豆葉に持たせました。

「そいで、その近田さんいわはる人は——」と、いまの芸者が続きを言います。「祇園でも髪つくらはったら右に出るもんがおへんと、まあ、そないに言われてはるお人どす。もう何年も、豆葉さんご用達《ようたし》の髪屋さんどっせ。そら、豆葉さんいうたら、何でも一番ええもん持ったはるさかい。ほら、見ただけでわかりまっしゃろ」

豆葉はふくれっ面をしてみせました。

「すごんでみせる顔も一番じゃないか」と、ある男が言います。

「踊りの会やらいうときは」と、芸者が先を言いました。「髷屋さんが楽屋にいてはって、衣装替えを見てはるもんどす。脱いだり着たりするのどすさかい、何やしら、ずれて落ちるもんもありますわ。ほいでに、ポロっと見えたりしまっしゃろ……まあるい胸やら、ちょろっと毛ぇやら。へえ、そんなんかてあんのどっせ——」

「……さんざん銀行屋をやってきたが」と言う男がいました。「いまから髷屋になりたいね」

「へえ、裸を見るいうだけの話とも違いまっせ。でも、なんせ豆葉さんときたらお上品どすさかい、屏風の陰に隠れて着替えしやはるのどす——」

「ちょっと待っとくれやす」と、豆葉が口をはさみました。「黙って聞いてたら、うちが悪者にされそうや。お上品とはちゃうんどす。あれは近田さんが、次の着替えを待ちきれんいう顔しやはって、じいっと見てはるばっかりどしたさかい、屏風を使わせてもろたんどす。穴のあくほど見てはって、よう屏風に焼けこげができひんかった思いますわ」

「ちょっとくらい見せてやればいいじゃないか」と、先生が言いました。「それっぱかりのいい思いをさせたって罰はあたらんぞ」

「へえ、ほんに、そうどすなあ、先生。うちが迂闊《うかつ》どした。ちょっとくらい罰あたりまへんわ。ほな、先生が見せとくれやすか？」

これで一座がどっと沸きました。ひとしきり笑って、おさまりかけた頃合いに、この先生だけはおさまらず、立ち上がって、帯をほどきだしました。

「ようし、おまえからの見返りもあるという条件で、そうしようじゃないか」

「そんなこと、先生、うち言うてしまへんえ」

「おいおい、出し惜しみしたらいかんな」

「へえへ、気前がええなら芸妓になってしまへん。芸妓の旦那になります」

「そうか、じゃあ、仕方ないな」と、先生は腰をおろしました。まあ、私としては、終わってくれて安堵いたしましたですね。おおいに盛り上がっているらしいお座敷で、私だけがどぎまぎしていたのですから。

「どこまでお話ししましたやろ」と、豆葉が言いました。「そや、屛風どすわ。あれを持ってきてもろて、これやったらもう安心と思うたんどすけど、あるときお手洗いに立ちまして、いそいで戻ったら、近田はんがどこにもいてはらしまへん。次の出番に鬘かぶしてもらわんなりまへんし、そらもうあわてますわ。ほしたら、衣装箱に坐って、壁のほう向いてはるんどす。何や、息も絶えだえいうようになって、冷や汗かいてはりますねん。心臓でもどないかしやはったんか思いました。そばに鬘おいてはって、うちに気ぃつかはると、すんまへん言いながら、頭にのせてくれはりましてん。ほんで、その日のうちに、何やら紙に書いたもんを渡されましたんどす……」

ここで豆葉の声が消え入りそうになったもので、ある男が、「それで？　何と書いてあった？」

豆葉は目の前に手をかざし、もう言えないという風情でしたから、また笑いの渦になります。

「そやったら、うちから申し上げまひょ」と、さっき口火を切った芸者が、話を引き取りました。「――豆葉さんは文句なしに祇園一の美人だす、なんていうような調子どすわ。――お使いにならはった鬘は私の宝物で、いつも手元に置いて、日に何度も顔を埋めては、御髪《おぐし》の匂いをかがせてもろてます。きょうは手洗いに行かはって、今生で一度の思いをさせてくれはりました。じつは便所の戸の傍《ねき》に隠れとりますと、滝の水音よりもうるわしい流れに――」

わっと男たちが笑いましたので、いくらか間を置いた芸者は、

「――滝の水音よりもうるわしい流れに、この私の水音をたてるところがカチカチにこわばって――」

「そら、ちゃいますわ」と、豆葉が訂正いたします。「――滝の水音よりもうるわしい流れに、ああ、中では丸出しやと思うたら、むっくりふくらんで……」

「そのあとは、こうどすにゃ」と、芸者が言いました。「あっちが立ってしもうて、足で立ち上がるわけにもいかしまへなんだ。いずれまた、よろしゅう願います、となあ」

また大笑いだったのはもちろんです。私も笑う真似だけいたしましたが、本当のところは、この男の人たちが、きれいに着飾った女を侍らせ、安くはない金を払った上で、こんなような話を聞きたいものだろうかと信じられない思いをしていたのです。鎧戸の池に集まる子供らと大差ない話だったのではないでしょうか。ここへ来るまでは、文芸とか歌舞伎とか、私の素養では追いつかない話がなされると予想していたのでして――いえ、そういうお座敷だってありますけれども、たまたま私が初めて出ていったのが、いまのような子供じみた趣味で行われていたのでした。

この話の間中、すぐそばで染みだらけの顔をこすり、私など眼中になさそうだった人が、じ

いっと見つめてきてから言いました。「その目ぇ、どないなってんにゃ。わしゃあ飲みすぎたんかいな」

たしかに、そうと口には出せませんが、だいぶ聞こし召しておられました。すると、私が返事をするまでもなく、この人は眉をひくつかせたと思うと、手を頭にやって、ぽりぽりと掻きましたので、肩に雪が舞ったようになりました。あとで聞きましたら、フケ症のせいで「吹雪はん」と称されているお客さんだったようです。たったいま私に訊いたことを忘れたのか、もともと答えを待つ気がなかったのか、今度は年齢を知りたがりました。十四と答えます。

「大人びた十四やな。ほな、ひとつ行こか」と、からになったご自分の盃を寄こします。

「へえ、旦那はん、おおきに。まだ出たばっかりどっさかい……」と、豆葉に言われていたように断ろうとしたのですが、吹雪はんは聞く耳を持たず、いつまでも盃を宙に浮かしていますので、やむなく私が手にしますと、お銚子を突きつけてまいりました。

私は飲んではいけないことになっていました。舞妓というものは、とくに出たばかりの若い舞妓でしたら、子供っぽい可愛らしさが売り物ですから、あまりお酒は似合いません。それでも、ああまで勧められては断りきれずに、お盃を差し出したのですが、お銚子が傾けられるより前に、また掻いた頭から、はらはらと落ちるものがあったのですから、気色の悪いことといったらありません。そこへ酒をついだ吹雪はんが、「ようし、ぐーっとやってくれ。まだまだ何杯も行くぜ」

どうしていいやらわかりませんから、仕方なしの作り笑いで、そうっと口に運んでいきましたら、地獄に仏、豆葉の助け船が出ました。

「さゆりさん、あんた、出た日にお酒いただいて、どないしますのえ」と、お客様のためにならないという言い方をしたのでした。「口つけるだけにおしやす」

それで、言われたとおりにいたしました。つまり、口の筋肉がおかしくなりそうなほどに、唇をぎゅうっと合わせまして、お酒が来たなと思うくらいまで盃を傾けたということです。それから、いそいでお膳に盃を置いて、おいしおす、とか何とか言いながら、帯にはさんだハンカチに手を伸ばしました。それを口にあてたら、すうっと気持ちが落ち着きましたが、ありがたいことに、吹雪はんは酒の減っていない盃を見ているだけでして、ひょいと二本の指でつまんだ盃から、ご自分の喉へ落としてしまうと、やおら立ち上がり、ちょっと小便へ、と言われました。

お客さんが中座されるときは、舞妓が行き帰りのご案内をするものですが、あまり新参者のお役目とは思われません。適当な舞妓がいなければ、お一人で立って行かれるか、芸妓がお供することもありましょう。ところが、吹雪はんは私を見おろして立っておられるのですから、おまえが来いというおつもりのようでした。

小森屋さんのお手洗いがどこなのか、私が知るはずはないのですが、吹雪はんのほうで心得たものでした。廊下をついていって、角を一つ曲がります。ちょっと脇へお立ちになりますので、私が戸をあけてさしあげました。その戸をしめまして、廊下で待っていましたら、一階からあがってくる足音がしましたが、そのときは気にも留めませんでした。ほどなく吹雪はんの用がすんで、またお座敷へ戻りましたら、芸妓が一人増えているようでしたが、連れてきた舞妓ともども、うしろ向きになっていましたから、吹雪はんと座卓をまわって元の位置に坐るまで、その顔がわかりませんでした。私の衝撃がいかばかりだったかお察しいただけますでしょう。卓の向こうにいたのは、なんとしてでも避けておきたかった女です。初桃が私に笑顔を見せて坐っていました。その横にはおカボもいたのです。

十五

初桃も人の子で、うれしいときには笑うのでしたが、では何がうれしいかといって、他人を苦しませるのが一番だったのですから、あの美しい笑みを浮かべて、こう言ったものです。

「ひゃあ、これはまた、何ちゅう偶然どすのやろ。出たての舞妓はんがいてはるわ。そやったら、この話やめとかんと、かわいそうなことにならしまへんやろか」

うまいこと豆葉が取りつくろって席をはずせるようにしてくれないかと思いましたが、その豆葉も心配げな目を私に向けただけでした。おそらく、この場を初桃にまかせたら、火のついた家から逃げ出すようなもので、むしろ踏みとどまって被害を食い止めたほうがいいと考えたのでしょう。

「ほんに、出たてのときほど、たんと苦労することもおへんなあ」と、初桃が言っています。「おカボも、そう思うやろ？」

いまではおカボも舞妓になりきっていました。私のような立場だったのは半年前のことです。わかってくれるかと思って見やりますと、ただ手を膝にそろえて卓上に目を落としていました。おカボのことですから、鼻に小さく皺を寄せているらしいのは、どうしていいかわからない証拠でしょう。

「へえ、姐さん」とだけ言っていました。

「出たてはつらいもんや」と、初桃が言います。「うちかて忘れられしまへんえ。つろおした。……お名前は？」

ここで豆葉が口をきいてくれたので、私は答えずにすみました。

「そうどんなあ、出たてがつらいいうのんは、初桃さんの言わはるとおりどすわ。その初桃さんかて人一倍まごついたはったのやし」

「おい、話が中途になってるぞ」と、あるお客さんが言いました。

「けど、全部言うたら、いま来やはった舞妓はんに、あてつけがましゅうなりますす」と、初桃は言います。「この妓やのうて、ほかの誰かの話やと思うて聞いとくれやすのなら、よろしおす。——約束どすえ」

よく悪知恵がまわるものです。さっきまで私の話とは思われていなかったでしょうに、これで事実上そういうことにされてしまいました。

「——ええと、いまの続きで……出たての舞妓はんどしたな、名前を何ていうたのやら、この舞妓はんとごっちゃにされたらかないまへんさかい、名前をつけときまひょか。おうちは何とおいいやす？」

「さゆりどす」私は緊張した顔が熱いくらいでしたから、お化粧が溶けて膝にぽとぽと落ちてもおかしくなかったでしょう。

「ほ、可愛《かい》らし名前や。何やしら似合うてへんような。まあ、ええわ、話の中の舞妓はんは、まゆり、いうことにいたしまひょ。――ある日、まゆりさんの姐さんの屋形に用がおして、うちと二人、四条の通りを歩いてましてん。えろう風が吹いて、窓が揺れるような日ぃどした。まゆりさんは着物に慣れてしまへん。葉っぱみたいに軽い妓どすさかい、振袖が帆のようになりまっしゃろ、通りを渡ろうとしたとこで、いてへんのどす。うしろのほうで、ああっ、という声がしたような、何や細い声で……」

ここで初桃は私を向いて、

「うちの声ではあきまへん。もっと高うに……。ちょっと、やってみとくれやす」

こうなると逃げようがなくて、ああ、ああっ、と悲鳴をあげてみせるしかありませんでした。

「もっと高おしたけど……まあ、よろし」初桃はすぐ横の男に顔を向け、声をひそめて「あんまり出来のええ妓やあらしまへんな」と言うと、いくらか首を振って先を言いました。「うしろを見たら、ずうっと向こうまでまゆりさんが飛ばされて、ひっくり返った虫みたいに、手足をばたつかせてはんのどす。おかしゅうて、もう帯がほどけそうに笑うてしもたんどすけど、いきなり転げはって、交差点へ出ていかはりますやおへんか。そこへ車がびゅーっと走ってきて、また飛ばされたまゆりさんが、車の鼻先へ乗り上がって、足を突き出して……へえ、考えてみとくれやす、風が着物の下から吹き上げて……もう言わんかてよろしおすやろ」

「よろしくないぞ」と、ある男が言いました。

「そうかて、ようわかりまっしゃろ？　風が吹き上げて、ふわあっと腰まで煽られて、そんなとこ人目にさらしとうないいうわけで、せめてもの嗜《たしな》みとして、くるっと回ったら、足が突っ張ったように広がって、運転席の窓ガラスに、へばりつきましてん」

もちろん、お座敷は大爆笑になっていました。劇場の先生などは、盃をお膳に打ちあてて機関銃のようにしていました。「どうして俺は、その運転手のような目にあわんのかなあ」

「へえ、先生」と、初桃が言います。「まだ出たての妓どっせ。運転してはった人かて、そないにええもん見やはったわけやあらしまへんえ。たとえば、どうどっしゃろ、そっちの妓ぉをご覧にならはったとしたら」と言ったのは、もちろん私のことです。「赤子《ややこ》とおんなじやおへんやろか」

「しかし、十一くらいで毛の生える娘もいるだろう」と言った男がいました。

「さゆりさん、何ぼにおなりどす」と、初桃が言います。

「へえ、十四になります」私は言葉遣いに気をつけるのに必死でした。「大人びた十四やそうどす」

すでに男たちは、この話題をおもしろがっていました。初桃の笑いが、やや強《こわ》ばったようです。

「十四て、そらええわ。……生えてへんのどっしゃろ」

「へえ、姐さん、こんなに」と、私は頭に手をやって、軽くたたいてみせました。とりたてて利口な応じ方とは思いませんでしたが、この場では気の利いた洒落になったのでしょう。初桃の馬鹿話よりも、なおさら笑いの渦を巻かせたようです。初桃も、返り討ちにあったという体裁にしたくないせいでしょう、一緒になって笑っていました。

座が落ち着いたところで、豆葉と私は引き上げたのですが、襖をしめてもいないうちに、初桃の立ちかけている気配がして、間もなくおカボと一緒に降りてきました。

「なあへえ、豆葉さん、おもろいことどしたやおへんか。いままで、あんまりお座敷でご一緒せえへんだん、何でどっしゃろなあ」

「ほんに、おもろいこと」と豆葉は応じました。「こうなると、先の楽しみができたいうもんどす」

このあと豆葉は、じつに満足げな顔を、私に見せました。初桃を打ちのめすという先の楽しみを思っていたのです。

＊　＊　＊

その夜、湯へ行って化粧を落としたあと、玄関にいて、きょう一日のことを知りたがる小母《あば》に立ち話で答えていましたら、外から初桃が帰って、私の前に来ました。いつになく早く帰ったものですが、その顔を見れば、私に詰め寄るために帰ったのだと察せられました。あの冷酷な微笑さえ消えていて、美人の顔とはいえないほどに、かたく口を結んでいました。私の前に立ったのも一瞬で、すぐさま手をうしろへ引き、私の顔を張り飛ばしたのです。たたかれる寸前に見たものは、真珠に糸を通して二段に重ねたような、食いしばった歯でした。

私は目がくらんだようになって、その直後のことは覚えがありません。ただ、きっと小母《あば》と初桃が言い合いになったのだろうとは思います。次に聞こえたのは、こんなことを言う初桃の声でした。「また人前で恥かかすようなことされたら、今度は反対のほうからひっぱたいたるねや」

「恥かかすて、うちが姐さんに、どすか？」と私は言いました。

「すっとぼけてからに。毛ぇいうたら何のこっちゃ。うちをバカにして。ええか、千代、あんたには借りができたえ。じっきに返すさかい、覚えときよし」

息巻くだけ息巻いてしまうと、また初桃は出て行きました。表でおカボが待っていて、頭を下げていたようです。

＊　＊　＊

翌日の午後、そんなことを豆葉に申しますと、気にするまでもなさそうに、

「大事《だん》ないこっちゃ。顔に傷つかんと、よろしおしたな。まさか、あんたも初桃さんに喜ばれるとは思うてしまへんなんだやろ」

「けど、また逢うたりしたら、どないなるやろかと、それだけが心配どす」

「どもならんわ。うちらのほうで、はい、さいならや。お座敷のお客さんには、もう往《い》によったて思われるかもしれへん。そうかて、うっかり初桃さんに隙見せてみいな、また悪さ仕掛けられたらかなんさかいな。逢うたら逢うたで、禍《わざわい》転じて福いうこともおっせ」

「え、姐さん、こんなんが福になるんどすか？」

「そや、初桃さんに追い立てられるいうのんは、いそいで何軒もまわれるいうこっちゃがな。あんたの顔見せにちょうどええわ」

豆葉が落ち着き払っているので、大船に乗ったような心地になり、また宵の町へ出ていった

ときには、この晩を勤めあげてお化粧を落としたら、満足感で肌もつやつやしているだろうとさえ思いました。手始めには、ある若い映画俳優のお座敷でした。見たところ、やっと十八かそこらのような年格好ですが、頭に毛が一本もなくて、睫毛や眉毛もありません。ほんの数年で一躍有名になった人ですけれど、死に方で名前を売ったようなものです。日本刀を持ち出して、東京の女給と無理心中をしたのでした。いずれにせよ、へんな人らしいと思っていましたら、どうも私のほうをちらちら見ているようなのです。これまで置屋というような狭い囲いの中で暮らしていたものですから、まあ、見られて悪い気はいたしませんでした。そこには一時間ばかりもいたでしょうか、初桃が顔を出すこともなく、この分なら胸算用のとおり快調な夜になるだろうとも思われました。

次に行ったのは、京大の総長さんのお座敷でした。すぐに豆葉は知った顔を見つけて、お長いことどす、などと話し込んでしまいましたので、私の居場所になりそうなところは、ワイシャツに染みをつけた老人の隣くらいでした。ひどく喉が渇いてでもいるのか、立て続けにビールを飲んで、げっぷを発するときのほかは口からコップを離さないという勢いです。そこへお邪魔して名乗ろうといたしましたら、襖があいたように聞こえました。お銚子のお代わりでも来たのかと思ったのですが、なんと廊下に膝をついたのは初桃とおカボの二人組だったのです。「まあ、どないしまひょ」と、声をあげたのは豆葉でした。話し相手だったお客さんに、「腕のお時計、合うてますか？」

「合ってるとも。毎日、午後に駅の時計で合わせてるからな」

「すんまへん、ご無礼いたします。うちもさゆりも三十分前からのお約束がおしたのに、ころっと忘れてしもうて。堪忍しとくれやす」

それだけ言うと、初桃おカボ組と入れ替わるように、豆葉と私が抜け出しました。お茶屋を出ようとしたところで、豆葉は空いていた部屋へ私を引き込みました。ぼんやりとした暗さの中で、豆葉の顔立ちまではわからず、日本髪をのせた瓜実顔の輪郭しか見えません。私から見えないなら豆葉からも見えない道理でして、私は下顎をがっくり落とすように口をあけてしまいました。初桃をかわしきれるものではないと思えたのです。

「きょう、あの女に何ぞ言うたか」

「何も言うてしまへん」

「どないして、ここがわかったんやろ」

「うちは自分でも行き先を知らへなんだんどす。言えるわけあらしまへん」

「うちの女中なら知ってるはずやけど……まさか、そんな。――ほな、意外なとこへ行こやないか。東京で西洋音楽やったはる先生が、先週、えらい役につかはって、得意の鼻をなお高うしとうて来てはるねん。行きとうて行くのやあらへんけど、初桃さんは来いひんやろさかい」

そこで四条通を越えて、お酒やらお芋やらのにおいが漂う路地へ折れました。明るい二階の窓から笑い声がこぼれてきます。お茶屋に着いて、まだ若い仲居に通されて二階へあがりますと、薄くなった髪を油でなでつけた音楽家の先生が、ご機嫌ななめの様子でお猪口《ちょこ》をいじりまわしていました。ほかのお客さんたちは二人の芸者とお座敷遊びの最中なのですが、肝心の先生だけは仲間入りをしたがらなかったのです。いくらか豆葉を話し相手にしてから、ひと差し舞ってくれと言いだしました。その実、舞が見たいというよりは、遊びを終わらせ、また自分が主役に戻るきっかけにしたかったのでしょう。ともかく仲居が芸者に三味線を持たせ、まだ豆葉は足の位置を定めてもいないというときに、襖があきまして……もうおわかりでしょう……しつこく追ってくる犬のように、またしても初桃とおカボだったのです。

　このとき、豆葉と初桃がかわした笑みといったらありませんでした。知らない人が見たら、二人だけに通じる冗談を思い出していたようだったかもしれませんが、初桃はしてやったりとほくそ笑んでいたのでしたし、豆葉のほうは、まあ、そうですね、怒りを外に出さないための笑いでした。舞いながらも顔がこわばって、小鼻をふくらませていたようです。あらためて卓につくこともなく、音楽の先生へ、

「お呼びくださいまして、おおきに。けど、すんまへん、もう遅おすさかい……うちもさゆりも急《せ》いてますさかい、ごめんやす」

　襖をしめるときに見ましたら、初桃が何とも言いようのない、うれしそうな顔をしていました。

　豆葉について一階へ降りますと、降りきったところで豆葉が足を止めて、様子をうかがいました。ややあって、あわてたように仲居が玄関へ出てきて、私たちを見送ろうとします。さっき二階へと案内した、あの若い仲居でした。

「ねえさんも、暮らし向きにお困りのようどすなあ」と、豆葉が声をかけます。「ぎょうさん欲しいもんはあっても、お小遣いが足らんいうとこどっしゃろ。いま稼がはった分で、どないしやはりますのん」

「はて、姐さん、何のことどっしゃろ」と、仲居は言いましたが、おどおどして唾を呑み込ん

だらしい動きは、隠しようがありませんでした。

「初桃さんから、何ぼもらえることになってますの」

仲居が、はたと視線を落としました。ようやく私にも豆葉の考えが読めてきます。だんだん糸をたぐってわかったのですが、一流どころのお茶屋で、少なくとも一軒に一人は、仲居が初桃から金を握らされていました。それで洋子に電話が入っていたのです。豆葉と私がお座敷へ出るたびに、置屋で電話番をしている洋子に通報が行ったのでした。洋子まで一枚嚙んでいると知ったのはあとのことでしたが、とにかく豆葉がにらんだとおり、初桃の情報源がお茶屋の仲居であったことは、このとき確かなものになりました。

その女は豆葉と目を合わせられなくなって、その顎を豆葉が持ち上げたときでさえ、目だけは鉛玉になったように重く、下を向いたきりでした。お茶屋を出たら、二階の窓から初桃の声が落ちかかってきました。狭い路地のことで、よく音が響いたのです。

「いまの妓は何というたのでしたやろ」

「さゆこ、じゃなかったか」と、男の声もしました。

「いや、ちがうな。さゆりだった」と、別の男が言います。

「あ、そや、あの妓どしたわ」これは初桃です。「かわいそうで口には出されへんこともあんのどすけどなあ、ええ妓やとは思います……」

「あれだけじゃ、よくわからなかったが、きれいな舞妓だな」

「めずらし目ぇどしたわ」と、ある芸者が言いました。

「へえ、その目ぇどすがな。さるお人が言うてはりましたえ。なんとまあ、あの色は、つぶれたメメズの色やそうどす」

「つぶれたミミズ色か。よく思いつくもんだね、初めて聞いたよ」

「なあへえ、言わんとこ思うたんどすけど、言うてしまいまひょか。ここだけの話どっせ、ほかで言うたらあきまへんえ。じつは病気持ちなんどすて。それで胸がお婆さんのようになってしもて、だらーっと垂れて、皺が寄って、そら、ひどいもんどっせ。いっぺん銭湯で見てますねん……」

ここまでは立ち止まって聞いていたのですが、もう豆葉が背中を押しますので、路地から表通りへ出ました。すると豆葉は聞く耳がないのを確かめておいて、

「どこ行こか思うて考えてるのやけど、いっこも知恵が出えへん。あこでも見つかったいうことは、この祇園には隠れるとこがないいうことや。あんたもう、おうちへお帰りやす。いずれなんとか思案するさかい、それまで待っといなはれ」

＊　＊　＊

ある日の午後、もう戦時中でしたから、いまお話ししている時代よりは幾年かあとになりますが、枝ぶりのいい紅葉の根方に茣蓙《ござ》を敷いた遊びのさなかに、ある将校さんがピストルを抜き出して、私に見せびらかしました。きれいなものだと思った覚えがあります。銃身に鈍色《にびいろ》の輝きがありまして、なめらかに曲がった線が、惚《ほ》れぼれするようでしたね。油を引いた木製の握りに、いい木目が出ていました。ところが、手柄話を聞かされているうちに、なるほど、そ

ういう飛び道具なのかと思ったら、きれいどころではなくなって、おぞましい怪物に見えてきました。

店出しのあと、私を行き詰まらせた初桃に、ちょうど同じことを感じました。もともと怪物だったにはちがいありませんが、あれだけの美人です。常々、羨ましいと思っていたのでしたが、その気持ちが失せました。本当なら、毎晩、宴会へ出て、十や十五のお座敷をかけ持ちしたっていいくらいなのに、置屋に引きこもって舞や三味線のお稽古なのですから、仕込みの頃とちっとも変わりがありません。初桃が盛装して出かけていくのを見ますと、濃い色の着物に白塗りの顔が照り輝いて、かすむ夜空に月が出たというようなものですので、たとえ目が見えなくたって、男なら美人ぶりがわかるだろうと思いましたが、私には憎さ百倍ということにしかならず、煮えたぎる血の音が、この耳の中まで響いているようでした。

私は豆葉の家にはちょいちょい呼ばれていて、初桃をはぐらかす手立てが見つかったとでも言ってくれるかと思いましたのに、女中では足りない用件で使いに出されるくらいなものでした。とうとう、ある午後に、私はどうなるのでしょうと言ってみました。

「いまのとこは仕方おへん。あんたは村八分にされたようなもんや。そやし、なおさら心を強うして、何が何でも鬼退治と思わんなんえ。うちが策を練ったげるさかい、それまでは一緒に出歩かんほうがええわ」

もちろん私の心は晴れませんでしたが、豆葉が言うのももっともで、ああして初桃の餌食になっていたのでは、お客さんの目から見れば、また祇園の女たちの目で見たとしても、私の株が下がるだけでしょう。ここは引っ込んでいたほうがいいのです。

ただ、さすがに豆葉でして、私が出ていっても大丈夫な仕事を見つけることはありました。いくら初桃でも、祇園町ではいざ知らず、外の世界では私を締め出すわけにいきません。遠出するときの豆葉は、私にも声をかけてくれました。鉄道で神戸まで行ったこともあります。工場の落成式で豆葉がテープを切ったのでした。また、やはり豆葉にくっついて、もとは電信事業のほうでお偉いさんだったという人のお供をしたこともありました。運転手付きの車で京都をまわったのですが、これは面白かったですね。なにしろ、狭い廓《くるわ》の外へ出て大きな京都を見るというのが初めてで、そもそも自動車に乗ったことがなかったのです。あの時代の生活苦というものも初めて目にいたしました。川沿いに市街の南へ行きましたら、線路脇の木の下で、薄汚れた身なりの女たちが赤ん坊をあやしていて、草ぼうぼうの原っぱには破れ草鞋《わらじ》をはいた男が、点々としゃがみ込んでいたのです。祇園にだって、貧乏人が足を踏み入れないわけではないのですが、風呂を浴びる余裕すらないお百姓というのは、そう見たことがありませんで、あの不景気な世の中だったら、初桃の悪だくみに恐々としている私くらいは、まだ安楽に生きている部類なのだと、あの日にやっとわかりました。

＊　＊　＊

ある日、お昼近くに女紅場から帰りましたら、走り書きの手紙がありました。お化粧道具を持って、すぐ豆葉の家に来いというのです。行ってみると、男衆の一丁田《いっちょうだ》さんが、奥の間の姿見の前で、豆葉の帯を結んでいました。

「いそいで支度しとくれやす」と、豆葉が言いました。「そっちの部屋に着物出したあるさかい」

豆葉の住まいは祇園としては余裕たっぷりというもので、もっぱら豆葉が使う六畳間のほかに、小さい部屋が二つあって、一つは着付け用と女中部屋を兼ね、もう一つが豆葉の寝室になっていました。この寝室に敷いたばかりの蒲団があり、その上に着物がひとそろい置いてあったのです。私が着るようにと女中が出したものでしたが、その蒲団を見て、おやっと思いました。敷布が新雪のようにまっさらで、きのうの夜に寝たとは思えません。白粉を塗りはじめたところで、化粧用に持参した浴衣に着替えながら、そんなことを考えていました。ここへ呼ばれたわけを豆葉から聞かされます。

「男爵はんが戻っておいやすのや。お昼食べにおいでやすのえ。いっぺんお目にかかっとおきやす」

いままで申し上げるときがありませんでしたが、豆葉がいうのは松永恒義という男爵のことで、これが旦那さんなのでした。いまの日本に華族さまはいなくなりました。戦前はいたのですね。で、松永男爵といえば、たいした資産家だったのです。大きな銀行を一族で動かしていて、金融界で絶大な権勢を振るっていました。もとは兄君が爵位を継がれたのですが、大蔵大臣にまでなって暗殺されてしまいましたので、豆葉の旦那さんになった人のほうが、もう三十いくつだったのでしょうか、爵位と財産をそっくり相続したのです。京都にも祇園から遠くないところにお屋敷を構えていました。事業がありますから東京にいることが多いのですが、もう一つ東京に引っ張られる理由もあったようですね。私が知ったのは何年かあとですけれど、赤坂にも面倒を見ている芸者がいたのでした。芸者を一人かかえるだけでも大変な散財ですのに、この男爵には東西に芸者がいたのです。

きょうは旦那さんの屋形入りなのだと聞けば、さっぱりした床が延べられているのも無理はないと思われました。

私もすばやく動いて、豆葉の用意した着物に着替えます。長襦袢が淡い緑色、着物は朽葉色と黄色の地で、裾に松が枝の模様でした。そこへ、ちょうど女中が料理屋から戻りました。大きな塗箱で弁当を運んできたのです。中身は店で食べるのと同じように、皿や小鉢に盛ってありました。大きい漆器の皿には塩焼きの鮎が二匹、そろって川を泳ぐような形にならべられています。横のほうに、丸ごと食べられるくらいの蒸した小蟹が、やはり二匹添えられて、この黒塗りの皿に塩でもって描いた砂浜は、そこを蟹が歩いてきたという趣向でした。

ほどなく男爵がお着きになりました。細くあけた襖から目をこらしますと、階段の上の踊場に立っておられて、豆葉が靴の紐をほどいていました。とっさに私はアーモンドか何か、ああいう木の実を思いつきました。小柄で、丸味がついて、案外に重みがあるような、とくに目のあたりに、そんな感じがあったのです。あの時分は、男の人が髭をたくわえるのが流行っていました。この男爵も一応は髭ということになっているのでしょうけれど、やわらかそうな毛が、すうっ、すうっと生えているだけのことで、たとえば薬味をまぶしたとでもいいましょうか、お結びに振りかけるような細かく切った海苔《のり》を思わせる髭でした。

「ふう、疲れたよ」と、おっしゃる声が聞こえました。「汽車の長旅というのは、どうもいかん」

やっと靴が脱げたようで、すたすたと奥へ進まれます。朝のうちに男衆さんが廊下向かいの納戸から、ふかふかの椅子とペルシャ絨毯《じゅうたん》を出して、窓際に場所をしつらえてありました。そこへ男爵が腰をおろして、そのあとどうなったのかは知りません。女中が私に会釈しておいて、静かに襖をしめきってしまったのです。

それから一時間かそこいらでしたでしょうか、女中は給仕に出入りしていましたが、私は豆葉の着付け部屋でじっと待つばかりでした。豆葉のおとなしい声が聞こえることもありましたが、たいていは男爵がしゃべっていて、豆葉が叱られているのかと思ったりもしたくらいですけれど、じっくり聞いていれば、きのう出会った男がけしからんという話でした。立ち入ったことを訊いて無礼なやつだというようです。やっと食事がすんで、女中がお茶を運びますと、豆葉が私を呼びました。そちらへ行って膝をつきましたが、華族さまにお目通りというのは初めてですので、びくびくしておりました。どうぞよろしゅうにと頭を下げましたら、何かしらお言葉があるかと思いましたのに、室内を見まわして、私などお構いなしのご様子。

「なあ、豆葉、そこの床の間にあった軸はどうした？　たしか墨絵だったと思うが——いま掛かっているのよりも、よほどに上出来だったろう」

「へえ、このお軸なら、松平光一先生のご直筆どす。詩文をお書きにならはりまして、もう足かけ四年はここに掛けさせてもろてます」

「四年？　先月来たときは墨絵ではなかったか」

「いいえ、ちがいます……それに、旦那はん、お越しやしとくれやしたのは、もう三月《みつき》も前のことどすえ」

「そうか。道理で疲れが出るわけだ。もっと京都でゆっくりしたいと年中言っておるのだが、なかなか野暮用に切れ目がなくてな——。あの墨絵を見せてもらおうか。四年も見とらんとは思えん」

豆葉は女中に言って、納戸から軸を持ってこさせました。それを広げるのが私の役になります。どうにも手がふるえまして、ご覧に入れようとしたところで、手をすべらせてしまいました。

「気をつけんか」

それでまた縮みあがった私は、お詫びしてからも、ご不興を買ったことを恐れて、ちらちらと目を走らせていました。軸を掲げていましたら、むしろ私のほうが見られているようでして、べつに咎める目つきではなかったのですが、それが好奇の目だとわかりましたら、なおのこと緊張してしまいました。

「こっちのほうが、ずっと見栄えがするじゃないか、豆葉」と言いながらも、まだ私を見ておられて、偶然に目が合ってしまっても、じっと見返してこられます。「だいたい筆で字を書くような時代じゃあないよ。あんなのは外して、こっちの山水を掛けなさい」

こうなっては豆葉も否とは言えません。なるほど名案という顔さえしてみせました。私と女中が二人で軸を掛け、もとの軸を丸めてしまいますと、豆葉がお茶を差し上げるようにと言います。もし上から見れば、豆葉と男爵と私で三角形の構図になっていたでしょうが、もちろん話をしているのは豆葉と男爵だけで、私は鷹の巣に迷い込んだ鳩のように、まるで場違いな思いをして、ただ芸もなく坐っているしかありませんでした。豆葉がお馴染みにしているような、たとえば華族さまとか、あるいは会長さんのような偉い方のお座敷を、私でもつとめられると思っていたのですからねえ。このあいだの劇場の先生ですら、私には目もくれなかったというところで……。それはまあ、男爵さまのお相手ができるとまで思い上がってもいませんでしたが、やはり私ごときは漁師町の無学な娘だったと、あらためて痛感いたしました。これで初桃の思いのままにされたら、いよいよ底辺に押さえ込まれて、どんなお客さんが祇園へ来られようと、私の出る幕はなくなるでしょう。ふたたび男爵の御前に出ることも、会長さんと会うことも、金輪際ないのかもしれません。この程度の女だと豆葉にも見切りをつけられて、いわば呉服屋で目を引いても結局は持ち腐れにされる着物のように、置屋でくすぶっているだけになりはしないでしょうか。見ると男爵は、どうやら神経質な人だとわかってきましたが、卓上の染みか何かに爪をあてていました。そういえば私が最後に見た父も、卓袱台の割れ目にたまった汚れをほじくっていたことを思い出します。こうして私が豆葉の家にいて、父などの目にしたこともない高価な着物を着て、向かいには男爵さま、隣には日本でも有数の名妓がいるというところを父が見たら、どんなふうに思うでしょう。身分不相応な場所にいると自分でも思いました。そうしたら、いま私が体に巻いている立派な絹物がへんに気になって、美しさに溺れそうな感覚を覚えました。このときの私には、美しいものでさえも、つらい憂鬱にしかならなかったのです。

十六

ある日の午後、豆葉とならんで四条大橋をのんびり渡っておりました。豆葉は櫛や簪を祇園の店では買いたがらなかったもので、先斗町へ行こうとしていたのです。ふと豆葉が足を止めました。川面に何やら気になるものがあったのかと思いましたら、ひょいと私のほうを向いて、すぐには測りがたい顔をしているのです。

「どないかしやはったんどすか、姐さん」

「うちから聞かしといたほうがええかと思うてなあ。どうせ人の口からわかることやし。ほら、あのおカボちゃんな、舞妓の一等賞とらはったえ。もう一回くらいとるやろいうこっちゃ」

これは前月の売上げが一番だった舞妓であるという話です。おかしな賞があったものだとお思いでしょうが、ちっとも不思議ではありません。舞妓が稼ぐのを奨励してやれば、それだけ祇園にとって喜ばれる芸者に育っていきます。その人の売上げが伸びれば、まわり全体が得をすることになりますのでね。

これまでに豆葉は、おカボの見込みについて、何度か口にしていました。おそらく二年、三年と頑張っていけば、いくらかの手堅いご贔屓はつくはずだが、そう羽振りのいい客には恵まれないだろうというのです。あまり明るい将来とはいえませんで、そのおカボが意外に健闘しているると聞けば、私とてうれしいのではありますが、その一方で、胃袋を刺されるような不安もあったのです。もうおカボは若手の売れっ妓になっていて、私はいつまでたっても影が薄いままです。この先どうなるのだろうと思えば、世の中真っ暗闇というのが偽らざる心境でした。

おカボが名を挙げたらしいと橋の上で考えて、何よりびっくりしたのは、このところ立て続けに一等をとっていた蕾葉《らいは》という飛びきりの舞妓すら上回ったということです。蕾葉は母親も名高い芸妓だった人で、父親は途方もない財産のある名門中の名門の御曹司《おんぞうし》だといいます。蕾葉がそばを通ろうものなら、この私などは雑魚が目の前を銀鮭に横切られたように思いました。あの蕾葉をどうやって出し抜いたというのでしょう。たしかにおカボは店出しからずっと初桃に後押しされて、あまり押されたもので、この頃は面変わりするほどに痩せてきたようでさえありますが、いくら一生懸命とはいいながら、蕾葉よりも売れるということがあるものでしょうか。

「おや、そないに浮かん顔せんかてよろし。うれしい話やおへんか」

「へえ、うちの身勝手どした」

「そうは言うてへんえ。一等とったばっかりに、初桃さんとおカボちゃんには、あとで高うつくやろて言うてますのや。そやな、五年もしたら、おカボちゃんもすっかり忘れられてますやろ」

「けど、蕾葉さんを追い越した舞妓やいうて、名を残さはんのとちがいますか」

「追い越したんやあらへん。そら、先月の売上げではおカボちゃんが勝ったかもしれへん。そうかて祇園随一の舞妓いうたら、やっぱり蕾葉さんどっしゃろなあ。ほな、聞かしといたげるし、ついといない」

豆葉は先斗町の喫茶店に私を連れていき、坐らせました。

＊　＊　＊

祇園では、と豆葉は言いました。盛んな芸妓だったら、妹を売れっ妓にするくらいは、いつでもできることなのです。そのかわり自分の評判を落とす危険はあります。芸者の玉代《ぎょくだい》をお花といいますけれども、その勘定の仕方に話は関わってまいります。ちなみに、その昔は――もう百年からの昔ですが、芸者がお座敷へ出ますと、お茶屋の女将さんがお線香を一本つけたそうです。一時間燃えるようになっていまして、これでお花が一本ということになります。ですから、芸者が帰るまでに燃えた本数で、お花が何本と決まっていたのですね。

お花の値段については検番で定める額がありまして、私が舞妓の時分には、一本が三円でした。だいたい日本酒が二升買えたでしょう。いい稼ぎじゃないかと思われるかもしれませんが、売れない芸者が一時間一本で出たのでは、切ない暮らしになるでしょうね。どうせお茶をひいて火鉢にかじりついているほうが多いでしょうし、たとえお座敷がかかったとしても、一晩で十円とはいかないのですから、前借りを返すこともできません。祇園町に流れ込むお宝を考えますと、初桃や豆葉が悠々と獲物にありつく雌ライオンだとするならば、その手の安い芸者は、死肉にたかる虫のようなものでしかありません。稼げる芸者は、いくらでも仕事があるばかりか、稼ぐ効率がいいのです。初桃の場合ですと、十五分で一本のお花をとっていました。さらに豆葉ともなれば、ちょっと祇園でも類を見なかったのですが、五分で一本の勘定でした。

もちろん、たとえ豆葉であっても、全額を懐に入れるわけではありません。まずお茶屋さんに一定のものを納め、それよりはだいぶ少額ですが芸妓組合にも納めて、男衆さんにもなにがしか渡すというような、そんなことが結構ありまして、置屋に対しても、帳簿の管理とか予約の取り次ぎをしてもらう手数料を払います。結局、手取りとして残るのは、半分ちょっとでしょう。それでも、売れない芸者とくらべれば雲泥の差があります。売れなければ底なし沼で、日毎《ひごと》にずぶずぶ沈み込んでいきます。

では、初桃のような芸妓が、どうやって妹分を実際以上に見せかけたかといいますと……。売れっ妓でしたら、どこのお座敷にも引っ張りだこです。そして、一箇所に五分くらいしかいないことも多いということを、まずご承知おきください。顔を出した程度でも、お花をつけてもらえるのですね。お客さんとしては、また今度遊びに来たときには、ちゃんと腰を据えて相手をしてもらえようと思ってくれます。ところが、これが若い舞妓でしたら、そういう無茶なことはできません。これからご贔屓をいただこうという時期なのですから、十八くらいで一本立ちの芸妓になるまでは、お座敷のかけ持ちで飛びまわるようなことは考えません。むしろ、一時間やそこらは一箇所でつとめておいて、それから置屋へ電話を入れ、姉芸妓の居所を教えてもらい、そっちのお茶屋へ行って、そこのお客さん方にも覚えていただけるようにいたします。売れているお姐さんがひと晩で二十くらいのお座敷へ出たとしても、若い妓には五つがせいぜいでしょう。ですが、初桃はそうしないで、自分が行く先々へおカボも連れまわしていたのです。

十六までの若い舞妓は、時間あたりのお花が半分になります。といって、おカボが五分だけお座敷にいたとしても、一時間いたのと同じだけの料金をお客さんはとられます。とられるほうは、まさか五分でいなくなるような妓だとは思いません。初桃が妹を連れてきて、すぐに帰ってしまったとしても、それがひと晩や、せめて二晩だったなら、不審がられずにすんだでしょう。でも、毎度のことであるならば、なぜ初桃は落ち着かないのか、なぜ妹までが一緒に席を立つのかと思われたにちがいないのです。なるほど、おカボの売上げは伸びたかもしれません。一時間に三本や四本ついたくらいの計算になったでしょう。ですが、いい評判にはならないという代償があってのことでして、その危険は初桃にしても同じだったのです。

＊　＊　＊

「あんなやり方してはるのやったら、初桃さんも苦しまぎれやなあ」と、豆葉が最後に評しました。「おカボちゃんをよう見せたいばっかりに、どないな無理でもしようというのや。なんでかわかるか？」

「なんで……どっしゃろ」

「新田の女将さんにおカボちゃんを養女にさせたい魂胆や。屋形の娘いうことになったら、おカボちゃんも安泰やろ。ほしたら初桃さんかてそうやわ。なんせお姉さんなんやさかい、追い出される気遣いはあらへん。うちの言うてることわかるな？　もしおカボちゃんが養女にならはったら、あんたは……初桃さんと縁を切ろう思うたら、あんたが屋形を追い出されんならん。それしかのうなるわけや」

そう言われてしまえば、海の水が、あたたかい日光を雲にさえぎられたような気分とでも申しましょうか。

「すぐにでも、ぎょうさんお花の売れる舞妓にしてやれる思うたのに、初桃さんに横槍いれられてしもうた」

「へえ、ほんまに横槍どす」

「そやな、けど、あんたもお座敷いうもんの心得ができてきたんは確かやろ。それに、うちの旦那はんに会うといてよろしおした。まだまだ策を思いつかんとこやったかもしれへんのやけど、実はな――」とまで言いかけて、豆葉は口をつぐみました。

「どういうことどっしゃろ」

「ま、よろし。しばらくは言わぬが花や」

これは私の心を刺しました。それを気取ったのでしょうか、すぐに豆葉は、「あんたは初桃さんと一つ屋根の下やろ。はかりごとは密なるをもって良し……」

「姐さんに信用してもらえへんのは、うちが至らんせいやと思うてます。けど、ほんまに、うちから筒抜けになるてお考えやすのどすか」

「あんたがどうこういう心配やあらへん。寝てる猫を起こさいでも、食われる鼠は食われるわいさ。猫の敵やおへん。初桃さんがひと筋縄でいかへんのは、あんたも身にしみてるはずやろ。なあ、さゆりさん、ここは一つ、うちに任せとおきやす」

「へえ、姐さん」と、私は答えました。それしか言いようがなかったのです。

「これだけ言うといたげるわ」さすがに興奮があったのか、やや前かがみになった豆葉が、

「いまから二週間のうちに、あるとこへ一遍ついといやす。初桃さんには見つからへんとこがおっせ」

「と、お言いやすと？」

「まだ内緒や。いつとも言われへんけど、準備だけはしとおきやす。そのときになったら、全部わかんにゃさかい」

＊　＊　＊

その日、置屋へ帰りますと、二階の部屋にこもって暦を調べました。これからの二週間だけを見ても、いろいろな日があるものです。次の水曜日は西への旅によいということで、ひょっとすると京都の外へ連れ出されるのかと思ったりもしました。その次は月曜日も大安のようです。そのあとの日曜日には、かわった注釈がついていて、吉凶の釣り合いで運命が開ける云々というのですが、やけに思わせぶりな感じがいたしました。

水曜日には何の知らせもありませんでした。それから、あまり運気のよくない日に呼ばれたと思ったら、茶道のお稽古日を変えたらどうかというような話だけでした。また一週間ほど音沙汰なしでありまして、日曜日のお昼頃、表の戸があいたと聞こえましたので、一時間ばかり稽古していた三味線を廊下に置いて、飛び出していったのですけれども、立っていたのは豆葉

の女中ではなくて、小母《あば》に関節炎の漢方薬を届けに来た男でした。それを置屋の女中が受け取りましたから、私は三味線の稽古に戻ろうとしましたら、薬屋の男が気を引きたそうな様子でして、私だけに見えるように紙切れを隠し持っています。女中が格子戸をしめる寸前に、男が私に言いました。「すんまへんけど、紙屑ほかしといとくれやさしまへんか」女中は首をかしげたようですが、私は受け取った紙をお台所で捨てるふりをいたしました。名前は書いてありませんが、たしかに豆葉の筆跡です。

「小母《あば》に断りを言うて、出といない。うちに部屋の片付けを頼まれたいうことで、一時までにはお着きやす。ほかの誰にも行き先を知られへんように」

なるほど用心に越したことはないわけですが、あのとき置屋のおかあさんはお知り合いと昼食で、初桃とおカボは午後の仕事があって出払っていましたから、残っていたのは小母《あば》と女中たちだけでした。すぐに小母《あば》の部屋へ行きますと、小母《あば》は昼寝のつもりで掛け布団を出したところでした。寝巻でふるえながら私の用件を聞いて、豆葉に呼ばれたとまで知ると、理由はどうでもよさそうに、さっと手を振っただけで、蒲団にもぐり込んでしまいました。

＊　＊　＊

行ってみると、豆葉は朝から出かけたまま帰らないとかで、女中に着付け部屋へ通され、化粧の手伝いもしてもらいました。豆葉が選んでおいたという着物が運んでこられます。こうして借り着をするのに慣れてしまっていましたが、本来、芸者といいますのは手持ちの衣装を貸し出すものではありません。仲のいい者同士が、ひと晩か二晩のつもりで貸し借りすることもなくはないでしょうが、こうまで年下を可愛がってくれる先輩芸妓というのは、まずいないと思っていいのです。それに自分では着なくなった舞妓のものを引っ張り出してくるという手間もかけているわけで、あれで見返りを期待しているのかと私などは勘ぐったりもいたしました。

この日、私のために出しておいてくれたのは、いままで以上に美麗なものでした。錆朱色の地に、膝から下へ銀色の滝が落ちて、青灰色の海へ流れます。滝は茶色の岩肌に割られて、その下には節くれ立った流木が、きれいな刺繡で織り出されていました。私が知らなかっただけで、じつは祇園町では、ちょっと知られた着物だったのです。見た人は、すぐに豆葉を思い出したことでしょう。これを私に着せておいて、あの気品をいくらかお裾分けしてくれようとしたのかもしれません。

男衆さんに、金糸で引き立てた朽葉色と茶色の帯を結んでもらってから、化粧の仕上げをして、髪に指物をつけました。会長さんにいただいたハンカチを――置屋から持って出るのが癖のようになっていたのですが、これを帯にはさんでおきまして、鏡の前に立ったら、われながら、あっと口があきました。こうまで飾ってくれた豆葉の意匠には、ただ驚くばかりでして、しかもまた、帰ってきた豆葉は、自分では地味に装ったのです。着物は山芋のような色に、おとなしい薄墨色の格子柄。そこへ紺地に黒い菱模様の帯を締めました。いつもながら、真珠のような控えめの美、というのが豆葉の良さでしたが、それにしても一緒に歩いていましたら、豆葉に挨拶する女たちの視線が私に向いていたのです。

八坂神社の門前から俥に乗って、三十分ほど北へ行きました。私には初めての界隈です。

道々、豆葉に聞いたところでは、これから相撲の興行を見に行くのだそうで、大阪の岩村電器の創業者で岩村堅という人のご招待だといいます。ついでながら、おばあさんが死んだときの、あの電気ストーブは岩村の製品だったのですがね——。また創業者の片腕で、現社長の延《のぶ》俊和という人も来るのだそうです。この社長が大の相撲好きで、きょうの興行にも肩入れしているとのことでした。

「あんたに言うとくけどな、延さんいうお人は、見た目に……ちょっと変わったはるさかい、会うたとき、おかしな素振り見せんと、お行儀ようして、お覚えがめでたいようにしいや」そう言うと豆葉は、さもなくば愛想を尽かすぞというような、こわい顔をしてみせました。初桃については、もう心配がないそうです。興行の切符は二週間前に売り切れていたのでした。

そうこうするうちに、着いたところは京都大学でした。豆葉が先に立って、小ぶりな松の並木道を行きます。洋風の建物が、左右からかぶさってきそうでした。大きな窓には、ガラスを小さく仕切るように、塗装した格子の木枠をはめてあります。柄にもなくご大層なところへ来てしまいましたので、こうなると、私の住処《すみか》はやはり祇園だったのかと思えてまいりました。あたりには学生さんが幾人もいらっしゃいまして、つるんとした顔に横分けの髪をして、吊りズボンの方も少なくはありませんでした。豆葉と私がめずらしいのか、見送るように立ち止まり、冗談を飛ばし合ってもいたようです。ほどなく鉄製の門をくぐったときには、年配の男性が数多くいらして、また女の人も芸者をまじえて相当に来ておられました。屋内で相撲を見せられる場所といいますと、京都では不自由したようです。それで大学の古い公会堂を借りたわけで、いまでは取り壊されてしまいましたが、あの頃は、まわりを西洋建築に囲まれて、ちょうど和服の古老が一人だけビジネスマンに囲まれたように立っていました。箱形の建物に、いささか貫禄不足の屋根が、まちがえてかぶせた鍋の蓋というように乗っています。大扉がひどく歪《ゆが》んでいて、貼りつけた鉄材を押すように板が反《そ》っていました。そういうガタのきたところが郷里の家を思わせて、ふと悲しくなったりもしたものです。

入口の石段をあがっていましたら、砂利の庭を歩いてくる芸者が二人いましたので、とりあえずお辞儀だけいたしました。向こうからも軽く会釈が返って、一人が何事かお連れに言ったようです。どうも様子がおかしいと思いまして、よく見たら、がっくり気が滅入ってしまいました。初桃と仲のよい小りんだったのです。顔がわかりましたので、また頭を下げて、せいぜい笑顔をつくっておきました。この二人の目が離れると、すぐ私は豆葉に、

「姐さん、いまのは初桃さん姐さんのお連れさんどす」

「へーえ、初桃さんにお連れなんぞいたかいな」

「小りんさんが、すぐそこに……たったいま、別の姐さんと歩いたはりました」

「ああ、小りんさん。ほんなら心配せんかてかまへん。あの人に何ができる？」

私には答えようもありませんで、豆葉がそう言うのなら大丈夫なのだろうと思っただけです。中へ入りますと、がらんとして天井まで何もないという印象を受けました。その天井の下で、網をかけた高窓が採光の役をしています。この広い空間に人のざわめきが充満し、外で味噌をつけて焼いている餅の煙も入ってきて、中央の四角く盛り上げた土俵には、神社のような屋根がしつらえてありました。そこを神主が歩いて、御幣をかざしながら祝詞《のりと》をあげていました。

豆葉は客席の前のほうへ進みます。ここで履物を脱ぐようになっていましたので、足袋だけになって、細い板の道をたどりました。お招きくださった方々はこの列にいらっしゃるというのですが、豆葉に手を振っているらしい人の姿を見るまで、私には誰が誰なのかわかりませんでした。それが延さんであることは一目瞭然です。なるほど豆葉が言っていたわけで、ちょっと離れていても、顔の皮膚が溶けた蠟燭のようであると見えました。とんでもない火傷をしたことがあるらしいのです。なにしろ凄惨な相貌になっていましたから、どれだけつらい思いをしてきたのか想像もつきません。私は、ただでさえ小りんを見かけて浮き足立っていましたから、これで延さんに引き合わされたら、わけがわからないまま不調法をしでかすのではないかと不安になってまいりました。豆葉のあとから歩きながら、なるべく延さんを見ないようにして、その隣に坐っておられる方のほうへ気持ちを振り向けることにいたしました。同じ畳の上にいらして、縞柄の和服で、とても洒脱な雰囲気がありました。ちらっと見た瞬間に、すうっと落ち着いてきたような、へんな感覚が私に生じました。ほかの枡《ます》席の人としゃべっているようで、こちらには後頭部しか見えません。それなのに、どこか懐かしいものがあったのですから、自分が何を見ているのかわからなくなりまして、この場にいるはずの人ではないようにしか思われません。なぜかと考えがまわるより先に、私の心に浮かんだのは、あの鎧戸の町で私のほうへ振り向いた人の姿……。

田中さんではないか、と思ったのです。

うまくは言えないところでしたが、だいぶ変わった感じがしました。手を頭にやって、白いものの混じる髪をなでつけた仕草を見たら、指の動きに品があって驚いたくらいです。この人を見て気持ちが静まるとは、いったいどういうことなのでしょうか。あんまり呆然としたもので、感覚が麻痺したのかもしれません。この世で憎むべき人といえば、田中さんに決まっています。そう自分に言い聞かせました。いまさら田中さんのそばへ膝をついて、「ひゃあ、またお目にかからしてもろて、ありがたいことどす。京都へはどんなご用どっしゃろ」などと言えたものではありません。たとえ舞妓の分際でと言われようとも、こちらの本心を見せてやらねば気がすまないのです。たしかに、ここ何年かは田中さんのことなど考えもしなくなっていましたが、それでもやはり、あの人にだけは愛想よくできない、お酌するくらいなら膝にでもぶちまけてやる、というような意地がありました。商売上の笑顔をつくったとしても、よく初桃の顔に浮くような笑いでもって、「きつう臭いますこと……お魚《とと》どすなあ。ここへ坐らしてもろてますと、つい里心が出ますえ」とでも言ってやるでしょう。どんな唖然とした顔をするか見ものです。さもなければ、「何やこう、お一人だけ違うてますなあ」と言ってもいい。たしかに、見てみると——といいますのは、だいぶ枡席に近づいていましたから——違っているのがわかりました。いえ、思いがけなく、違っていたのです。もう豆葉は膝を折って挨拶をしかかっています。それで、その人が首をまわして、やっと私にも見えたのです。大らかに広がって、頬骨の出た顔……そして何よりも、くっきりと二重瞼の目元に、皺ひとつないのです。突然、あたりが静まり返ったような気がしました。その人が風になって、私は吹かれて動く雲であるような。

なんとまあ、見覚えがあるはずで——鏡に映る自分の姿よりもしっかり覚えていると言ってもいいのです。田中さんではありません。会長さんだったのでございます。

十七

会長さんとの出会いは、いつぞやの束の間だけのことでありましたが、以来、心の中では、何度もお目にかかっていたのです。たとえていうなら、ちょっと聞きかじっただけの唄を、いつまでも一人で歌っていたようなものでしょう。もちろん、いつのまにか唄の調子がずれていたようで、本当はもっと額があがっていたのではないか、白髪まじりの髪はもっと薄かったのではないか、などと思ったものです。それで、見た瞬間には、本当にあの会長さんに間違いないものかどうか迷ったくらいですけれども、こうして私の気持ちが静まっていることを考えれば、やはり本物のはずだと思い直しました。

豆葉がお二人に挨拶している間、私はあとに控えていましたが、もし何か申し上げる番になったら、きゅるきゅるっと上擦《うわず》って雑巾のから拭きのような声になりはしないかと案じられました。延さんは、あの気の毒な顔を私に向けていましたが、会長さんのほうは私がいることを知っているやらいないのやら……確かめたくてもそっちへ目をやるだけの度胸が私にはありません。もう豆葉は席について、着物の膝をなでつけています。と、会長さんが、おや、誰だろう、というように私を見ているではありませんか。そう思ったら、かーっと血が顔に集まってきて、お留守になった足が冷たくなりました、本当に——。

「会長はん、社長はん」と、豆葉が言います。「今度、うちの妹で出ました、さゆりどす」

岩村堅といえばご存じでしょう。あの岩村電器の創業者ですからね。社長の延俊和という名前もお聞きになったことはありませんか。この二人の結びつきほど、日本の実業界で有名な組合せはありません。いわば、木の幹と根っこ、神社と鳥居のようなものです。十四の娘でさえ聞いたことがありました。でも、まさか、私が白川畔で会ったお方が、その岩村堅だとは、思いもよらないことでした。まあ、とにかく私は、かしこまって、お辞儀して、よろしゅうにとか出たとこどすとか、そんなようなありきたりの文句を口にいたしました。言うだけ言って、お二人の間に一人分あいていたところへ膝を進めます。延さんは隣席の人と話しだして、会長さんは膝元の盆に置いた空《から》の湯呑み茶碗に手をかけていましたが、そこへ豆葉が話しかけました。私は急須をとって、そっと振袖を押さえます。会長さんの視線が私の腕へ行ったのですから、これには驚きました。私だって、どう見えているものか、この目で確かめたくなりました。薄ぼんやりした照明で、私の腕の内側は真珠のようになめらかな光を放って、きれいな象牙色になっていたのではないでしょうか。自分の体のどこを見ても、こう美しいと思ったことはありません。会長さんの目がぴたっと据えられているのを、私は痛烈に感じていました。もし見ていらっしゃるのなら、いつまでだって動かすものではありません。そうしたら、ふと豆葉が静かになりました。てっきり私は、会長さんが豆葉の話を聞かずに私の腕ばかり見ていたせいだと思ったのですが、すぐに本当のわけがわかりました。

急須から湯が出ていなかったのです。いえ、もともと手にとったとき、すでに空っぽだったのでした。

たったいま内心で得意になっていた私が、あたふたとお詫びを言うはめになって、急須を下に置きました。豆葉は笑って、「どうどす、会長はん、しっかりした妓どっしゃろ。一滴でも入ってようもんなら、出るまで出したろいうのんが、さゆりのええとこどっせ」

「それにしても、豆葉さん、あんたの妹はいい着物を着てるねえ。たしか舞妓時代の豆葉さんが着ていたような、そんな覚えがあるんだが」

もし私がいくらかでも迷いを引きずっていて、この人が本物の会長さんだろうかと思っていたとしても、この聞き覚えのあるやさしい声で、もう一点の曇りもなくなりました。

「へえ、そうどしたかもしれまへんなあ」と、豆葉が答えます。「けど会長はんは、うちの着物やったら、たんと見といやすさかい、何が何やら、だいぶお忘れにならはったんとちがいますか」

「いいや、僕だって男だからね、美人がいい着物を着れば、心に焼きついているものさ。これが相撲取りなんかだと、どれも同じに見えるがねえ」

豆葉は会長さんの前を通り越して私への内緒話という体裁で、「あんなあへえ、相撲はお好きやおへんいうことどっせ」

「そうやって延君と仲違いさせる気なら……」

「へえ、社長はんやったら、そんなん、とうにご存じどす」

「それはそうだがね。——さゆりさん、相撲は初めてかい？」

私は会長さんと口をきく端緒が欲しいところでしたから、さあ、いよいよと思ったのに、息を吸う間もなく、どーんと建物を揺るがすような音が響いて、場内が肝をつぶしました。一斉に振り返って、ぴたりと静まります。ですが、大扉が一つしまっただけでした。次の扉も、ぎっと蝶番《ちょうつがい》をきしませて重々しく弧《こ》を描きます。力士が二人がかりで押していました。延さんが首をひねりましたので、つい私は横顔から首筋にかけての火傷を見てしまいました。耳だって形をとどめてはいません。そうしたら背広の袖に中身がないのにも気がつきました。ほかのことに夢中で、いままで目に入らなかったのです。片方の袖が二つ折りになって、長い銀のピンで肩に留めてあるのでした。

ご存じないようでしたら、ここで申し上げておきましょうか。若い頃、海軍中尉だった延さんは、明治四十三年、つまり日韓併合の頃のソウル郊外で、砲弾にやられて重傷を負ったのですよ。どれだけ勇敢な人なのか、お会いしたばかりの私は知りませんでしたが、美談としては日本中に轟《とどろ》いていました。もし会長さんと組んで岩村の社長にまでならなかったら、ただ立派な軍人さんというだけで、それきりだったかもしれませんが、こうなってみれば、名誉の負傷が経歴に花を添えたような大成功で、創業者と並び称されるまでになったのです。

芸者の学校には歴史の時間がありませんから、そちらの方面には疎いのですけれども、日露戦争があってから、いよいよ日本が朝鮮半島に勢力を伸ばしたという段取りでしたでしょう。それから数年で、ついに併合したのでしたが、まあ、現地で喜ばれたということはないでしょうね。延さんは鎮撫の派遣軍として、小規模な部隊にいたのでした。夕方も近くなって、ソウル付近の村へ隊長と同行したそうです。馬をつないでおいた地点へ戻ろうとしたときに、この巡察隊が襲撃にあいました。ひゅるひゅるひゅるっと敵弾の音がして、隊長は溝の中へもぐり込もうとしたらしいのですが、ご老体なものでフジツボが岩にくっつくような速さでしかありません。大砲の弾が飛んでくるというのに、まだ足場をさがしているようでしたから、そこへ延さんが身を挺してかぶさったのです。しかし、何を血迷ったのか、老隊長が這い出そうとして、むりやり首を持ち上げてしまいました。これを延さんが押さえつけようとしたところへ弾が破裂して、隊長は絶命し、延さんは重傷を負ったのです。その後の手術で、左腕を肘から上で切断いたしました。

あのピンで留めた袖を初めて見たときは、思わず目をそらしてしまいました。手や足がない人を見たことがなかったのです。ずっと昔に、ある朝、田中さんの会社で、魚の腸《わた》をとっていて指の先をなくしたという人はいましたが――。ただ延さんの場合、腕がないのはいいほうで、気の毒なのは顔であると言われていました。皮膚が全体に傷口のようだったのです。どう説明したらいいか困りますし、言葉にするだけで残酷になりましょう。いつぞや、ある芸者が言ったことを聞くともなしに聞きましたから、それをお伝えするだけにいたします。「あの旦那はんのお顔を見たら、ぱっくり割れた焼き芋やて思うてしまいますねん」

大扉がしまりますと、私は会長さんに向き直り、ご質問に答えようといたしました。舞妓でありますから、生け花にでもなったように、おとなしく坐っていてもいいのですが、私はこの機を逃してなるものかと考えたのです。たとえ子供の足跡のような小さいものであっても、会長さんの心に印象を残せたら、何かのきっかけになるかもしれません。

「会長さん、相撲は初めてかいうお尋ねどすけど、ほんまに初めてどすねん。ようわからしまへんさかい、何ぞ教えとくれやしたら、うれしおす」

「相撲の解説だったら」と、延さんが口を出しました。「こっちに聞いてくれよ。舞妓さん、何というのだっけ。まわりが騒がしくて聞こえなかった」

私は会長さんから目を離して向き直りましたが、腹をすかせた子供がご馳走をあきらめるようなつらさがありました。

「へえ、さゆりどす」

「豆葉の妹だろう。豆何とかにはならないのか。そういう珍なるしきたりがあったんじゃないかね」

「へえ、何やしら、豆がついたら、うちには縁起ようならしまへんのどす。八卦はんのお見立てで」

「易者か」と、延さんは小馬鹿にしたようでした。「そいつに名前をつけてもらったんだな」

「つけたんは、うちどっせ」と、豆葉が言いました。「八卦はんは、相談された名前がどないなもんやら判じてくれはるだけどす」

「いずれは豆葉も、くだらない占いを信じないように脱皮するかな」

「おい、おい、延さん」と言ったのは会長さんでした。「黙って聞いてると、日本一の近代人らしい口ぶりだが、あんたほどの運命論者にもお目にかかったことがないと思うよ」

「運命なら誰にだってありますよ。ただ、いちいち易者にお伺いを立てることはないのです。たとえば、この私は腹がへっているかどうか、と板前に聞いたりしますか？——ま、ともかく、さゆりとは可愛い名前をつけたものだ。えてして可愛い名前が可愛い女についてるとは限らないが」

そう言われましたから、この次には、豆葉も不細工なのを妹にしたものだとか、そんなように評されるのかと思いましたが、ありがたいことに、

「うまいこと名前と実体が合っている例だね。豆葉よりも美人になるんじゃないか」

「よう言わんわ。二番目以下やと言われて、喜ぶ女はいてしまへんえ」

「とくに豆葉は、か？　しかし、覚悟はしておいたほうがいいぞ。なにしろ、こんな目をした妓だからなあ。そら、さゆり、もう一回こっち向いて、よく見せてくれよ」

目を見たいとおっしゃるのに、下を向いてもじもじしているわけにはいきません。といって、まともに見つめ返したら不躾《ぶしつけ》でしょう。私の視線は、氷の上で足元を確かめるように、少々ずれて動いてから、延さんの顎のへんに落ちました。もしも意志の力で、目の先にあるものを見えなくできるのなら、あのとき私はそうしたでしょう。下手な粘土細工のような顔だったのです。悲劇となった原因を、まだ私は知らなかったのだとご承知おきください。どうしてこうなったのだろうと思ったら、また気持ちが重くなるようでした。

「ふうむ、光が薄くゆらめくとでも言おうか。たまげた目だね」

このときに小さな入口があいて、烏帽子《えぼし》に直垂《ひたたれ》という、昔の絵から抜け出たかと思うような装束で、行司があらわれました。これを先頭に、あとから力士の行列が通路を歩きだしましたが、力士のほうは体が大きすぎて、入場の際に頭をぶつけそうになります。「相撲は、どれだけ知っている？」と、延さんが私に言います。

「お相撲さんは鯨のように大きいということだけどす。お相撲さんやったお人が祇園にもいてはります」

「ああ、あれか、淡路海だろう。あっちに坐ってるよ」延さんは淡路海がいるほうを手で示しました。すると、何がおかしいのか笑っている淡路海の隣に、小りんがいたのです。小りんからも私が見えたのでしょう、にやっと笑うと淡路海に寄っていって何事かささやいたので、淡路海もこっちを見ました。

「あいつは、ろくな相撲取りにならなかった」と、延さんが言いました。「肩からのぶちかましを一つ覚えにしていたが、相手には効かないで、自分の鎖骨を痛めてばかりだったから、馬鹿な話さ」

すでに力士の入場が終わって、土俵下にぐるりと勢揃いしていました。一人ずつ四股名《しこな》を紹介されて土俵へあがり、客席を向いた円形にならびます。この一団が退場すると、東西を入れ替えた力士たちが、同じように入場いたしました。そこで延さんが言います。

「あそこに土俵があるだろう。先に出るか、足の裏以外のどこかを土につけるかで負けるという、言ってみれば簡単なことだが、それが案外むずかしい。ああいう巨体を押し出すとしたら、どんなものだろうね」

「へえ、うしろから近づいて、土俵から飛び出すくらい、拍子木でおどかしまひょか」

「ふざけちゃいけない」

たしかに器用な冗談とはいえませんでしたが、これでも芸者の端くれで、楽しんでもらおうといたしましたのに、いかにも間が悪くなってしまい、困っていましたら、会長さんが乗り出してくれました。

「この男はね、相撲となると冗談が通じないのだよ」と、静かにおっしゃいます。

「そう、冗談にしたくないことが三つある。相撲、事業、戦争」

「おやまあ、三題噺《ばなし》みたいどすなあ」と、豆葉が言いました。「それこそ冗談やら何やら、わからへんようなります」

「もし戦局を見ていたとしたら――」延さんは私に言います。「いや、会社の会議に出ていたとしてもいいんだが、おまえには展開が読めるか」

どうにも藪から棒な話ですが、声音から察すれば、わからないと言わせたいようですので、

「むずかしゅうて、ちょっとも……」

「そうだろう。相撲を見ていたって、どうなるかわかるまい。豆葉の軽口に笑っているのもいいが、俺の解説を聞くのもいいぞ」

「その解説を、もう長いこと聞かされてきたが」と、横から会長さんが穏やかに、「どうも私は呑み込みが悪くていけない」

「いやいや、会長は切れる人なんだが、相撲となると身が入りませんな。ここへだって、うちの会社が後援してなかったら、お出ましにならなかったでしょう。それも私が言いだして、お許しを仰いだような企画ですがね」

もう東西の土俵入りが終わっていました。このあとは二人の横綱が、それぞれの土俵入りをいたします。相撲で横綱といえば、祇園なら豆葉のようなものだ、と延さんに言われて、たぶんそうなのだろうと思いましたが、いくら豆葉でも、お座敷へ入るのに横綱の半分も時間をかけたら、その次からは呼ばれなくなるでしょう。横綱の二人目は、小兵《こひょう》ながら面魂《つらだましい》はたいしたものでありました。まるで無駄がなく引き締まって、岩から削りだしたような顔です。顎など

は、角張った漁船の舳先《へさき》を思わせました。場内は割れんばかりの大声援で、つい私は耳を手でおおったくらいです。宮城山という横綱でした。いくらかでも相撲をご存じなら、あの大歓声も無理はないとおわかりでしょうが。

「あんな名横綱は見たことがない」と、延さんが言いました。

取組が始まる前に、懸賞が読み上げられました。その中に金額の大きなものがあって、岩村電器社長、延俊和という名前で出されていたのです。延さんは心外であるというような顔になって、「馬鹿な。個人の金じゃあない。岩村電器が出したんだ。申し訳ありません、会長。誰か人をやって訂正させましょう」

「いいじゃないか、延さん。これまでの功労を思えば、あんなの安いものだ」

「いや、どうも、そうおっしゃっていただくと、まったく恐縮です」と言いますと、延さんは会長さんにも盃をとって、お酌して、二人して飲んでいました。

いよいよ力士が土俵へあがりましたので、さあ相撲が始まるのかと思いましたら、五分かそこらも、塩をまいたり、どすんどすん四股を踏んだりしています。じいーっと睨み合って、今度こそ立ち会いかというと、ふらりと横へ歩いて、また塩を鷲づかみにしたりもしました。そのうち、まだまだと思っていたら、いきなり始まって、まともにぶつかり合い、いくらか差し手争いがありましたが、あっけなく押し倒して勝負がつきました。客席は拍手喝采でしたけれども、延さんだけは「味のない相撲だ」と首を振りました。

それから取組が何番もあったわけですが、その間ずっと、私は一つの耳が頭につながって、もう一つが心につながったように感じていました。片方から延さんの話が入ってきて、それはそれで面白いのですが、反対側からは豆葉としゃべっている会長さんの声が聞こえるもので、そっちにも気をとられていたのです。

そうやって一時間もたったでしょうか、淡路海のそばで何やらきれいな色のものが動いたのが目につきました。朱色をした絹の花でして、坐ろうとする女の髪に揺れた飾りなのだとわかります。あの小りんが、いつの間に着替えをしたのだろうと思ったら、小りんなどではなく、初桃が来ていたのでした。

まさに神出鬼没というべきで、もう私は電線でも踏んだように、びりっと体に衝撃が走りました。こうなっては、この大きな会場の大勢の人の前で、いつ恥をかかされるか時間の問題でしかないでしょう。いえ、大勢の前で馬鹿にされても、それが仕方ないなら我慢もできましょうが、会長さんの目の前で恥をさらすのは、とうてい忍びがたいことです。喉の奥が焼けるように熱くて、土俵にあがる両力士の解説を始めた延さんの声を、聞いている格好がついているのかどうかもあやしくなりました。豆葉のほうを見ると、豆葉も初桃に目を走らせたようで、

「すんまへん、会長さん、ちょっとご無礼して、中座さしとくれやす。どうやら、さゆりさんもそんな様子どすさかい」

延さんが話し終えるまで豆葉が待ってくれましたので、それから豆葉について会場を出ます。

「ほんまに、姐さん……あの人は鬼のようどす」

「小りんさんが知らしたんやろ。一時間以上も前に帰《い》んださかい、初桃さんを探さしたいうとこやな。そうまでして、あんたを痛めつけたいいうのんは、なあ、えろう見込まれたもんやと喜ばんなんかもしれん」

「そうかて、あのお方の……あの方々の前で、馬鹿にされる思うたら、もう我慢でけしまへん」

「あんた、自分から初桃を笑わすようにしたら、かえって放っとかれるのとちゃうやろか」

「そんな、姐さん、わざわざ好きこのんで、そこまで……」

すでに中庭を横切って、洗面所のある棟へあがる手前だったのですが、豆葉は人目につきにくい渡り廊下を歩いていって、誰にも聞かれないところまで来ると、

「いまのお二人はな、長年のご贔屓をいただいてる大事なお客様どっせ。そらまあ、延さんは、気に入らん相手には、ずけずけ遠慮のう言わはるけど、もし味方にしたら、武士に二言はないちゅう気質のお人や。そないなとこが初桃さんにわかると思うか？　なんせ延さんの顔見たら……ま、トカゲの旦那はんと言うてはるくらいやし。——あら、豆葉さん、ゆうベトカゲはんとご一緒してはったやおへんか、何や、肌の色が移ってきたように見えまっせ、とまあ、そんな調子や。あんたが延さんをどないに思うか、いまはどうでもよろし。いずれは良さがわかるやろ。けど、あんたが延さんを好きになったと初桃さんに思わしたら、たぶん、もう手出しはせえへんはずや」

はて、何の話だろうと思いました。どうしろというのかも定かではありません。

「相撲のことで、延さん、あんたに長いこと話して聞かしてはったなあ。あれやったら、あんたが延さんに惚れたていうても、そう無理はおへん。初桃さんを考えたら、そういうことにしとおきやす。あないなええ人は初めてやと思うといなはれや。初桃さんにしてみたら、こんなお笑いぐさはまたとない、もっと笑うたろいうわけで、あんたを祇園から追い出そうとはせん

ようなるやろ」

「へえ……惚れたように思わすて、どないしたらよろしおすのやろ」

「それもわからへんなら、あんたを仕込みそこのうたいうこっちゃ」

枡席へ戻りますと、また延さんは横を向いておしゃべりしていまして、そこへ私が割り込むわけにもいきませんから、土俵上の仕切りをおもしろがっている格好でごまかしていました。客席が全体にざわついて、しゃべっているのも延さんばかりではありません。できることなら会長さんのほうを向いて、以前、ある小娘に目をかけてくださったことを覚えていらっしゃいましょうかと言ってみたくてなりませんが、それはまあ無理というもので、しかも初桃に見られていると思えば、うっかりしたことはできません。

ほどなく延さんが私に向き直って、「つまらん相撲が続いたよ。宮城山が出たら、本物の技が見られるんだが」

ここは嬌態《しな》をつくっておくのがいいと思いましたから、「へえ、そういうもんどすか。社長さんに教えてもろて、へえ、なるほど、と思うて見てますのどすさかい、もう、てっきり、ええお相撲を見せてもろたつもりどした」

「ばか言っちゃいけない。あんな連中は宮城山の足元にも及ばんよ」

その延さんの向こうに、だいぶ離れて初桃がいました。淡路海と話していて、一応こっちを見ている気配はありません。

「へえ、阿呆なこと言うようどっけど、あんなに小そう見えたお相撲さんが、よう強い横綱になれるもんどすなあ」と言った私は、たぶん真剣そのものの不思議そうな顔をしていたでしょう。われながら馬鹿々々しくなりましたが、はたから見れば、どうでもいいような話をしているとは、まず思われなかったはずです。しかも、ちょうどこのときに初桃がこっちを見たらしいのですから、してやったりというところで。

「ほかが太りすぎだから、宮城山が小兵に見えるだけでね」と、延さんは言っています。「ところが本人は小さく思われるのがいやなのだろう。いつだったか、背丈と目方が新聞に書いてあった。数字に間違いはなかったんだが、くやしがった宮城山は頭のてっぺんを板でたたかせて、食えるだけの芋を食って、水をがぶ飲みしてから、新聞社へ押しかけたよ。ほら見ろ、間違いだといってね」

それはまあ、初桃のためには、延さんが何か言うごとに笑ってやろうと思いましたが、渋い顔をした横綱が頭に落ちてくる板きれを待ちかまえるという図柄は、たしかに傑作でありました。それを心に浮かべて、思いきり笑っていましたら、延さんまで愉快そうになりまして、すっかり気が合っていると見えたのでしょう、初桃は手をたたいておもしろがっていたようです。

まもなく私は、あることを思いつきました。延さんが会長さんであるというつもりになればいいのです。延さんに何を言われても、ぶっきらぼうな口調を聞かなかったことにして、会長さんの穏やかな言い方を考えてみました。だんだんと私は延さんの口だけを見て、無惨な顔を忘れていられるようになりました。そうやって会長さんの口だと思い込み、声の響きにあるすべてのものに、私への気持ちを込めたような意味があるのだと考えたのです。そんなことをやっているうちに、ここが相撲の会場ではなくて、どこか静かなお座敷で会長さんとご一緒しているような錯覚も持てたのだろうと思います。こんな幸福な気分は、いつから絶えてなかったことでしょうか。投げ上げたボールが落ちる寸前のような、ふわっと浮いて時間さえ止まった静寂に、私は身を置いていました。会場を見まわしても、大きな木材の美しさと、餅の焼ける香ばしさくらいしかわからなくなっています。こんな状態がいつまでも続くようにさえ思えたのですが、いまでは覚えがありませんけれど、何かしら私が言ったのでしょう、それに延さんが応じて、

「おい、馬鹿だな、何を言ってるんだ。そういうことを考えるのか」

まるで吊っていた糸が切れたように、私の顔から笑いが抜け落ちました。延さんがまじまじと私を見ています。遠くの初桃だって、こっちを見ていると思わなければなりません。ですが、よく考えてみれば、芸妓なり舞妓なりが男性の前で涙ぐんだとすれば、たいていは色恋の涙だと思われるのではないでしょうか。実際には、延さんにきついことを言われてお詫びしたのであったとしても、私は思いがけず会長さんに叱られたと空想することにしておいて、すぐに唇がわなないてきました。うつむいて、ほんの子供であるところを見せます。

すると意外にも延さんは、「こりゃ、いかん、悪いことをしたかな」と言います。

ぐすんぐすん泣きそうな芝居は、たいして難しくもありませんでした。じっと私を見ていた延さんが、「かわいい妓《こ》だねえ」と言いまして、もっと言いそうな様子でしたけれども、ちょうど宮城山が入場して、客席が沸きました。

しばらくの間、宮城山とその対戦相手で西鳳とかいう力士が、土俵上をのしのし歩いて、つかんだ塩をまいたり、四股を踏んだりしていました。腰を落としてにらみ合うたびに、二つの丸い岩が転がりだそうとするように見えたものです。上背もあり、はるかに重そうな西鳳より

も、宮城山のほうが前へせり出して仕切りました。ぶつかり合ったら、小さいほうが飛ばされるのではないかと思えます。あの巨漢を押すなんてことは、誰にだってできるものではなさそうでした。どちらから仕掛けることもなく、八回か九回も仕切ったでしょうか。すると、延さんが私の耳元で言いました。

「立ち会いで決まるな。目を見ろよ。何か狙ってる」

見ろといわれて見たのですが、わざと宮城山が目をそらすらしいとしかわかりません。西鳳はあなどられたと思ったのでしょうか、猛獣が怒り狂ったような顔を見せます。その顔というのが、下半分が大きく張っていますから、全体として裾を広げた山のような顔でした。真っ赤になって怒っています。宮城山は超然としたものでしたが。

「そろそろ行くだろう」と、延さんは言います。

その通りで、次に手をついて構えたときに、西鳳から突っかけました。

せり出していた宮城山だって、そのまま体重をかけて出ていきそうに思えたのですが、相手の勢いを受けて立ち上がると、一瞬のうちに、くるりと回転して、西鳳の首へ手をかけていました。もう西鳳は前へ出すぎていて、階段を転げ落ちるようなものです。そこへ宮城山が力まかせに押しましたから、西鳳は土俵を飛び越えていきました。そして、何ともはや、あの小山のような巨体が、土俵下の最前列にもんどり打って落ちたのです。見物人はあわてて逃げましたが、一旦おさまってから、息も苦しそうに起き上がった人がいて、どうやら西鳳の肩がぶつかっていたようでした。

勝負がつくのに一秒とかかったでしょうか。よほどに口惜しかったと見えて、負け力士の西鳳はまったく形だけの挨拶をすると、どよめきの静まらない場内を出ていきました。

延さんは、「ほうら、結局、送り出した」と言います。

「お見事どすなあ……」ぼうっとしたような豆葉が、しまいまで言わずに黙りました。

「何が見事なのかね」と、会長さんが訊きます。

「いまの勝ち方どす。見たこともあらしまへん」

「そうかな。べつに珍しくはないが」

「へえ、あれを見て考えたことがおして……」

＊　＊　＊

祇園へ帰る俥に乗って、豆葉が上気したような顔を私に向けました。「さっきのお相撲さんのおかげや。名案を思いついたえ——。初桃さん、知らんあいだに、もう体が泳いでるみたいなもんやわ。気づいたときには手遅れどっしゃろ」

「何ぞお考えが？　なあ、姐さん、うちにも聞かしとくれやす」

「いま教えたりすると思うか？　女中にも言わんとこ思うてんのどっせ。ま、ええから、延さんに嫌われへんようにしといやす。こうなったら延さん次第や。それと、あと一人おいやすのえ」

「どなたはんどす？」

「あんたは会うたこともおへん。さ、話はここまでや。これでも言いすぎかもしれへん。きょう延さんに会うて、ほんまによろしおしたえ。あんたには救いの神になってくれはるお人かもしれへん」

そう聞かされて、正直なところ、困ったと申し上げねばなりません。どうせ救ってくれるなら、ほかの誰でもない、会長さんであって欲しかったのです。

十八

こうして会長さんの正体がわかりましたので、その晩から私は読み捨てにされた雑誌を見つけては、岩村堅の記事が出ていないかと調べました。一週間もすると、ごっそりと古雑誌が部屋にたまりましたから、小母《あば》には気は確かなのかというような顔をされました。ただ、記事がないことはなかったのですが、上っ面をなでたものばかりで、本当に知りたいことは、ちっとも出てまいりません。それでも、屑籠に突っ込まれた雑誌を丹念に拾うようにしていましたら、あるお茶屋さんの裏手で、まとめて縛った古新聞を見つけました。その中に二年前の雑誌がまじっていて、ちょうど岩村電器の特集記事を載せていたのです。

どうやら岩村電器は昭和六年の四月に、創立二十周年を祝ったようです。いまから考えても、偶然というのはあるものだとびっくりしますが、私が白川のほとりで会長さんと初めてお会いした、その月だったのですねえ。あの頃に雑誌を見ていたら、いくらでもお顔が出ていたろうにと思いますよ。ともかく、それで日付の見当がつきましたから、さがしやすくなったわけで、だんだんと記事が見つかるようになりました。路地向かいの置屋さんで、おばあさんが亡くなったときは、ずいぶんと古物が捨てられて、私には宝の山になりましたね。

会長さんは明治二十三年のお生まれだとわかりました。ということは、白髪まじりとはいいながら、私がお会いしたとき、まだ四十そこそこだったのです。それほど大手の会長さんではあるまいと思ったのも、私の見当違いでありました。たしかに、どの記事を見ても、西日本で覇《は》を競っている大阪電気とくらべれば、岩村のほうが規模では負けていたようですが、会長さん延さんの名コンビは、ずっと大手のお偉方よりも、よほどに有名だったのです。まあ、いずれにせよ、岩村電器といえば、時代を先取りした会社だという評判ができていました。

会長さんは十七の年に大阪の小さな電気会社へ働きに出ました。まもなく、工場設備の配線をする現場監督になったのですが、電灯なるものへの需要が家庭でも職場でも高まりつつあった時代ですので、会長さんは夜になると工夫をこらして、一つのソケットに二つの電球をつけられる器具を発明しました。ところが勤め先の会社では相手にされなかったものですから、大正元年、新婚早々の会長さんは、二十二歳で独立したのでした。

しばらくは軌道に乗らず苦しんだのでしたが、大正三年になって、ある基地にできた建物の配線工事を請け負うことができました。その基地にいたのが延さんです。負傷以来、なかなか転職もできないまま、軍を離れずにいたのでした。岩村という若い会社の仕事を監督する任務についた延さんは、すっかり会長さんと意気投合して、翌年、入社を誘われたのです。

そういう話を読んでいるうちに、なおさらお二人の組合せの妙がわかってまいりました。たいていの記事が同じ写真を載せていて、会長さんは厚手のウールの三つ揃いで、手には製品の第一号である陶製の二股ソケットを持っています。なんだか、ひょいと渡された品物を、さて、どうしてくれようかという顔つきに見えました。歯が見えるくらいに口をあけ、この器具を投げつけかねない勢いで、カメラをにらんでいます。延さんのほうは、その隣に立つと頭の半分ばかり背が低く、きちっと気をつけの姿勢をとっていて、片方だけの手を握りこぶしにしていました。モーニングに縞のズボンという扮装《いでたち》です。損傷した顔に表情は見えず、目が眠たそうでした。会長さんは、若白髪と身長のせいでしょうが、二つしか年上ではないのに、父親のようですらありました。記事を読んだかぎりでは、会長さんが経営の構想を練って、延さんが実際の業務にあたるという分担だったようです。どちらかというと延さんが地道な役回りになっていますが、しっかりと任務を果たしたらしくて、もし延さんの力量がなかったら、何度かの危機を乗り越えることはできなかっただろう、と会長さんも公言していました。大正十年前後に、さる投機筋を味方に引き入れ、会社の倒産を防いだのは延さんの功績だったようです。「あの男には返しきれない借りがある」という会長さんの言葉が、何度も引用されていました。

＊　＊　＊

しばらく日にちを置いて、豆葉からの呼び出しがありました。翌日の午後に来いという書付《かきつけ》です。豆葉の女中が目の玉の飛び出るような着物をそろえていてくれるのには、もう慣れてしまっていましたが、この日ばかりは、行ってみて着替えようとしますと、金地の草原に落葉を敷きつめたような、緋色《ひいろ》と黄色で秋らしい風合いのものでしたが、その尻の下あたりに、指が二本通せるくらいの裂け目があったのですから、びっくり仰天いたしました。まだ豆葉は帰ってきていません。とにかく着物を腕で抱くように持って、女中に知らせます。

「たつ美さん、えらいことどす。見とくれやす、これ……どないしまひょ」

「ああ、これ、どないもこないもしいしまへん。直せばええだけのことどすがな。ご近所の屋形さんから、姐さんが借ってきはりましてん」

「ほな、気ぃつかはらへなんだんどすわ。うち、先《せん》にも着物わやくちゃにしたことがおすのやし、こないなってたら、またあの子やて思わはるのや……」

「へえへ、姐さんなら、知ったはりまっせ」と、たつ美は私に最後まで言わせず、「それに、長襦袢かて、おんなしように破れてまっしゃろ――」それだったら、もう私は着ていましたが、言われて手をまわしますと、たしかに浅黄色の長襦袢のうしろ側、太股のへんに、裂け目があるようでした。

「去年のことどすわ」と、たつ美が言います。「ある舞妓さんが、釘に引っかけてしもたんどすて。けど、さゆりさん、これを着るようにて、姐さん、はっきり言うたはりましたえ」

どうも話が通じません。着るだけは着たのですが、ようやく豆葉が大急ぎで帰ってきましたので、お化粧を直しているそばで尋ねてみましたら、

「あんたのためを思うたら、二人の男はんを大事にせんなんて言うたやろ。延さんには、もう会うたわなあ。もう一人は、ちょっと京都を留守にしてはったんやけど、お帰りやしたさかい、この着物が破れてるおかげで、会えるようなったいうわけやがな。ほら、あのお相撲さんに、ええこと教えてもろたて言うたやろ。なあ、あんたが土壇場でひっくり返したら、初桃さんがどないな顔するやろかと思うと、うちかて待ちきれへん。こないだ会うたとき、初桃さん、うちに何て言うた思う？　ようお相撲に連れてくれはった、いくら感謝しても足らしまへん、と

まあ、こないや。あのトカゲはんの言うことを、さゆりさんが目ぇ丸うして聞いてんのやさかい、それ見ただけで、わざわざ出かけた甲斐があったんやて。――たぶん、あれやったら初桃さんかて、延さんのお座敷には、ちょっと様子うかがいに顔出すくらいで、そう邪魔なこともしやはらへんやろ。あんた、どうせなら初桃さんのいるとこで、せいぜい延さんの噂でもしとおみやす。けど、これからお会いする人のことは、絶対に言うたらあかんえ」

そう言われますと、うれしそうな顔をしようと思いながらも、内心の落ち込みようは苦しいくらいでした。どんな男の人だって、僚友が旦那になっていた芸者とでは、今度は自分が懇《ねんご》ろになろうとはしますまい。いつだったか、遠くもない昔でしたが、銭湯にいたら聞こえてくる話がありました。ある芸者が、かなわぬ夢を見たのに、新しく旦那が決まって、それがなんと、恋しいほうの男と組んで仕事をしている人なのだというのを、もう一人の女がなぐさめていたのです。その様子を見ていて、まさか自分がそういうことで嘆くとは、思ってもみませんでした。

「あの、姐さん、すんまへん。いずれ延さんがうちの旦那はんになるいうのんも、お考えに入ってますのどすか」

豆葉は白粉の刷毛を持つ手をおろし、鏡の中で私をにらみつけました。それが答えです。いまから考えても、走っている汽車だって止めそうな顔つきでした。「延さんは立派なお人どす。あの人が旦那はんやったら恥ずかしいて、そないに言わはるのか？」

「あ、いえ、そんなんやあらしまへん。ただ、ひょっとしたら思うて……」

「そうか。そんならええわ。ほな、二つだけ言うときまっせ。まず、あんたは十四で、まだまだ評判ちゅうもんもあらしまへん。立派なお人が旦那になったろかと考えてくれはるだけでも、それだけ格のある舞妓になれたら御の字やと思うといやっしゃ。もう一つ、いままで延さんは、ただの一人も、旦那になりたい思わはるほど気に入らはる妓があらへなんだ。あんたが、その一人目になれたら、ほんまに晴れがましいくらいなことどっせ」

まさしく私は顔から火の出る思いでありました。豆葉の言うとおりなのです。私の将来がどう転んだとしても、延さんほどの人物に好かれたら、上々吉といわなければなりません。もし延さんが私の手の届かないところにいるならば、いわんや会長さんに届くわけがないのです。はからずも相撲の会場でお会いしてからというもの、なんとなく私は、いい方へいい方へと考えていたようです。こうして、ずばりと豆葉に言われてみれば、悲しみの海を泳ぐような気分でした。

＊　＊　＊

いそいで支度をして、豆葉に連れられていったのは、六年前に豆葉が自前になるまで暮らしていたという置屋でした。門口まで出てきた女中が、あきまへんわ、というように舌打ちしてみせます。

「さっき病院のほうへ電話入れたんどすわ。ほしたら、きょうは先生が四時で帰らはるいわれました。もう、かれこれ三時半どっせ」

「ほな、加寿子さん、うちらの出がけに、また電話しまひょ」と、豆葉は言います。「たぶん待っててくれはりまっしゃろ」

「そうどすなあ。そうやのうては、舞妓はんが血ぃ出したまんまで、かわいそやしなあ」

「血ぃ出したまんま？」私は泡をくって問い返したのですが、女中は私を見て、ほうっと息をついただけで、二階への案内をいたしました。あがりますと、ただでさえ二畳ほどでしかない踊場に豆葉と私と女中が来て、すでに若い女が三人と、ひょろっとした飯炊き女中がさっぱりした割烹着《かっぽうぎ》をつけて待っていました。みんなで私へ気遣わしげな目を向けますが、この女中だけは鰺《あじ》切りのような庖丁を研ぎ始めました。どうやら私が切られ役らしいのですから、刺身の冊《さく》になったような心地です。

「豆葉さん姐さん……」

「なあ、さゆりさん、あんたの言いたいことはわかってます」と、豆葉は言うのですが、どう言おうか私自身がわかっていなかったのですから、おかしなもので——。「あんたと姉妹になるときの約束で、うちの言うことは何でもきくいうのどしたな？」

「あの、そうかて、生き肝をとられるとまでは思うてもしまへんどしたさかい」

「肝をとるなんて、誰も言うてまへんがな」と、庖丁を持った女中は私をなだめようとする口ぶりですが、気休めにもなりません。

「ちょっと肌に傷つけるだけえ」と、豆葉は言います。「ちょっとだけや。病院へ行って、先生に見てもらうのやし、怪我くらいせんならん。さっき話したやろ。それがお医者さんどすね」

「せめて腹痛《はらいた》いうことにでけしまへんやろか」

私は大まじめでしたのに冗談と思われたのでしょうか、大笑いになって、豆葉さえも笑っていました。

「さゆりさん、みんな、あんたのためや思うてんのどっせ。ちょっと血ぃ出して、ほんなら見てみよかと先生が思わはるくらいの、そんなもんでええのや」

すると、まもなく女中が庖丁を研ぎあげて、私の前へ来ました。お化粧でもしてくれるかのように、何事もなく落ち着いていますが、手には庖丁を持っているのです。加寿子さんと呼ばれた年配の女中が、両手で私の衿を広げました。私はもう悪あがきの寸前のようでしたが、豆葉が口をきいてくれまして、

「切るのは脚にしとくれやす」

「いいえ、首のほうが、よほどに艶っぽいもんどっせ」と、加寿子は言います。

「さゆりさん、うしろ向いて、加寿子さんに裂け目を見てもらいやす」そのように私がいたしますと、「ほら、加寿子さん、こないな着物どすさかい、切り傷と裂け目があっちゃとこっちゃいうわけにはいかしまへん」

「ええのんとちゃいますか。着物は着物、傷は傷でおまっしゃろ」

「何わからんこと言うたはりまんね、この人は」と、庖丁の女中が言います。「ええから、姐さん、ここや言うとくれやす。どこでも切りまっさかい」

きっと、私としては、ありがたいと思わなければいけなかったのでしょうが、まあ、そうでもなかったですね。

豆葉は若い女中に言って、口紅を取って来させました。これを着物にあいた穴から通すよう

にして、私の脚の、ほとんど尻に近いあたりへ、ささっと赤い印をつけます。

「ここどっせ。ぴったり的にあてとくれやす」

ものを言おうとして私は口をあけましたが、それより早く豆葉が、「おとなしゅう、ここへ寝といなはれ。これ以上、手間かけさしたら、ほんまに怒るえ」

素直にいうことをきけたと言ったら嘘になりますが、逆らうわけにもいきません。板の間に敷布をしいた上に寝そべって、目をつむりましたら、豆葉が着物をまくりますので、脚の付け根まで丸出しになりました。

「深くすんのは、いつでもでけんにゃし」と豆葉が言っています。「なるべく浅手から始めとくないな」

切っ先を肌に感じて、思わず唇を嚙みました。よく覚えてもいませんが、いくらか悲鳴をあげたかもしれません。とにかく、ちくっと押されたように思いましたら、豆葉の声がして、「何ぼ浅ういうたかて、それやったら薄皮一枚も、よう切ったことにならしまへん」

「何やしら、口みたいになってますな」と、加寿子も庖丁係に言います。「赤い目印の真ん中に、すうっと線を引かはったさかい、唇みたいに見えますわ。これ見やはったら、先生笑わはりまっせ」

それもそうだと豆葉は考え、庖丁の女中も位置はわかるというので、目印は消されました。すぐにまた肌を押す感触があります。

いまだに私は血を見るのが苦手ですよ。あの田中さんと出会った日にも、唇を切って気が遠くなったのだとお話しいたしましたね。そのくらいですから、うしろへ首をひねって、血を見たときの気持ちを察していただけましょう。腿《もも》の内側へ豆葉が手拭いをあてていて、そこへ細い川が蛇行するように、たらたらっと落ちていたのです。それでもう、わけがわからなくなりましたから、次にどうなったのか、たぶん俥に乗せられて、どうにか運ばれていったのでしょうが、さっぱり覚えがありません。病院へ近づいたら、豆葉が私の顔を揺すって気づかせようといたしました。

「これ、聞いてますのんか。舞妓の心得いうもんは教わってると思うけどな。ほかの芸妓さん舞妓さんを大事にしいや、引き立ててくれはるのは先輩や、男はんは気にせんかてよろし、と何遍も言われてますやろ。ええから、そんなん忘れなはい。あんたの場合、何の役にも立たしまへん。あんたの将来は二人の男はんにかかってるのや、言いましたやろ。その一人に会うのどっせ。よう思われなあかんえ。ほら、聞いてますのやろな」

「へえ、姐さん、ちゃんと聞いてます」

「どないして切ったかて聞かれたら、着物のまま手洗いへ立ったら、転んだ拍子に、とがったもんに当たったいうのやで。くらくらっとして、何やったかわからへんとな。あとは適当にでっちあげとおき。とにかく、おぼこい舞妓やいうことで、可愛《かい》らしなっといやす。病院の中では、ぐったりと哀れにしいや。ためしに、やっとおみ」

それでまあ、上を向いて席にもたれかかり、目をまわしたようになりまして、本当にそういう気分だったように思うのですが、豆葉はちっとも喜びません。

「死んだふりして、どないしますのん。哀れにて言うたやろ。ほら、こうして……」

豆葉は目の置きどころも定まらないような、困惑しきった顔をしてみせました。手を頬に添えて、いまにも気が遠くなりそうな形です。その真似をさせられ、なんとか合格点をつけてもらいました。車夫に手を貸してもらって病院へ入ったところから、その演技を始めます。付き添っている豆葉が、着物の具合を気にして、あちこち引っ張って直しました。

木製のドアを押して中へ入ると、院長先生をお願いしたいと申し込みます。お待ちのはずです、と豆葉は言いました。そのうちに看護婦が案内に立って歩きだし、長い廊下の先の、くすんだような部屋へ着きますと、木の診察台があって、屏風式の衝立《ついたて》が窓をさえぎっていました。待たされている間に、豆葉は私の脚に巻いた手拭いをはずして、屑籠に投げ捨てました。

「ええな、さゆりさん」豆葉は息の音だけで言っているように、「せえだい可愛らしいに、へたっといやす。そこへ寝て、先生にすがらんなりまへんいうとこを見ておもらい」

これは簡単にできました。まもなくドアがあいて、蟹の先生が入ってきました。もちろん、そんなのは本名ではありませんが、あのお姿を見たら、誰だって蟹を思いついたのではないでしょうか。猫背になって肘を左右に広げたようなのですから、まったく蟹そっくりで、ああいうのは真似しようと研究してできるものではありませんね。歩くにしても、一方の肩が先に出ますので、これまた蟹の横歩きというもので――。髭をはやした先生は、豆葉がいると見て、にんまりしたというよりは、意外だという目の色でしたが、すこぶる上機嫌にはちがいありませんでした。

蟹の先生は、きっちり几帳面な人でして、ドアをしめるだけでも、まず取っ手をひねっておいて、掛け金の音をさせません。さらにドアを軽くひと押しして、しまっていると確かめます。そこまで終えると、ポケットからケースを取り出し、うっかりこぼしたら大変だと言わんばかりに丁寧にあけましたが、何のことはない、出てきたのは眼鏡でした。それまでの眼鏡と取り替えて、ケースをしまい、手で服地をなでつけて、ようやく私を一瞥し、ふむと首をうなずかせましたので、豆葉が言います。

「先生、ご面倒かけてすんまへん。さゆりいう舞妓で、先の楽しみな妓ぉどすにゃけど、脚に怪我してしまいまして、傷でも残らへんやろか、黴菌《ばいきん》でも入らへんやろかと心配で、これはもう先生に診《み》ていただくしかあらへんと思うて参じましたんどす」

「よろしい。——では、拝見しようかな」

「へえ、この妓は血ぃ見たらふらふらになりまっさかい、顔だけ横へ向かしといてやっとくれやす。傷は腿の裏側どす」

「なるほど。では、腹這いになるように言ってくれんだろうかね」

わざわざ豆葉に言わせなくてもよかろうにと思いましたが、一応は素直なところを見せるために、豆葉から指示が伝わるまで、じっと待っていました。すると、先生は私の着物を腰までまくり上げ、消毒液か何か薬品くさいものを持ってきて布にしみ込ませ、腿の一帯にすりつけますと、「さゆりさんとやら、どういう傷なのか言ってみてくれませんかな」

そこで私は、ぐったりした芝居を続けながら、大げさに息をしておいて、「へえ、あの、恥ずかしおすにゃけど、じつは……きょう、お茶をたんと呼《ぶ》ばれまして——」

「出たばっかしの妓どすさかいなあ」と、豆葉が口を添えます。「お披露目と思うて、ほうぼう連れまわしたら、ええ妓やないか、お茶でもどうえ、と言うてくれはりまして」

「そうだろうね」

「へえ、あの、ありがたいことどすのやけど」と、私は言いました。「何せ、急に、行かんなんというような……」

「ふむ、大量に茶を喫すれば、排尿の欲求が高ずるは当然」

「へえ、おおきに、そういうことどす。高ずるいうのんも、ただの高じ方ではあらしまへん。いまにも、ものが黄色う見えてくるのやないかいうような、へえ」

「ええから、肝心なお返事をおしやす」と、豆葉に言われました。

「すんまへん、あのう、もう我慢できひんようなりまして……そら、きつうてきつうて、やっと着いた思うたら、着物《おべべ》どすさかい、えろう手間取ってしもうて、よろけたんどっしゃろか、うっかりこけてしもたんどす。ほしたら、何やわかりまへんけど、とがったもんが脚にぶつかって、あとは気が遠うなった思います」

「ほう、意識がなくなって、よく失禁しなかったものだねえ」

これまで私は腹這いになっていて、お化粧を崩したくないので顔を診察台から浮かしぎみに話しておりました。蟹の先生は私の後頭部を見ていたことになります。ですが、いまの先生の言葉に、豆葉のほうへ首をひねりましたら、さすがに私よりも頭がまわるようでして、

「へえ、さゆりが言うのんは、用を終えて立ち上がろうとしたら、よろけてしもうたいうことどす」

「そうか。——それにしても鋭利なものにぶつかったらしいね。ガラスか金属の破片でもあったのかな」

「へえ、そうどす。とがったもんどした」と、私は言いました。「まるで庖丁のような」

先生はもう何とも言わずに、傷口を洗い始めましたが、わざとやっているのかと思うほどに、染みるといったらありませんでした。それから、いまの消毒液か何かをまた使って、脚に垂れて固まっていた血のあとを拭き取りました。結局は、軟膏をつけて繃帯《ほうたい》を巻いておけばいいのだということで、あとは数日間に注意すべきことを言われただけです。そこまで終えると、先生は私の着物の裾をおろし、こわれ物でも扱うように眼鏡をしまいました。

「これだけの着物をだめにしたのは残念だったねえ。しかし、こうして会えたのはよかった。豆葉さんも知ってのとおり、私は初物を喜ぶほうでね」

「へえ、うちのほうこそ、お礼申し上げなあきまへん」

「どうだろう、近いうちに一力あたりへ呼んであげようかね」

「それが、先生、じつは――」と、豆葉が言いました。「この妓は、その、ご覧のとおり、ちょっと特別製いいますか……ぎょうさんご贔屓いただいとりまして、もう体がいくつあっても足りまへんさかい、うちの考えで、なるべく一力さんにはご遠慮させてもろてますようなわけで、そうどんなあ、志ら江さんにでも寄せてもろたら、うれしおすのどっけど」

「なら、こちらにも好都合」と、蟹の先生は言って、またしても仰々しく眼鏡を取り替え、ポケットから出した手帳をながめました。「ふうむ、志ら江に……二日後の晩でどうだろう。ぜひ来てほしいね」

それを豆葉が確約して、病院を出ました。

＊＊＊

祇園へ帰る俥に乗って、上首尾だったと豆葉に誉められました。

「けど、姐さん、うちは何もしてしまへん」

「え？　そやったら、院長先生のでぼちんに浮いてたのん、あれは何え」

「へえ、目の前の診察台しか見てしまへんどしたさかい」

「ほな言うたげるわ。あんたの脚の血ぃ拭いたときな、あの先生たら、ちょっとも暑うない診察室で、夏の盛りみたいに、玉の汗かいてはったやろ」

「そうどすなあ」

「そういうこっちゃ」

どうも話をつかみきれませんで、そもそも、ああして病院へ連れていかれたのも、どういう計算からなのかわかっていませんでした。でも、豆葉は手の内を明かさないと決めているのですから、うっかり訊くわけにもいきません。それに、祇園の方角へ四条大橋を越えていたときですが、しゃべっていた豆葉が、その話を中途にして、

「なあへえ、あんたのその目ぇ、ほんまに、この着物《べべ》に合うてるわ。緋色に黄色……そこへ目の光が銀色のように見えてまっせ。あぁ、そや、なんで、もっと早うに気ぃつかへなんだんやろ。——俥屋さん」と、車夫へ呼びかけ、「行き過ぎてしもた。止めとくれやす」

「そやかて、姐さん、富永町言うたはりましたぜ。橋の真ん中で梶棒おろせまっかいな」

「ここで降ろすのがいやや言わはるなら、渡ってから引き返してもろたかてよろしえ。どっちゃでも、かましまへんわ」

そう言われては車夫も梶棒を下に置いて、豆葉と私が橋の上へ降りました。自転車が何台か、邪魔だと言いたげにベルを鳴らしながら、追い越していきました。豆葉は意に介しません。たぶん、押しも押されもせぬ自信からでしょうが、少しばかり交通の邪魔をしたところで、天下の一大事ではあるまいと思っていたようです。あわてず騒がず、絹の小銭入れから一つまた一つと数えては、釣り銭のないように払っておいて、いま来た道を、今度は歩いて戻りました。

「内田小三郎さんの仕事場どっせ」と、豆葉が行き先を告げます。「びっくりするような絵の先生や。きっと、あんたの目やったら、気に入らはるやろ。あの先生、たまに……頭がな、おかしならはることもあんにゃけど。仕事場いうのんも散らかったとこやし。あんたの目かて、すぐには気ぃつかはらへんかしれんけど、まあ、あんじょう見ていただけるようおしやす」

豆葉について小路を抜けていきますと、ある狭い路地へ出ました。その突き当たりに小さな朱塗りの鳥居が、二軒の家に挟まれたように立っていて、その奥には両脇に祠《ほこら》がならび、さらに石段が秋の色を深めた木々の間をあがっていきます。暗いトンネルになった石段の道を吹きおろす風が、ひんやりと冷水のようで、まるで別世界への入口に来た心地でした。ざっ、ざっ、と海辺の波のような音がすると思ったら、こちらへ背を向けた男の人が、石段のてっぺんにいて、棕櫚箒《しゅろぼうき》で水を掃き落としているのでした。

「あら、内田さん」と、豆葉が言います。「お掃除どしたら女中さんがいてはりまっしゃろに」

石段の上には日光があふれていて、そこから見おろすのですから、私たちは木立の中の人影でしかなかったでしょう。私からはよく見えました。独特の風貌といいましょうか、口元に一つ大きな疣《いぼ》があって、食べかすをくっつけたようです。もじゃもじゃの眉毛は、毛虫が頭から這いだして、目の上で眠り込んだというべきものでした。およそ身だしなみとは無縁のようで、ぼうぼうの白髪頭といい、寝巻と兼用らしい作務衣といい、乱雑そのものです。

「誰や」

「内田さん、長いお付き合いどすのに、まだ声を覚えとくれやさしまへんのどすか」

「誰や知らんが、怒らそういうんなら、上手に始めよったと誉めたるわ。いま、人に邪魔されたい気分やないのや。さっさと名乗らんと、この箒、投げつけたるで」

それはもう大変な剣幕でしたから、あの疣を自分で食いちぎって、ぺっと吐きつけてきてもおかしくないとさえ思いました。豆葉が平然とあがっていきますので、私もついていきましたが、本当に箒が飛んできそうで、うまいこと豆葉の陰に隠れておりました。

「ちょっと寄せてもろただけどすのに、えろ恐おすこと」と言いながら、豆葉は明るいところへ出ました。

目を細めた内田さんは、「何や、おまえさんか。もったいつけとらいで、早う言うたらええに。ほんなら、この箒で階段掃いといてや。わしは香を焚いてくる。そないにせんと家の中行けへんで。また鼠が死によって、棺桶みたいな臭いや」

これを豆葉はおもしろがったようで、内田さんが行ってしまうまで様子を見てから、箒を木に立てかけました。

「たとえば、腫れ物ができたことおへんか？」と、小さい声で言います。「あの内田さんはな、お仕事が思うようにいかへんと、いまみたいなご機嫌にならはんね。まあ、いうたら腫れ物を突っついて膿《うみ》出すように、いっぺん破裂さしたげんことには、よう静まってくれはらへん。八つ当たりでも何でも気の散じようがおへんとなったら、今度はお酒でまぎらそうとしやはるし、よけ悪うならはるわ」

「鼠、飼うてはんのどっか」私も声をひそめました。「また死んだて言うてはりました」

「まさか飼うてへんわ。墨を放ったらかしにしやはるさかい、鼠が齧りに来るねん。そいで毒にあたって死ぬのやな。うちが硯箱あげたいうのに、いっこも使うてくれはらへん」

すると、戸が半分くらいあきました。ぐいっと中から手をかけて、また引っ込んだようです。履物を脱いであがりますと、農家にありそうな大きなひと間で、隅っこに香が焚かれていましたが、まだ効き目が出ないようで、死んだ鼠の臭いがすさまじく、まるで鼻の奥まで粘土を突っ込まれたようでした。初桃の部屋もひどいものですが、それすら上回る乱れようです。長い絵筆が、折れたのも齧られたのもそのままに散らかって、また単彩の絵を描きかけた大きな画板も出しっぱなしですから、足の踏み場がありません。その真ん中に、墨をつけた跡だらけの万年床が敷かれています。この調子なら、ご本人も墨だらけかと思って見ましたら、あちらから口をきいて、

「こら、どこ見とる」

「内田さん」と、豆葉が言いました。「妹のさゆりどす。よろしゅうに。お目通りさそう思いまして、祇園から連れて参じました」

わざわざ祇園からと断るほどの距離でもないのですが、とにかく私は畳にかしこまって、型

どおりの挨拶をいたしました。いま豆葉が言ったことを、この相手が聞いていたのかどうかも怪しいものでしたが。

「昼どきまでは、ええ具合やった。それがどうや。ほれ、見てみ」と、立っていった内田さんは、一枚の画板を手にしました。留めてある絵は女の後ろ姿で、横顔になって傘をさしています。ところが、硯に足を突っ込んだ猫が歩いたようでして、きれいに足形が押されていました。そのお猫さんは、洗ってもいない衣類の山で、丸くなって昼寝中です。

「鼠をとるやろと置いてみたら、この始末やがな。ほかしたろか思うてんにゃ」

「そやけど、きれいに押したもんどすなあ。花を添えたようやおへんか。なあ、さゆりさん？」

内田さんが気色ばんだようでしたから、私としては何とも言いたくなかったのですが、これが膿を出すということかと思いあたりましたので、精一杯、感心した口ぶりになって、

「へえ、猫の足跡がこないにええもんやて、びっくりします。猫にも絵心があんのどっしゃろか」

「ほかしたろお言いやすのんは、猫の画才に妬《や》いてはるからとちゃいますか」

「妬いてる？　猫なんぞに絵がわかるか。あれは魔物や」

「すんまへん、堪忍しとくれやす。たしかに魔物どすなあ。けど、内田さん、その絵どないしやはります？　ほかさはるんどしたら、うちに頂戴させとくれやす。うちの部屋に飾らせてもろたら、よろしおっしゃろなあ、さゆりさん？」

そうと聞くと、内田さんは絵を画板から剝《は》ぎ取って、「そんなに欲しいか。ええやろ、二人

にくれたる」と言うなり、絵を二つに裂き、豆葉に持たせて、「ほら、一枚ずつあるわ。取ったら出ていけ」

「これは惜しいことしやはって。畢生《ひっせい》の傑作やったて思いますのに」

「出てけ」

「そんな、よう言わんわ。せっかく女が来たいうのに、ちょっとの片付けもせえへんで帰るような薄情なことでけしまへん」

それで内田さんのほうが、思いきり戸をあけて、そのまま憤然と出ていきました。さっき豆葉が木に立てかけた箒を蹴飛ばし、水に濡れた石段を降りようとして、あやうく足をすべらせ落ちそうになったようです。それから三十分ばかり、豆葉と二人で仕事場の整頓をしていましたら、豆葉の見込みどおり、だいぶ落ち着いた内田さんが帰ってきました。それでも、すっかり上機嫌とはいきません。口元の疣に歯をあてる癖が出ていたようでして、どうも弱ったという顔つきでした。さっきの怒りようが大人げなかったということなのか、私たちに目を合わそうとしません。これでは私の目を見てもらうわけにもいかなそうでしたから、豆葉が口を切りまして、

「どうどす、こないに可愛らしい舞妓もいてしまへんどっしゃろ。ご覧になっとくれやしたか？」

苦しまぎれに言ってしまったようなものでしたが、それでもまだ内田さんは、食卓から食べこぼしを払いのけるように、ちらっと私を一瞥しただけでした。さすがの豆葉も気落ちしたようです。そろそろ午後の光も薄らぐ時刻で、しかたなしに腰をあげましたが、帰りしなの豆葉

の挨拶も、ごく簡素なものになりました。外へ出ましたら、ふと私は足を止めてしまいました。夕日に見とれたのです。遠い山のむこうの空を、錆色、薄紅色の濃淡に染め上げて、極上の着物のように目を奪う色彩がありました。いえ、いくら絢爛であっても着物でしたら、手までが朱色に染められたりはしますまい。あの夕日を浴びて、私の手は光のきらめきに浸したようになりました。その手を宙にかざして、しばらく見つめておりました。

「姐さん、これ、見とくれやす」と言ったのですが、豆葉は夕焼けの話と思ったようで、ぼんやり空を見上げました。そのとき内田さんが戸口で凍りついたようになっていたのです。ぴんと張りつめた顔になり、片手で白髪頭をかき上げていました。夕日を見ていたのではありません。目の先には私がいたのです。

ご覧になったことがおありでしょうか。内田小三郎の名品とされる墨絵ですけれども。着物姿の娘がうっとりして目を輝かせているという……ええ、あの日暮れどきに思いついた絵なのだと、内田先生は最初からおっしゃっておられました。でも私は真に受けたわけではありません。だって、夕焼けの中で馬鹿みたいに手を見ている小娘が、ああいう立派な絵のもとになったとは、ちょっと思われませんでしょう。

十九

会長さんとの再会を果たし、延さんと知り合い、また同じ月のうちに蟹の院長や内田小三郎さんとも出会った頃の私は、たとえば蟋蟀《こおろぎ》がやっと虫籠から逃げ出したような心境になっていました。私だって、この祇園という世界にいて、一滴の茶を畳にこぼしたというほどに捨てたものではなさそうなのですから、ほんとうに久しぶりに、そんな心強さを覚えながら床につくことができました。豆葉が何を考えているのやら、それで私が芸者としてうまくいくのやら、また、いい芸者だったら会長さんとお近づきになれるのやら、そんなことは一向に見えてきませんでしたが、とにかく毎晩、蒲団に入れば、会長さんのハンカチを頬にあてて、お会いした日のことを思い出していたのです。いうなればお寺の鐘みたいに、いつまでも余韻が残っていたのですね。

ひと月ばかりもたったでしょうか、どこからも音沙汰がないもので、豆葉も私も心配になったのですが、ある日、午前中に岩村電器から一力亭に電話があって、夜になったら私を呼ぶようにとのことでした。豆葉は大喜びでした。延さんの意向だと思ったのです。私は私で、会長さんだったらいいのにと思っていました。あとで私は、初桃のいる前で小母《あば》に相談して、今夜は延さんのお座敷なのだが、どんな着物にしたらいいだろうと言いました。そうしたら初桃まで が立ってきたのですから、たまげたことがあるものです。知らない人が見たら、仲のいい一家だと思ったでしょう。初桃は薄笑いもせず、皮肉なことも言わず、ちゃんと手を貸そうとしたのです。小母《あば》も狐につままれたようでした。結局、選んだのは、緑色のぼかしの地に、木の葉の模様を銀と朱色であしらった着物でした。帯は鼠色に金糸を入れたものです。初桃は、延さんと私がならんだところを見たいから、あとで顔を出すと言っていました。

その晩、ついに私の人生もここまで来たかと思いながら、一力の廊下で膝をつきました。洩れてくる笑い声の中に、会長さんもいらっしゃるでしょうか。襖をあけましたら、たしかに上座におられました。延さんは背中しか見えません。会長さんの笑顔に――といいましても、それまでの笑いの消え残りだったのですが――すっかり私はうれしくなって、つい笑い返したくなるのを我慢したほどです。まず豆葉に声をかけ、ほかの芸者衆にも挨拶しておきます。お客さんは六、七人いらっしゃいました。私は立ち上がり、かねてより豆葉に言われていたとおり、延さんの横へ行きました。ところが、うっかり近すぎたのかどうか、延さんは小うるさいというように、がつんと盃を置いて、いくぶん遠ざかりました。私が詫びても知らん顔でした。豆葉は眉を寄せただけです。それからの私は、どうにも気勢があがりませんでした。お座敷を出たときに、豆葉が言います。

「延さんは気が短こおす。これからは、もっと慎重におしやす」

「へえ、すんまへん。きっと、姐さんが思うてはるほど、うちのこと気に入ってはらへんのどっしゃろなあ……」

「そうやないて。もし好かれてへんのやったら、あんた、いまごろ泣きの涙になってまっせ。ご機嫌によっては、砂利の袋みたいに、ごつごつ当たらはるお人や。けど、あのお人なりに根はやさしおすね。いまにわかるやろ」

＊　＊　＊

もう一度、その週のうちに岩村電器の名前で一力へ呼ばれ、以後、たびたび呼んでもらえるようになりました。豆葉と一緒ではなかったこともあります。あまり一カ所に腰を据えたら、ほかに行くところもないように思われる、と豆葉が言うものですから、せいぜい一時間かそこらで、次のお座敷へまわるような体裁にして、失礼するようにいたしました。よく私が夕方の出の支度をしていると、初桃がそばへ来て、あとで顔を出すかもしれない、と匂わせたものでしたが、実際にお座敷へあらわれたことはありませんでした。ところが、ある日、いささか不意をつかれましたけれども、今夜は時間がとれそうだから必ず行くと言われたのです。

ええ、いやな予感がいたしました。一力へ行ったら、たまたま延さんがいないのですから、なおさらまずいことになりそうで——。いままでにない小人数のお座敷で、女は私のほかに二人だけ、お客さんが四人でした。もし会長さんのお相手ばかりしていたとして、そこへ初桃がやって来たら、どういうことになるのでしょう。ちっとも計算がはたらかないうちに、すっと襖があいたので、不安の風に煽られる思いで目をやれば、やはり初桃が廊下に膝をついていたのです。

この際は仕方なしに、延さんのいないお座敷などおもしろくも何ともないという顔をしておこうと決めました。それだけでも当夜の救いにはなったと思いますが、ほどなく延さんが来てくれたので大助かりでした。すると、初桃の笑った美貌が妖しいふくらみを帯びまして、その昼などは、傷口で玉になる血のしずくのようでした。くつろいで坐った延さんを見て、初桃は私に母親のようでさえある口をきき、お酌させともらいやすと言ったものです。私は延さんのそばへ行って、娘らしい憧れを仕草に出そうといたしました。もし延さんがお笑いになれば、ついそっちへ目を走らせてしまうようにします。うれしそうになった初桃は、はばかることなく私と延さんを見ていますので、自分に集まる男の目には気づきもしない様子でした。まあ、そうやって見られることには、すっかり慣れっこだったのかもしれません。この夜の初桃は、いつものこととはいえ、人の目を引かずにはいませんでした。末席にいた若いお客さんなどは、ただ紙巻きをふかすだけで、ぼうっと見とれていました。お猪口に添えた手が粋な形になっている会長さんでさえ、ちらちらと見ていたようです。男というものは、こうまで美人に目をくらまされるものなのか、と私は思いました。たとえ魔性の女であっても、美しい魔物であるならば、手元に寄せるのが男の果報なのでしょうか。ふと私は取り留めもない想像をいたしました。夜遅くに会長さんが置屋へやって来て、初桃に会いたいと玄関へ上がり込み、中折れ帽を手にして、笑いながら私を見おろし、オーバーのボタンをはずしだすのです。まあ、実際には、よもや会長さんが初桃の色香に迷うとは思われません。ときとして初桃の身辺にちらつく残忍な本性を、見逃すことはないでしょう。でも、一つだけは確かです。もし私が会長さんに抱いている恋心を知ったなら、たぶん初桃は、ただ私を苦しめるという、それだけのためにでも、会長さんに色仕掛けで迫るのではないでしょうか。

なんだか急に、初桃をここに置いておくわけにはいかないように思われました。どうせ初桃は、その言葉でいう「出来かけの仲」を見に来たのですから、早いところ見せてやればよいのです。そこで私は、首筋やら髪やらへ何度も指先をあて、容姿を気にする素振りを見せました。うっかり髪飾りを引っかけそうになりましたが、それで思いつくことがありました。誰かが冗談を言ったのを潮に、笑いながら髪に手をかけて、延さんへすり寄ったのです。じつをいえば、おかしな手つきでありまして、鬢付油で固めた髪ですから、ほつれを直すこともないのですね。とにかく私の目論見では、黄色と橙《だいだい》色に咲き乱れる花簪を、うまく延さんの膝あたりへ抜け落ちるようにしてやろうというのです。ところが、やってみますと、意外にしっかり髪に刺さっていて、どうにか抜いたのはいいのですが、落ちたはずみで、延さんの胸から下へ、あぐらをかいた股の間へと行ってしまいました。たいていの人が気づきましたが、おやおやと思うだけのようです。私は膝の上あたりへ落とすつもりで、はにかんで拾えばいいと思っていましたのに、まさか男の人の股ぐらへ手を伸ばすわけにもいきません。

　すると延さんが自分で拾って、ゆっくり回しながら、「あのな、さっきの若い仲居に預けたものがあるんだが、ここへ持ってきてくれないか」

　それで仲居さんをさがして、また部屋へ戻りますと、みんなで私を待つ格好になっていました。延さんは花簪を下向きに持ったままで、いま言いつかった品物を渡そうとしても、受け取ろうとはいたしません。「あとで、おまえが帰るときにやろうと思ったんだが、まあ、こうなったらば善は急げだ」と言って、あけてみろというように顎をしゃくりました。一座の目が集まっていますので、ひどく決まりが悪かったのですが、包み紙を広げて、木の小箱をあけますと、繻子《しゅす》を敷いた上に、いい細工物の櫛が寝かせてありました。半円形をして、ぱっと明るい赤の櫛に、あざやかな花模様を入れてあります。

「このあいだ見つけた骨董《こっとう》でね」と、延さんは言います。

まだ卓上に置かれて箱の中にある櫛を、もの思うように見ていた会長さんは、口を動かしながらも言葉が出ないようでしたが、咳払いをしてから、へんに淋しげな言い方で、「いやあ、延さん、こういう情緒を解するとはねえ。私の迂闊だ」

初桃が席を立ちましたので、これで厄介払いができるのかと思いましたら、意外や意外、こっちへ来て坐るではありませんか。どういうつもりか測りかねていましたが、初桃は箱の中の櫛を手にして、私が結った髪の丸い山の下側へ、丁寧に差したのです。さらに手を出しますので、延さんが花簪を持たせますと、これも私の髪へ、赤ん坊の世話をする母親よろしく、元のように差しました。私は軽く頭を下げて応じました。

「なんとまあ、可愛らしいことやおへんか」と、これは延さんに向けて言ったものです。それから、こんな情趣たっぷりの場面に立ち会ったのは初めてだとでもいうように、いかにも芝居がかった息をついて、ようやく出ていってくれました。

＊　＊　＊

こんなことは申し上げるまでもないのでしょうが、男の方というものは、たとえば植込みに咲く花が季節ごとに違うように、それぞれ違っていらっしゃいます。相撲を見に行ってから、ひと月たったかどうかというくらいで、会長さんや延さんが私に目をかけてくださるようになったのに、何度か月が替わっても、蟹の院長や内田さんからは、まったくお声がかかりませんでした。へたに打診するよりは、向こうから何か言ってくるのを待つほうがいい、と豆葉は割りきっていたのですが、そのうちに、いくら何でも待ちぼうけだというので、内田さんの様子を見に、午後から出かけていきました。

するとどうやら私たちが会いに行った直後に、内田さんの猫が貉《むじな》に嚙まれ、その傷がもとで死んだらしいのです。それで、またしても飼い主が酒浸りになってしまったのでした。豆葉が見舞いに足を運んで、内田さんの気鬱も峠を越したかと思われたころ、私は裾まわりに色とりどりの短冊を縫いとった、淡い青緑の着物を着せられ、豆葉のいう「はっきりした顔立ち」のために、ちょっとだけ洋風の薄化粧をした上で、いくらで買ったものやら真珠色の子猫を持っていかされました。愛くるしい猫だと私は思いましたが、内田さんは猫もそっちのけで、あちこち首をひねりながら、細くした目で私を見ていました。何日かあとで、私を絵のモデルにしたいという意向が伝わります。仕事場では口をきかないようにと豆葉に言い含められ、女中のたつ美を付添いにして出かけました。たつ美はすきま風が来る隅っこで半分寝たようになっていましたが、私はあっちへ行けこっちへ行けと言われます。内田さんは必死に墨を調合しては、ちょいちょいと半紙に墨をつけ、また私を動かすのでした。

もし日本へ行かれる折があって、内田さんが私をモデルにして、あの冬以来お描きになったものを、ご覧になってまわるようなことがございましたら――たとえば、めずらしく残された油絵の一点が、大阪で住友銀行の会議室に掛かっていますけれども——あれだけの絵描きさんのお役に立ったとは、ずいぶん晴れがましい経験をしたではないかと思われますでしょうね。でも、本当は、ひたすら辛抱するだけのものでした。たいていは、一時間以上もじっと我慢して坐っているしかないのです。喉が渇いたということを、よく覚えております。水一杯出してくれませんでした。それで水筒にお茶を入れて持っていくようにしたら、気が散るからだめだといって内田さんが遠くに置いてしまいました。豆葉の言いつけがありますから、私はものを言うまいと心がけていて、何か言ったほうがよかったのかもしれないのに、結局黙っていたという、苦い思いをした日もありました。二月半ばの寒い日です。目の前に内田さんが坐って、口元の疣を嚙みながら、私の目をまじまじと見ていました。何種類も墨を用意して、薄氷の張りそうな硯の水で、青味をつけたり、薄墨にしたりしましたが、どうやっても気に入った色が出なくて、そのたびに外の雪へぶちまけてしまうのです。昼下がりからずっと私の目を食い入るように見ていた内田さんは、じりじりと不機嫌をつのらせて、最後には、きょうはもう帰れとおっしゃいました。それから二週間ばかり、さっぱりご無沙汰でありまして、またもや酒浸りになったということがわかりました。それで私が豆葉に叱られる始末です。

*　*　*

さて、蟹の院長先生は、志ら江というお茶屋さんへ呼んでやると言っていたくせに、ひと月半たっても、ちっとも知らせてくれませんでした。だんだんと豆葉も気がかりになったようです。初桃の足元をすくうという作戦がどんなものなのか、たぶん二つの蝶番で扉があくようなものだろうとしか、私にはわかりませんでした。その二つというのが延さんと蟹の院長らしいのです。内田さんをどうしようというのか、これは何とも言えませんでしたが、どうやら別の仕掛けであって、作戦の中枢ではないようです。

二月も末に近くなって、たまたま豆葉が一力で院長と顔を合わせ、このところ大阪の新病院開設に掛かりきりだったのだとわかりました。もう目途がついたから、あらためて来週にでも、さゆりに会いたいということです。私が一力に顔を出したら引く手あまたで体がいくつあっても足りなくなる、と豆葉が言っていたのはご記憶でしょう。だから蟹の院長も、それなら志ら江でよかろうと言ったわけですが、もちろん豆葉の狙いは初桃を遠ざけておくことにありました。といって、あの初桃の目をくらませるものかどうか、支度をしながらも不安だったのですが、いざ行ってみましたら、吹き出して笑いそうになりました。どうあっても初桃の来たがらないようなところです。満開に咲いた木に一輪だけ小さい花がしおれているとでもいいましょうか、いくら不況のどん底だった時代でも、まだまだ祇園の賑わいが途絶えたわけではありませんでしたが、その中にあって志ら江だけが、もともと威勢のいい店ではないところへもってきて、なおさら火が消えたようになっていました。蟹の院長くらい裕福であって、なお志ら江の客になるというのは、裕福ではなかった昔があるからにすぎません。若い頃は志ら江に来るだけでも贅沢だったことでしょう。一力で大きな顔ができるようになっても、昔なじみの縁が切れたわけではないのです。よそで女ができても、連れ添った女房をあっさり離縁しないようなものでしょう。

志ら江のお座敷では、もっぱら私がお酌をして、豆葉が話をつないでいました。いかにも蟹さんで、院長は両肘を張り出していますから、どうかすると豆葉や私にぶつかって、すまんすまんというように首を動かします。もの静かな人であることがわかってきました。小さな丸い眼鏡の奥から、お膳に目を落としておられることが多かったようです。何度もお刺身に手を出して、すっ、すっと口ひげの下へ差し入れるように召し上がりますから、いたずらっ子が敷物の下に何かを隠すという感じになりました。その晩、帰り道での私には、いいお座敷にならなかったという悔いがありまして、あまりご贔屓もいただけないだろうと思いました。おもしろくなければ、また来ようとはなさいますまい。でも、このときばかりは、また翌週に知らせてもらいまして、それからは週に一遍くらいの割で呼ばれました。

＊　＊　＊

うまい具合に院長先生とはご縁が続きましたが、三月半ばの午後のこと、私の浅慮から、せっかく豆葉が練りに練った策略を、あやうく台無しにしそうになったことがあります。若い娘が、当然のつとめを果たさなかったり、大事なお客さんへの無礼があったり、そんなようなことで一生を棒に振ったという例は、多々あったはずだと思います。でも、私が仕出かしたのは、ごく小さなことでしたから、どうしたのか本人もわからなかったくらいなのです。

置屋での、ほんの一分ほどの出来事でした。冷え込んだ日で、お昼を食べて間もないころ、私は廊下にかしこまって三味線をかかえていました。そこへ手洗いへ行こうとした初桃が通りかかったのです。もし下駄が出ていたら、私が通り庭へ降りて譲ったでしょう。実際には、立ち上がるしかなかったのですが、私の手足は凍ったように冷えていました。もっと素早く動けていたら、わざわざ初桃が口をきこうとする暇もなかったでしょう。ところが、私が立とうとした刹那に、初桃がこう言ったのです。

「ドイツの大使さんが来やはんのに、おカボは先約で行かれへん。あんた、姐さんに言うて、代わりに行かしてもろたらどうや」と、まあ、そう言うなり、ぷっと笑ったくらいですから、そんな役を私ごときに任すのは、どんぐりを宮中料理に出すようなものだと言いたかったのかもしれません。

いま昭和十年のお話をしていますが、その時分には、ドイツ大使が来るというので騒がしくなったことがあるのです。なんでもドイツでは新しい政府ができあがって間もないとやらで、私は政治の向きには疎いほうですけれども、あの頃の日本がアメリカに見切りをつけて、ドイツの大使さんにいい思いをさせておこうと躍起《やっき》だったという、それくらいは知っておりますよ。いったいお座敷に呼んでいただけるのは誰だろうというのが、もっぱら噂の種でありました。

初桃に話しかけられて、私としては、ひたすら恐縮して頭をさげ、おカボとは比べものにならないわが身を嘆いていればよかったのかもしれません。ですが、ちょうど私の頭の中では、ようやく先の見込みがついてきた、豆葉の策がどんなものにせよ、初桃には知られずにすんでいる、などと結構なことを考えていたものですから、とっさに笑顔になろうとは思うだけは思ったのですが、私の顔は仮面のままで、しかも隠しごとを守りとおしているという喜びが内心にあったのです。初桃がへんな目つきをいたしました。何かを思いついたらしいと、そのとき気づくべきでした。私は脇へのいて、初桃が通りすぎました。それだけのことだ、と私は思っていたのです。

数日後、また豆葉と連れ立って志ら江にまいりました。でも、表の戸をあけましたら、帰りがけのおカボが木履《おこぼ》に足をすべらそうとするところだったのです。私は唖然として、どうしてこんなところにいるものかと思いました。すると、初桃も出てきて玄関へ降りようといたします。こうなったら間違いなしに、こちらが一本とられたのでした。

「豆葉さん、こんばんは」と、初桃が言います。「ほ、お連れが誰かと思えば、院長はんのお気に入りどした舞妓はんやおへんか」

豆葉もたまげたろうとは思いますが、さすがに顔に出したりはいたしません。「おや、初桃さんどしたんか。お見それしまして……なかなかの姥桜《うばざくら》ぶりどすこと」

このときの初桃は、せいぜい二十八、九だったはずですが、豆葉としては棘《とげ》のあることを言いさえすればよかったのでしょう。

「院長はんのお座敷どっしゃろ」と、初桃が言いました。「おもしろいお人どすなあ。おうちら、いまから行かはったかて、先生が喜んでくれはったらよろしおすにゃけど。ほな、さいなら」うれしそうに言い捨てた初桃でしたが、表通りの灯の中で、おカボの顔は沈んだように見えました。

豆葉と私は押し黙って履物を脱ぎました。何とも言いようがなかったのです。ただでさえ薄暗い志ら江の空気が、沼の水のように淀《よど》んでいました。むっとする脂粉の匂いがたちこめて、壁の漆喰《しっくい》が隅のほうで剝がれかかっています。できることなら後戻りで帰ってしまいたい。どれだけそう思ったかしれません。

廊下から襖をあけますと、ここの女将さんが座持ちをしていました。いつもですと、たぶんお座敷代に追加料金をつけるためでしょうが、私たちが着いてからも、しばらくは女将さんが同席するのですが、この夜は、すっと立って、目も上げず、入れ違いに出ていきました。蟹の院長はこちらに背を向けていますので、お辞儀をしても仕方ありませんから、そのまま卓をまわっていきます。

「先生、こんばんは」と豆葉が言いました。「なんとのうお疲れのようどすけど、どないかおしやしたか」

院長は黙っています。ビールのコップを卓上でまわすようにしているだけでした。ただ暇つぶしをするというのが敏腕家の先生らしくありません。

「ふむ、疲れてはいるね」と、ようやく重い口を開きます。「しゃべりたい気分でもないな」

それだけ言うと、飲み残しのビールをあおっておいて、席を立とうといたしました。豆葉と私が顔を見合わせます。院長は敷居の手前まで行って振り返り、「いったん信用してから、嘘があったと知らされるのは、好むところではないからね」

と、襖をあけ放して去っていかれました。

豆葉も私も口をきくことすら忘れていました。ようやく豆葉が立って襖をしめ、坐り直して着物の膝をなでつけますと、怒った目をぎゅっと閉じてから、「そうか、さゆりさん、あんた初桃さんに何を言うたんえ」

「そんな、姐さん、いままでの苦労を台無しにするようなこと、うちがするわけあらしまへん」

「そうかて、いまの先生見てたら、あっさり袖にされたとしか思われへん。何ぞのわけがあるはずや。いま初桃さんに何をどう吹き込まれたんか、それがわからいでは手の打ちようもあらへん」

「どないしたら、わかりまっしゃろ」

「おカボちゃんがおったやんか。あの子に聞いとおみ」

といって、おカボが私に口をきいてくれるかどうか、まったく見通しは立ちませんでしたが、一応、やってみるとだけは言いまして、豆葉も了解したようでした。立っていこうとした豆葉が、動かない私を見て、何をしているのかと言います。

「姐さん、一つだけ聞かしとくれやす。うちが院長先生のお座敷に来てたいうのんは、初桃さん姐さんに知られました。何のためかも知られた思います。それは先生かて知っといやすのどっしゃろ。もちろん姐さんは知っといやす。おカボちゃんかて、もう知ってんのかもしれまへん。知らんのは、うちだけどす。姐さんがどないな思案しといやすのか、そろそろ教えとくれやさしまへんか」

豆葉は訊かれたくないことを訊かれたものだという顔をいたしました。しばらくの間、あちこちに目をやりながら、私だけは見ようとしませんでしたが、とうとう太い息をつきますと、もう一度坐って、私への答えを語り出しました。

「内田さんは、絵描きさんの目で、おうちを見といやす。わかりまっしゃろ。院長先生は違うのえ。延さんもそうや。宿なしの鰻いうたら何のことかわかるか？」

何のことだろうと思いましたので、わからないと言いますと、

「男はんいうもんはな……ま、鰻みたいなんを持ってはるのや。女にはあらへん。男だけや。どこにあるかいうたら――」

「へえ、そやったら、わからんこともおへんのどっけど、鰻いうのんは初めて聞きました」

「そらまあ、ものの譬えで、話をわかりやすうするためや。鰻と思うて聞いといない。ええか、この鰻は死ぬまでお宿をさがしてはる。ほな、女の中には何がある？　狭い洞穴《ほらあな》やろ。鰻が寝床にしたがるとこや。月に一遍、寝床から血ぃが出るわな。月に雲がかかるいうたりする、あれやがな」

＊　＊　＊

豆葉が月とか雲とか言っているものがわかる年に、私もなっていました。置屋へ来てからの年月で、そんなものが始まっていたのです。最初のときはあわてふためいたものでして、くしゃみをしたらハンカチに脳味噌が飛び出たというより、もっとあわてたかもしれません。本当にこのまま死ぬのではないかと思いましたが、血のついた布きれを洗っている私を小母《あば》が見て、あんたも女になったいうだけやと教えてくれたのです。

「あんたは、まだ鰻をよう知らんやろけど」と、豆葉が言いました。「あの鰻は縄張り意識が

強おっせ。気に入った寝床が見つかると、ぐりぐり中へもぐり込んで、しばらくは居続けて……そやな、ええ寝床やと見きわめをつけたがる。ほんで住み心地がええと思うたら、ここが縄張りやいう目印をつけんのやな、まあ、唾つけるいうか。……わかるか？」

ああいうことを、そのものずばりで言われていたら、相当にたまげただろうと思うのですが、少なくとも、譬え話を解読する手間のぶんだけ、気が紛れていたでしょう。ずっと後になって、昔の豆葉自身もまったく同じように姉芸妓から聞かされていたのだと知りました。

「この先は、けったいな話やと思うかもしれへんけどなあ」と、豆葉は言いますが、いままでがおかしくなかったような口ぶりで——。「男はんいうのは、それが好きなんや。ほんまに好いてはるわなあ。新しい寝床さがして、ほかに何もせんと暮らしたはる人もあるくらいや。どの鰻も住みついたことのない寝床やったら、また格別らしいわ。わかるか？　それが水揚げいうもんどす」

「それ？　何がそれどすのやろ」

「初めて鰻がもぐって来やはるこっちゃ」

水揚げなどといいますと、水から上へ揚げるのか、ひょっとしたら水を汲み上げることなのかとお思いでしょうが、もし芸者が三人いたとしたら、三人が三人とも、違うことを考えるでしょうね。つまり、語源の説明はつかないのですよ。豆葉に聞かされた私も、こんがらかるばかりで、ある程度わかったような顔をしただけでした。

「院長先生が祇園へ遊びに来やはるわけもわかるやろ。あの病院は、えらい儲けてはるのや。その儲けをな、おうちの物入りは別として、あとはみんな水揚げのために使うてはる。なあ、さゆりさん、これだけは言うといたるけど、あんたは先生のお好みにぴったりの舞妓やねん。ようわかるわ。うちがそうやったさかい」

あとで知ったことですが、私が祇園へ連れてこられたよりも一年か二年前に、蟹の院長は豆葉のために水揚げ代の新記録をつくっていたのです。七千円から八千円でしたでしょう。たいした数字ではなさそうかもしれませんが、その当時でしたら、たとえば置屋のおかあさんのような金の亡者でも、一生に一度か二度拝めるかどうかという金額です。そこまで高くなったのは、豆葉が有名だったせいもありますが、ほかにも理由はあったのだと、このとき豆葉の口から聞きました。金持ちの男が二人で、豆葉の水揚げ旦那になろうと張り合ったのだそうです。一人は蟹の院長で、もう一人は藤門《ふじかど》という実業家でした。普通、祇園の客同士なら、こういう争いにはなりません。いわば顔見知りのようなものですから、どこかで折り合って、丸くおさめます。ですが、その実業家は遠方の人で、たまにしか祇園へは来ませんでした。蟹の院長と不義理になっても困ることはなかったのです。院長は院長で、お公家さんの血をひいていると称するくらいですから、成り上がりの実業家をひどく嫌っていました。そういう院長だって、成り上がりには違いありませんでしたが。

ともかく、相撲見物の日に、延さんが私に興味を持ったと見た豆葉は、延さんが藤門と似た立場にあると思いついたのです。たたき上げで地位を得て、院長のような人から見れば、うっとうしくてたまらないでしょう。私は、台所のゴキブリが追われるように初桃に追いかけまわされていますから、このままでは豆葉にあやかって名前を売ることさえできず、したがって、まとまった金の動く水揚げにも至らないでしょう。ですが、もし二人の男が私を価値ありと見て競り合いを始めたら、ずっと売れっ妓でいたのも同然に、借金を返せるかもしれません。初桃の足元をすくうと豆葉が言ったのは、そういうことだったのです。延さんが私を気に入ったのを初桃はおもしろがったわけですが、それでこそ私の水揚げ代が高騰するとまでは読み切れなかったのでした。

となると、院長のご機嫌を直すのが先決です。さもなければ延さんも、そこそこの値段で間に合わそうとするでしょう。それだって、延さんがその気になってくれたらの話です。あやしいものだと私は思いましたが、豆葉は自信ありげに、水揚げを考えもせずに十五の舞妓を贔屓にしてやろうという男がいるものかと言うのでした。

「あんたと話がしとうて来やはるのやおへん」

そう言われて、つとめて平気な顔をしようといたしました。

（下巻へつづく）

文春文庫

さゆり 上

定価はカバーに
表示してあります

2004年12月10日　第1刷
2005年11月5日　第8刷

著　者　アーサー・ゴールデン
訳　者　小《お》川《がわ》高《たか》義《よし》
発行者　庄野音比古
発行所　株式会社 文藝春秋
東京都千代田区紀尾井町3-23　〒102-8008
TEL 03・3265・1211
文藝春秋ホームページ　http://www.bunshun.co.jp
文春ウェブ文庫　http://www.bunshunplaza.com

落丁、乱丁本は、お手数ですが小社製作部宛お送り下さい。送料小社負担でお取替致します。

印刷・凸版印刷　製本・加藤製本
Printed in Japan
ISBN4-16-766184-5

文春文庫

海外ノンフィクション

野球術
ジョージ・F・ウィル（芝山幹郎訳）
(上)監督術・投球術　(下)打撃術・守備術

大リーグの現場を四つのカテゴリーに分け、歴史家の目と科学者の目の両方から徹底検証。豊富なインタビューと鮮やかな分析によりその心臓部に迫る。野球を見る目が今日から変わる！

ウ-13-1

キャパ　その青春
リチャード・ウィーラン（沢木耕太郎訳）

冒険家であり勇気の人であった報道写真家の伝説に満ちた生涯を丹念にたどる傑作伝記決定版。ブダペストでの青春からパリでの写真開眼、スペイン内戦従軍までを描く〝伝説の人〟青春篇。

ウ-17-1

キャパ　その戦い
リチャード・ウィーラン（沢木耕太郎訳）

「崩れ落ちる兵士」のワン・ショットで戦争写真家として名声を博したキャパは世界の戦場を股にシャッターを切り続ける。その束の間、彼は多くの女性を愛し、愛され、人生を満喫する。

ウ-17-2

キャパ　その死
リチャード・ウィーラン（沢木耕太郎訳）

米国に渡ったキャパは、ライフ誌を中心にDデイ取材をはじめ華々しく活躍する。秘話＝イングリッド・バーグマンとの恋、そしてインドシナでの突然の死。劇的な終局にいたる後半生。

ウ-17-3

酒場の奇人たち
女性バーテンダー奮闘記
タイ・ウェンゼル（小林浩子訳）

マンハッタンのバーで十一年間バーテンダーを経験した女性による業界裏話。酒の魅力＆魔力、笑うに笑えない客の奇行ぶりを徹底的に暴露した、ほろ酔い気分もぶっ飛ぶ辛口エッセイ。

ウ-19-1

ファッションデザイナー
食うか食われるか
テリー・エイギンス（安原和見訳）

……当代人気デザイナーたちが、生き残りをかけて繰り広げる華麗かつ醜悪な闘いの内幕。最後に笑うのはいったいだれか？　E・ウンガロ、G・アルマーニ、R・ローレン、D・キャラン

エ-6-1

文春文庫

海外ノンフィクション

品切の節はご容赦下さい。

ロバート・エヴァンズ（柴田京子訳）
くたばれ！ハリウッド
『ゴッドファーザー』『ある愛の詩』『ローズマリーの赤ちゃん』を製作し、美女と豪邸と名誉を手にし、見事転落した男。ハリウッドの伝説的人物が己の濃い人生を綴った自伝。痛快無比！
エ-7-1

康明道（カンミョンド）（尹学準訳）
北朝鮮の最高機密
権力の中枢にいた超エリート、北朝鮮元首相の娘婿が韓国に亡命して綴った衝撃の手記。恐るべきテロ国家の内幕、独裁者・金正日の正体、そして日本を狙うミサイルやスパイ組織の実態。
カ-8-1

ロバート・キャパ（川添浩史・井上清一訳）
ちょっとピンぼけ
二十年間に数多くの戦火をくぐり、戦争の残虐を憎みつづけ写しつづけた報道写真家が、第二次世界大戦の従軍を中心に、あるときは恋をも語った、人間味あふれる感動のドキュメント。
キ-1-1

金賢姫（キムヒョンヒ）（池田菊敏訳）
いま、女として
金賢姫全告白（上下）
大韓航空機爆破事件の元工作員が破壊テロ工作の全貌から死刑を免除されるまでの数奇な半生を、戦慄すべき北朝鮮の実態や日本人教育係・李恩恵の素顔を交えて綴る迫真のドキュメント。
キ-8-1

金賢姫（池田菊敏訳）
愛を感じるとき
大ベストセラー『いま、女として』の著者がソウルでの日常生活、結婚への憧れ、日本人教育係・李恩恵の新情報、北朝鮮の両親への想いなどをありのままに告白した待望の手記第二弾！
キ-8-3

金賢姫（池田菊敏訳）
忘れられない女《ひと》
李恩恵先生との二十ヵ月
「李恩恵先生の救出に日本人は今こそ全力をあげるべきです」。北朝鮮に拉致された李恩恵こと田口八重子から日本人化教育を受けた著者が、李恩恵の人物像を詳述しその救出を訴える手記。
キ-8-4

文春文庫

海外ノンフィクション

有名人の子ども時代
キャロル・O・マディガン、アン・エルウッド（京兼玲子訳）

「三つ子の魂百まで」ってホント!? エジソン、スターリン、モーツァルト、ビル・ゲイツをはじめ、各界を代表する著名人百四十三名の子ども時代の意外なエピソードを満載した読物。

マ−14−1

カジノのイカサマ師たち
リチャード・マーカス（真崎義博訳）

カジノは楽しい、カジノを騙すのはもっと楽しい！「人々の金を取るカジノから金を取った」と自負する本物のイカサマ師が明かす周到かつアッケラカン、映画『スティング』ばりの手口。

マ−19−1

アンネの伝記
メリッサ・ミュラー（畔上司訳）

新発見の日記五ページ分には何が書かれていたか、隠れ家を密告したのは誰か……徹底調査により「伝説の少女」の全貌に迫った世界的話題作。四十人近い関係者のその後の人生も収録。

ミ−2−1

オールド・ルーキー
先生は大リーガーになった
ジム・モリス、ジョエル・エンゲル（松本剛史訳）

貧乏くじを引きつづけた三十五歳の高校教師が、自身と教え子たちのために入団テストに挑戦、「最年長ルーキー」として夢のメジャーリーグ・デビューを果たすまでをつづる感動の実話。

モ−3−1

1900年のハリケーン
エリック・ラーソン（島田三蔵訳）

一九〇〇年九月、テキサス州南部ガルヴェストンを史上最悪の嵐が直撃した。自然の猛威にさらされ、街とそこに住む人々の日常が崩壊していく様を克明に圧倒的迫力で描く衝撃の記録。

ラ−5−1

ダライ・ラマ自伝
ダライ・ラマ（山際素男訳）

ノーベル平和賞を受賞したチベットの指導者、第十四世ダライ・ラマが、観音菩薩の生れ変わりとしての生い立ちや、亡命生活などの波乱の半生を通して語る、たぐい稀な世界観と人間観。

ラ−6−1

品切の節はご容赦下さい。

品切の節はご容赦下さい。

暗号攻防史
ルドルフ・キッペンハーン（赤根洋子訳）
暗号の作成と解読に生涯を捧げた人々、暗号のおかげで危地を逃れた人々、暗号を解読されたことが命取りになった人々……古今東西の暗号や暗号機と人間にまつわるさまざまなドラマ。
キ-10-1

金日成長寿研究所の秘密
金素妍（キムソヨン）（吉川凪訳）
金日成の老化防止に血を捧げる若者たち、下着や服、寝具などを手作りする女性たち、無公害食品の開発にはげむ医療陣……北朝鮮の元女医で工作員が明かす「金日成を長生きさせる法」。
キ-12-1

トップモデル
きれいな女の汚い商売
マイケル・グロス（吉澤康子訳）
スージー・パーカー、ツィッギーから、九〇年代の寵児、スーパーモデルまで。トップモデルたちの華麗で醜悪な舞台裏、そして、モデル業界の〝魔力〟を徹底取材したノンフィクション。
ク-8-1

常識のウソ277
ヴァルター・クレーマー、ゲッツ・トレンクラー（畔上司・赤根洋子訳）
「木は必ず水に浮かぶ？」「クレオパトラは絶世の美女？」「自然食品はヘルシー？」「喜望峰はアフリカ大陸最南端の岬？」など世間にまかり通る全二七七項目の〈常識の間違い〉を集大成！
ク-10-1

空へ
エヴェレストの悲劇はなぜ起きたか
ジョン・クラカワー（海津正彦訳）
一九九六年五月、日本人女性・難波康子さんを含む多数の死者を出したエヴェレスト登山隊に参加、九死に一生を得た作家が大量遭難の一部始終を冷静な筆致で描いた世界的ベストセラー。
ク-11-1

心臓を貫かれて（上下）
マイケル・ギルモア（村上春樹訳）
みずから望んで銃殺刑に処せられた殺人犯の実弟が、兄と父、母の血ぬられた歴史、残酷な秘密を探り、哀しくも濃密な血の絆を語り尽くす。衝撃と鮮烈な感動を呼ぶノンフィクション。
キ-9-1

海外ノンフィクション

（　）内は解説者。品切の節はご容赦下さい。

スタブロス・コスモプロス（大辺理訳）
「最後」の大事典
「マリリン・モンロー最後の出演作は？」「月面に降り立った最後の宇宙飛行士は？」……歴史から科学、芸術、スポーツまで、「有終の美」を飾ったあらゆる記録や人物、こぼれ話を集大成。
コ-10-1

スタンレー・コレン（木村博江訳）
デキのいい犬、わるい犬
あなたの犬の偏差値は？
心理学者兼犬の訓練士である著者が、具体的かつユーモアあふれる筆致で犬の知性を徹底検証。だれにでもできるIQテスト、犬の頭の良さがひと目で分かる画期的な偏差値ランキング付き。
コ-12-1

スタンレー・コレン（木村博江訳）
相性のいい犬、わるい犬
失敗しない犬選びのコツ
犬を役割別ではなくその性格によって七グループに分け、各々に合う飼い主の性格を解説した画期的な書。著名人と犬とのエピソードも満載。あなたをしあわせにする犬は、必ずみつかる。
コ-12-2

スタンレー・コレン（木村博江訳）
犬語の話し方
犬が言葉を聞き分ける能力は人間の二歳児程度。吠え声、しっぽの動き、顔の表情などで伝えられる「犬語」を理解し、犬の気持ちを知るための教科書。巻末に犬語小辞典つき。（米原万里）
コ-12-3

マイケル・コニック（真崎義博訳）
ギャンブルに人生を賭けた男たち
食塩水の注入で形成したC85のおっぱいをつけたまま一年間暮らして十万ドルをせしめた男。森羅万象を賭け事の対象にしてしまう天才ギャンブラーたちの生態に迫るノンフィクション。
コ-14-1

暁冲（シャオチョン）編（高岡正展訳）
汚職大国・中国　腐敗の構図
共産党幹部や政府役人の汚職がエスカレートする一方の中国。腐敗撲滅を掲げながら、なぜ汚職はあとを絶たないのか。いくつかの重大事件を取材し、腐敗の実態を暴いた衝撃のレポート。
シ-11-1